告白 上

應橙 著

阿殁Amo 繪

高寶書版集團

目錄
CONTENTS

引子　妳還喜歡他嗎？

好像曖昧或是風月相關，他都交由她定。

清晨六點，電線桿上的麻雀撲騰著翅膀打破了巷口的寧靜。由於前一晚剛下過一場雨，桂花被打得七零八落，像被打翻的蜂蜜，淌在濕漉漉的地面上。

濕氣順著窗戶的縫隙鑽進來，許隨趴在桌上，肩膀下意識地瑟縮了一下，她艱難地抬起頭，伸手搓了一下臉，好讓自己更清醒一些。

昨天許隨剛做完手術，加上下半夜醫院有急事召她，等忙完已經快天亮了，索性趴在桌子上瞇了一下，黑長的睫毛下是掩蓋不住的疲憊。

洗手間內，許隨嘴裡含著薄荷味的漱口水，擰開水龍頭接了一捧水簡單地洗了一下臉準備上早班。

七點五十分，科室的人漸漸多了起來，大家互道早安。許隨掐著時間迅速吃完了一份可頌，黑咖啡放在旁邊，有人把它拿走換成了一瓶牛奶。

許隨一抬頭，是新來的實習醫生，男生不好意思地撓了撓頭：「許醫生，老喝咖啡對身體不好。」

「謝謝。」許隨笑了笑，她看了時間一眼，「走，到查房的時間了。」

住院部的病人大部分喜歡許醫生來查房，溫和、有耐心，還會傾聽他們偶爾的抱怨。

幾名實習醫生跟在許隨身後，她一間一間地查房，衣袂揚起一角，順著視線看過去，左側胸口別著藍色的證件——普仁醫院外科醫生許隨。

查房查到一名女孩，這個病人這兩天剛割了闌尾，許隨特地多囑咐了幾句，讓她忌食、調整作息之類的。

小女孩年紀小，手術完沒多久就恢復了活力，轉著一雙大眼睛說自己再吃這種淡出鳥的食物會死的。

「許醫生，我可以喝飲料嗎？」小女孩小心翼翼地問道。

許隨拿著簽字筆停在藍色資料夾上，抬眼對上一雙期盼的眼睛，鬆口：「一點點。」

「為什麼？可我比較想喝益禾堂。」小女孩眼神苦惱。

「……」

身後的實習醫生忍不住發出笑聲，許隨面無表情地開口，聲音帶著一點殘忍的意味：「這下一點點妳也不能喝了。」

小女孩後知後覺地反應過來，悔恨道：「我錯了，醫生！」

查完房後，許隨雙手插著口袋回辦公室，在走廊碰見了一直帶自己的老師，也是外科的主任。

主任有事過來，正好逮著她：「小許，剛查完房啊？」

「嗯，」許隨點頭，看著主任好像有什麼話要說，便主動問，「老師，您有什麼事嗎？」

「妳最近確實忙，是這個科室最拚的，有我當年那個勁頭，」張主任笑笑，面容慈祥，「但也要注意勞逸結合啊，妳媽都把電話打到我這來了，要我操心妳的終身大事。」

許隨愣住，沒想到自己多次拒絕相親的後果是她媽媽找出主任來壓她了。她定了定心神：「老師，你知道我媽人過中年後的夢想是什麼嗎？」

「什麼？」

「當媒婆，先拿我練手。」許隨用手指向無辜的自己。

「妳這孩子啊，」張主任笑出聲，語氣無奈，隨即話鋒一轉，「我住的那個員工宿舍區裡有個小夥子人不錯，條件也好……」

許隨的眼睛在他身上晃了一圈，岔開話題：「老師，我怎麼聞到了您身上有菸味？挺重的。」

普仁醫院的人都知道，張主任醫術精湛，權威在外，但也是出了名的怕老婆。張主任的老婆是小兒科的護理長，經常過來查崗。每次師母一聞到他身上的菸味，就揚言要不是顧及他那雙手還能用來救死扶傷，恨不得把他手撅斷了。

「我今天還沒來得及抽啊，有可能是沾到了病人家屬的，」張主任抓起自己的衣領嗅了嗅，一臉慌張，「不說了，我先去洗手。」

上完忙碌的一天早班後，許隨終於結束工作，她回到家補覺，睡得昏天黑地，醒來時四周暗得不像話，遠處已經亮起了星星點點的霓虹。她以為時間過去好久，但其實只睡了三個小時。

許隨放空了一下，起身關窗，用手機藍牙連了音響，放了一首搖滾歌，踩在指壓板上放鬆。大部分人認為，在指壓板上會很痛，對於許隨來說，它是一種很好的解壓方式。手機發出叮的聲音，許隨額頭出了一點汗，直接坐在指壓板上去拿手機。

許母傳了一大串訊息，意思是讓她去相親。

雲淡風輕：『這次的小夥子真的不錯，比妳大兩歲，人家還是大公司的部門主管呢，不僅是成功人士，長得還不錯，介紹人說他是個有責任心又優秀的小夥子。』

雲淡風輕：『明天去見見？別找藉口，我知道妳明天晚上不用值班。』

雲淡風輕向她傳送了一個聯絡人資料，許隨點開對方的頭貼，吐槽道：『這種拍照姿勢，雙手交叉在胸前，我看不像成功人士，像是搞直銷的。』

許母一看許隨在打岔就知道她又想跟往常一樣蒙混過關。許母有些生氣，懶得打字，一連串死亡語音傳過來。

雲淡風輕：『妳今年就二十八了，都快成老女人了，怎麼還一副不著急的樣子？』

許隨回覆道：『媽，我現在還不太想結婚。』

至少她現階段的想法是這樣，一個人輕鬆又自在，加上許隨工作又忙，確實沒有精力去想這件事。

雲淡風輕：『那妳想幹什麼？』

許隨還沒來得及回覆，雲淡風輕又傳了則訊息過來：『那妳是不是想去當尼姑？』

許隨失笑，正要回覆，手機螢幕忽然彈出某個問答軟體的訊息通知，她點進去，時隔多年，還有人按她那個回答讚，還有回覆。

那個問題是：『學生時代暗戀時，你做過最搞笑的事情是什麼？』

許隨當時心血來潮，匿名回覆道——

『讀高二那年，一部外國電影上映，特別喜歡它，以至於買了電影的周邊——一件藍色T恤。』

『穿著它去上課的第一天，忽然發現他也穿了一件藍色的T恤，雖然他穿的是再普通不過的藍色T恤，但我的心跳得很明顯，暗暗認為這就是情侶裝。』

『可能上帝看我暗戀太辛苦，特地送我的甜蜜巧合吧。』

『從那以後，我經常穿這件衣服。甚至在前一晚，幻想他會不會第二天也穿藍色T恤。他坐倒數第二排，我坐正數第二排。每天上早自習的時候，為了多看他一眼，我會刻意從後門進去，假裝不經意地走過他身邊，偶爾餘光瞥見他懶散地枕在臂彎裡，頭髮凌亂，清瘦的肩胛骨凸起的是藍色影子時，心跳會異常快，莫名開心一整天。』

『結果後來我發現，人家這件衣服是有人買給他的，超市隨便買的九點九塊的T恤。一個特立獨行的男生，竟也不介意天天穿著它。』

『我一下就清醒了，好像明白過來一件事：他可能永遠看不到我。』

許隨這則回覆的按讚量被頂到第一名，甚至還有許多人在底下回覆：『一點也不搞笑，我怎麼覺得好心酸？抱抱小姐姐。』

許隨怔住，重新看著自己這則多年前的回答，正打算隱藏掉它時，一個新回覆彈了出來：『那妳現在還喜歡他嗎？』

眼底的澀意一點點加深，許隨坐在指壓板上，也不知怎的，四肢百骸傳來密密麻麻的痛，她有些喘不過氣。

許隨沒有回覆，退出了軟體，回覆了媽媽：『好。』

次日，許隨刻意打扮了一下，她按照媽媽給的地址出現在餐廳裡，對方早已在那裡等著。

對方叫林文深，目前在一家網路公司任職，比照片上給許隨帶來的印象好得多，五官還算周正，待人也謙和。

兩人聊得還算不錯，飯後，林文深提出要不要在附近散一下步，許隨想了一下，都出來相親了，就沒必要扭扭捏捏的，最後點了點頭。

晚上十點，月光皎白。許隨和林文深並肩走在一起，兩人時不時搭幾句話，氣氛還算舒適，散著散著來到了一條小吃街。

小吃街上，藍紅幕布錯落成一排，燒烤架上錫箔紙盛著茄子，老闆撒了一把孜然，在油與火的炙烤下，發出吱吱聲，旁邊炭烤的秋刀魚顏色漸黃，鮮美的香氣四溢。燈泡懸在頭頂，細碎的微塵浮在上面，光線昏暗。

成尤端了一盤烤肉串來到男人面前坐下，兩人喝了一點酒，開始有一搭沒一搭地聊天。成尤遞一串牛肉給他，語氣有些小心翼翼：「老大，你不要太有壓力，這次……你就當休息了。」

周京澤正咬著串，聞言掀起眼皮看了對方一眼，低笑一聲：「我能有什麼壓力？」

「沒有就好。」成尤鬆了一口氣。

周京澤坐在成尤對面，腳恣意地踩在桌子底的橫桿上，剛坐下沒多久，已經吸引了旁邊好幾桌女孩的目光。偏偏他眼皮都懶得抬，兩指指尖夾著一根菸，煙霧徐徐地上升，痞帥又冷淡。

成尤和周京澤在一起，感受到了四面八方的注目禮，自豪得不行，再加上他一喝酒就喜歡嘮叨，屁話一大筐：「哎，老大，還別說，當飛行員的這幾年老在天上滿世界飛，還真沒仔細看，美女多的地方，還是要數我們京北城。」

「喏，你看那大長腿。」成尤感嘆。

周京澤頭也沒抬，冷笑一聲：「再亂看，告訴你老婆。」

成尤悻悻地收回視線，忽然眼睛發亮，推著他的手臂：「老大，你看對面就有一個水靈的，一看就是南方人的長相。」

聽到「南方」二字，周京澤下意識抬頭，一雙漆黑的眼睛掃過去，然後愣了一下。對方確實是典型南方人的長相，膚白，一雙盈盈杏眼，穿著一件杏色的針織連身裙，細細的兩根帶子，露出白皙的肩膀。

「嘖，有男朋友了，但這兩人的氣氛一看就是剛認識，應該在相親，不過兩人氣質都是斯文型的，還挺配。」成尤評論道。

成尤說完這句話，感覺周遭的空氣一下子冷了下來，他有點心慌，眼一瞥就看見他哥徒手將手邊的一把竹籤掰斷了，沒有說一句話。

許隨沒有注意到這邊的動靜，正和林文深並肩穿過這條小吃街，眼看快要到盡頭時，巷子口傳來幾聲掙扎聲。

原來是有個賣甜湯的老太太被幾個醉酒的混混纏上了，混混正以難吃為由要砸她的攤子。許隨本來無意管閒事，可老人苦苦哀求的聲音，一瞬間像極了她奶奶。

許隨正要走過去，林文深拉住她，語氣精明：「這個時候妳千萬別過去，萬一被混混或者老太太訛上就慘了。」

「我喜歡被人訛。」許隨勾了勾唇角，隨即看向林文深拉著自己的手，對方尷尬地鬆開。

老人被為首的一個混混推倒在地，許隨走過去扶住她，聲音平靜：「多少錢？我賠。」

染著紅頭髮的混混看見許隨，眼睛一亮，一雙手搭在她裸露的肩膀上：「既然是妹妹求情，這事就算了，陪哥哥喝杯酒。」

「你別……亂來啊，有話好好說……你你你放開……」林文深推了推眼鏡，緊張得說不出一句話。

幾個混混見林文深是個膽小鬼，揮了揮手裡的鐵棍，問道：「怎麼，想打一架？」

林文深後退了一步，看了許隨一眼，竟然咬牙跑開了。

混混的手停留在許隨肩膀上，還放肆地摩挲了一下。不到一秒，許隨反手擰著他的手腕，發出唠嗒聲。

紅頭髮吃疼地鬆開手，臉徹底沉了下來，他一隻手掌揚起，正要一巴掌打下去時，倏地，憑空出現一隻修長、骨節清晰、血管明顯的手生生截住了混混的手掌。

是周京澤。

「還以為是女人的手，又軟又無力。」周京澤語氣輕狂，渾得不行。

他這句話無異於挑釁，對方騰出一隻手揮了過來，周京澤側身一閃，抓住紅毛的手臂一拳將人掄在了地上，紅毛發出一聲痛苦的慘叫。幾個人圍在一起，一下子打了起來。

許隨蹲下身，扶起老人，幫她收拾好東西，一言不發地送走她。

一場混戰來得快，去得也快，周京澤以一打四，幾個混混落荒而逃。周京澤站在路燈下，長長的影子拉到她面前。許隨這才抬眼仔細看他。

周京澤穿著一件飛行夾克，身材頎長，頭頸筆直且帶著壓迫感，單眼皮，頭髮極短，側臉線條凌厲分明，下巴還留著一道鮮紅的血痕，一雙漆黑而銳利的眼睛盯著她。

許隨被周京澤看得心臟倏地一縮，下意識後退了一步。此刻，一陣涼風吹來，路邊的樹葉、垃圾袋被捲到半空飄飄搖搖。

周京澤見她這熟悉的模樣，扯著唇角嗤笑一聲。

男人偏頭朝垃圾桶吐了一口帶血的唾沫，轉而從菸盒裡磕出一根菸，他細長的指尖捻了捻菸屁股，低頭咬著菸，銀質的打火機發出哢嚓聲，還是那副吊兒郎當、漫不經心的模樣。

他在等許隨開口。

許隨移開視線，語氣出人意料的疏離：「今晚謝謝了，我先走了。」

說完，許隨自己心裡都怔了一下，她設想過無數次兩人見面的場景，沒想到真正發生時，他們連寒暄都省去了。

許隨轉身就想走，周京澤逼近一步，他身上的菸草味明顯，凜冽的氣息讓人動彈不得。

從地上看，他的影子倏地圈住了她。他的眼睫垂下來，在燈光的投射下，拓出一圈淡淡的陰影，語氣有些咬牙切齒的意味：「妳在相親？」

許隨以為昨晚的見面不過是匆匆擦肩而已，沒想到第二天又在醫院見到了周京澤。許隨剛從手術室出來，透明的洗手液擠在掌心還沒抹開，護理長匆匆跑過來，語氣焦急：「急診那邊有一個患者把燈泡塞進嘴裡了，急得不行，宋醫師取不出來，正叫妳過去呢。」

「好，我馬上過去。」許隨把手伸到水龍頭下面簡單洗了一下，直接往急診科的方向去。

急診室的門被推開，許隨手插著口袋進來，一眼就看到了周京澤，並發現幾個護士，還有醫生都一臉束手無策地圍在患者旁邊，患者是一名女孩，此刻急得眼淚直打轉，發出斷續不清的聲音。

偏偏一旁陪同的男人還奚落小女孩，熟悉的冷淡嗓音震在耳邊：「樓下三歲半的小明也玩這個，你們乾脆一起組團出道得了。」小女孩發不出聲音，嗔怪地看了他一眼。

兩人一來一往隱隱的親暱落在許隨眼裡，她垂下眼，掩住眼底的情緒。

許隨走過去，接下護士遞過來的醫療手套，走到患者面前，捏起她的下巴仔細打量，發現燈泡不偏不倚地卡在她嘴裡，尺寸剛好。

周京澤這時也發現了她，許隨刻意忽略落在她身上的視線，偏頭問身後的一名實習醫生：「用了潤滑劑嗎？」

「用了，沒效。」醫生回答。

許隨低下頭，好像是腦後綁著的髮圈有點鬆了，額前的一縷碎髮垂下來黏在臉頰上。她又觀察了一下患者嘴裡含著的燈泡，開口：「去拿一個手術棉花墊來。」

五分鐘後，在一群人的圍觀下，許隨一邊輕聲叫患者放鬆，一邊把外科手術棉花墊遞進去，等外科棉花墊把口腔兩側全部裹住時，許隨對一旁的同事說：「拿錘子過來。」

女孩一直搖頭，眼神驚恐，直接用錘子？爆炸了怎麼辦？

許隨安慰她：「不會有事的。」

許隨安撫了一下也沒用，女孩嗚嗚地說不出話，眼眶裡還有淚，神經十分緊繃。

今天是週末，醫院人滿為患，許隨上下打量了女生一眼，對方無論是髮飾，還是衣服，都有精心打扮的痕跡。

「放心，還有別的辦法取出來。」許隨手裡沒閒著，一副聊天的樣子，話鋒一轉，「今天週末，打算出去玩？」

前半句話無疑給女生吃了顆定心丸，後半句把她的注意力勾走，女生聞言苦著臉，費力地擠出不清楚的兩個字：「本來——」她接著從褲子口袋裡摸出手機，垂下眼睫想打出「電影」兩個字給許隨看。

許隨卻趁她放鬆，手搭在她的下頷上，毫不留情地用力往下一掰，發出喀嚓一聲，玻璃碎裂的聲音。

女孩呆了兩秒，反應過來，發出「啊啊啊啊啊」的尖叫聲，周京澤拍了拍她的腦袋，發出輕微的哂笑聲：「行了，等等帶妳去吃冰淇淋。」女孩立刻安靜下來了，不再鬧騰。

他很少哄人，只要稍微說點好話，女人就會主動投降。

剩下的交由急診醫生負責，許隨脫了醫療手套扔進垃圾桶裡，雙手插進醫師袍的口袋裡，離開了急診部。女孩看著許醫生清冷的背影驚魂未定：「軟妹不可信，我認真回答她問題，她卻給了我溫柔一刀。」

許隨回到辦公室忙了大半個小時，出去經過護理部前臺時，一個小護士喊住了她：「哎，許醫生，剛剛有人找妳呢！就是那位嘴裡塞了燈泡的病人的家屬，喏，留給妳的東西，說是謝禮。」

許隨看過去，是一排荔枝白桃口味的牛奶，還有一條藍色的髮圈，她的目光怔住，一時沒有移開。幾個小護士湊在一起打趣：「許醫生，那位真的長得好帥，剛挑著嘴角對小張笑了一下，小張魂都要沒啦。」

周京澤確實有這個本事，一個浪子，他什麼都不用做，勾勾一根手指頭，有時甚至只需要一個眼神，就有無數女人撲上來。

許隨點了點頭，轉身就要走。護士喊住她，說道：「許醫生，妳的東西還沒拿。」

「你們拿去分了吧。」許隨神色平靜。

許隨轉過身往前走，卻在不遠的轉角處看見了周京澤，還有他旁邊的女孩。那個女孩穿著時髦，長相明豔，大紅唇，身材曲線勾人，剛才在病房裡時，許隨就領略了這女孩撒嬌的功力。

她抬眼看過去，女孩晃著周京澤的手臂不知道在說什麼，明顯是在撒嬌，周京澤臉上沒什麼表情，可他的眉眼放鬆，明顯很吃這一套。

許隨插在衣服口袋裡的雙手在不自覺中握緊，指尖泛白，痛感傳來，她才清醒過來。他不是一直都這樣嗎？喜歡妖豔風情、大膽那一型的，而她太乖、太規矩了、素淡。好學生從來不在他的選擇範圍內。

就這樣遇見，許隨只能走過去。他們顯然也看見了許隨，女孩喊住她，笑容明亮：「許醫生，剛才謝謝妳呀。」

許隨搖了搖頭：「客氣了，這是我們應該做的。」

女孩站在周京澤旁邊，她瞥了男人一眼，明顯感覺看到這位許醫生後，她哥情緒就不對勁了。他們兩個人一定有什麼隱情。

女孩眼珠骨碌一轉，說道：「許醫生，妳和我堂哥是不是認識呀？感覺關係不簡單。」

原來是堂妹。可女孩的問話過於大膽直接，許隨招架不住，她抬眼看向周京澤，期望他能做點什麼。

周京澤單手插口袋，見許隨無措，有臉頰泛紅暈的架勢，起了逗弄心思。他目光筆直地看向許隨，忽地低笑一聲，語氣意味深長：「妳說說，我們是什麼關係，嗯？」

好像曖昧或是風月相關，他都交由她定。

許隨因為他懶散逗弄的架勢明白過來，像他這樣的天之驕子，大概永遠不明白真心喜歡一個人是什麼滋味。

或許，他從來沒把她放在心裡過。

周京澤原本只想開個玩笑，說完這句話他就後悔了。因為他看見許隨那雙清凌凌的眼睛，慢慢有了濕意。

一種類似於心慌的情緒在心底蔓延，無限擴張，周京澤清了清喉嚨，想說點什麼時，看見許隨眨了眨眼，原本的情緒退得一乾二淨，她的眼神平靜，語氣坦蕩：「不認識，也沒關係。」

周京澤看到了她眼底的決絕和乾脆，心被一根細線纏住，是一種說不清、道不明的情緒，他終於反應過來——

眼前這個人是真真正正不喜歡他了。

第一章 少女心事

「這是我的室友，叫許隨。」

「妳好，周京澤。」

許隨剛上大學時，微信這種通訊軟體剛普及沒多久，還是在那一年的十月，許隨正式與周京澤發生交集。

十月初，秋老虎還沒散去，熱氣翻湧，空氣黏膩，人稍微在外面站久一點就滿身汗，手肘的汗滴到地面上又迅速蒸發。

他們這批醫學生在結束軍訓後正式進入大學生活，本來解剖是大一下學期的課程，偏偏他們的教授反其道而行，提前讓他們學習這門生理課。今天僅是他們第二次學習解剖，教授就留了作業給他們，以小組合作的形式，解剖蟾蜍並記錄神經反應。

新兵上手，實驗室內一派兵荒馬亂的景象。

「大姐，妳按住牠啊！」有男生一臉暴躁，說道：「別讓牠又跑了。」

「嗚嗚嗚，不行，我不敢，我看見牠就怕。」女生的嗓音發顫。

兩個人合作，女生不敢伸手去碰，卻不小心碰到蟾蜍，結果這隻綠色的生物直接對著男生噴了他一身的尿。空氣靜止，隨即又發出一陣爆笑聲，隔壁實驗臺的男生笑得肩膀都在抖，說道：「哥們，開門黃啊。」

實驗數次失敗，其他組的學生更誇張，手還沒碰到蟾蜍，光是看見牠的外表就去洗手間吐了好幾次。

而另一邊，好幾個人圍著一個女生，觀看她的解剖實驗。女生身材纖瘦，頭髮綁在後面，露出一截白皙的脖頸，她穿著實驗袍，護目鏡下的一雙眼睛沉靜又乾淨。

只見她毫不畏懼地抓住蟾蜍，把牠固定好，手裡拿著一根鋼針插進牠的後腦勺，也不害怕，直接搗毀腦和脊髓，另一隻手用剪刀剪開頸部，用鑷子夾住牠的舌頭觀察。

整個過程一氣呵成，動作乾淨流暢，周圍響起小幅度的掌聲。有男生誇道：「佩服，許隨，看妳長相，我以為妳也是那種做事很乖、不太敢的類型，誰知道解剖起來，竟然這麼膽大俐落。」

旁邊的女生驚得張大嘴：「許隨，妳好厲害啊，妳不怕嗎？」

許隨漆黑的眼睫低垂，漾出一個淺淺的弧度，淡定地笑：「不怕。」

「妳剛剛的操作太漂亮了，能不能教教我？」開口說話的女生叫梁爽，是許隨的同班同學。

「好。」許隨點點頭。

在許隨的指導下，梁爽掌握了要領，好不容易克服心理障礙，拿著大鋼針正要往蟾蜍的腦部戳，屋頂發生輕微的搖晃，緊接著傳來一陣不小的飛機轟鳴聲，嗡嗡嗡的聲音持續不停，梁爽嚇一跳，鋼針一偏，直接戳到了蟾蜍的大腿，血流了出來，又失敗了。

梁爽怒了，開始吐槽：「我真搞不懂，當初建這所醫科大學的校長為什麼要把校址選在一所航空航太大學旁邊，就隔著一條街道，那群飛行員在飛機場試練，早也吵，晚也吵，真的煩死了。」

有女生聽到梁爽的抱怨，打趣道：「哎，梁爽，我記得妳剛來的時候，不是還說要找個飛行員當男朋友嗎？怎麼這麼快就變心了？」

聽到「飛行員」三個字，許隨的心一緊，隨即又若無其事地回實驗臺觀察資料。梁爽回話：「兩回事，這不是還沒找到嗎？」

許隨繼續做實驗，與她同組的一名女生叫柏瑜月，全程除了遞鑷子、鋼針等工具，沒有為她們的小組作業做任何貢獻。

因為柏瑜月隔一下子就看看手機，心思根本沒在解剖上面。忽然，她放在一旁的手機發出叮的一聲，來訊息了，柏瑜月點開一看，露出甜蜜的笑容。

許隨正俯身觀察電腦上蟾蜍的腦神經反應，柏瑜月喊她：「許隨，我有點事要出去一趟，剩下的妳幫幫忙，幫我一起做了唄。」意思是作業她一個人做，但最後的署名得是兩個人的。

許隨看實驗也完成大半了，沒什麼情緒地點了點頭。她不是很在意這種事情，因為懶得計較。

柏瑜月一臉高興地走了。只剩許隨一個人，完成實驗自然比其他人晚了一些，結束時，她發現梁爽還在等她。

「妳還沒走？」許隨脫掉拋棄式手套。

「當然是在等妳。」梁爽上手掐了一把她的臉，嘖，手感還挺好。

等許隨換好衣服後，梁爽拖著她往樓梯下狂跑，嘴裡不停地碎碎念：「搞快點，我的馬鈴薯燒排骨要沒了。」

第一學生餐廳內，兩人好不容易打好飯坐了下來，就有一個戴著眼鏡的男生端著餐盤支吾地問能不能一起。

許隨頂著一張乖軟無害的臉，卻毫不留情地拒絕了他的請求。

梁爽坐在對面打量許隨，巴掌臉，膚色白皙還透著一層粉色，盈盈杏眼，笑起來還有兩個酒窩，頭髮規矩地綁在腦後，額前的碎髮不聽話地掉下來。典型的江南人長相，怎麼看怎麼水靈。

梁爽吃了一口排骨，感嘆：「嘖嘖，這個月都幾個了？隨隨，妳知不知道？我們系論壇正在搞系花投票，妳在候選人名單之中欸。」

許隨對於這件事沒有太大的反應，她把吸管插進牛奶盒裡，鼓著臉說：「但我高中時真的挺普通的。」放在人群裡會被淹沒的那種存在。

如果梁爽看過她高中時的照片，就不會說出這樣的話了。高中時期她因為常年生病，長期喝中藥，身材浮腫，臉色過於蒼白，常年穿著單調寬大的校服，是個很普通的女生。好在身體好後，許隨上大學時瘦了十公斤，加上天生皮膚白，五官小巧精緻，一下子脫胎換骨，大家對她的注意也多了起來。

也確實是因為大學和高中真的不同，這裡審美多元，接受每一個不同性格的人，她才會被大家關注。

「哎，誰高中不是灰頭土臉的，都是為了念書，」梁爽夾了一塊肉放在她碗裡，問道：「不過我看妳都拒絕了好幾個欸，妳到底喜歡什麼樣的？」

許隨咬著吸管沒有動，腦子裡出現一張遊戲人間的臉，很快又壓了下去，搖搖頭：「我也不知道。」

「沒事，時間還早。」梁爽用筷子戳著菜，過了一下才反應過來她打了菠菜，苦著臉說：「我不行了，我現在一看見綠色就想吐，太噁心了。」

「我幫妳吃掉，我不怕。」許隨笑咪咪地說，然後把菠菜夾到自己碗裡。

下午五點，許隨站在學校思政樓的天臺上吹風，晚風將她攤在欄杆上的試卷吹得嘩嘩作響，像振翅欲飛的白鴿。

許隨把耳機插進手機，站在天臺上做聽力試卷。這裡幾乎沒什麼人來，安靜，風景好，她經常來，這裡是一個放鬆的好地方。

做累了的話，許隨就用手肘壓著試卷，眺望遠方放鬆眼睛。這個時候，她會固定看一個方向，學校的東北角，正指京北航空航太大學的操場。

那裡每天都有飛行學院的學生在操練。從天臺上看，只看得見綠色的海洋下烏壓壓的人頭。什麼也看不清，她也不知道自己在期待什麼。

許隨正發著呆，握著的手機發出震動聲，是許母來電。許隨點了接聽，許母關心了一下她的課業生活，然後把話題轉向天氣問題。

『馬上就要霜降了，霜降一過，天氣就要轉涼了，妳記得多買一床棉被。』許母嘮叨。

許隨失笑，語氣輕快：「媽，這才幾月呢，這裡還很熱。而且我又不是沒在北方待過。」

許母一聽這話就嘆了一口氣，許隨生在南方一個單親家庭，在江浙一個叫黎映的江南小鎮長大。母親是一名普通的國中國文教師，許隨讀高中時，母親擔心小地方的教學資源不太好，計畫著把她送出去讀書。恰好許隨的舅舅在京北城做生意，提出讓她來這邊讀書。許母為了孩子的教育問題，一咬牙就把她送過去了。

許隨高一下學期轉到天華一中，在北方一待就是兩年半。

等到升學考填志願時，許母都和許隨商量好了，南方的大學隨便她挑，誰知道她一門心思就要填京北的這所醫科大學。

想到這，許母輕聲抱怨：『都大學了，妳還離我這麼遠，也沒人照顧妳，妳這孩子一到冬天就手腳冰涼，又怕冷得不行，真不知道妳為什麼非要到那裡去。』

許隨只得岔開話題，哄了媽媽幾句，最後掛了電話。

許隨站在天臺上發怔，她也忍不住問自己，為什麼非要來這？應該是瘋了吧。

她正發著呆，忽然不遠的轉角處發出一聲情動的嚶嚀，伴著嬌嗔的意味。許隨朝著聲音來源看過去。

轉角處的牆壁旁站著兩個人，男生倚靠在牆上，衣服鬆垮地套在身上，女生個子高挑，長相妖豔，整個人貼著他，姿態曖昧。

許隨與他們隔著一個廢棄的鐵架，鐵架生了斑駁的紅鏽。隔著一方很小的框架，視野漸漸變窄，兩人的動作卻顯得更明顯了。

男生沒什麼動作，倒是女生貼得很緊，手指揪住他的T恤下擺，晃啊晃，意味明顯。

在她想要更進一步時，男生伸出手輕而易舉地鉗住她的指關節，讓其動彈不得，似笑非笑地看著她。女生被看得臉熱，乾脆趁機表白：「我真的好喜歡你。」

男生對此沒什麼反應，骨子裡透著懶散，低笑：「有多喜歡？」

說完，男生修長的手指纏在她胸前的紅色蝴蝶結上，乾淨的指尖碰到肌膚一寸，要解不解的，掌控意味十足，女生胸口漸漸起伏不定，喘起氣來。她心底湧起隱隱的期待，一抬眼，對上男生逗弄的眼神，臉漲得通紅，乾脆將整張臉埋在他寬闊的胸膛上，嬌聲說：「你煩死了。」

風停了，傍晚的火燒雲熱烈又明亮，許隨覺得有些曬、熱、悶，她快要待不下去了。

天邊橘紅色魚鱗似的雲移動過來，光線在這一刻明朗起來。男生忽然偏頭看了過來，兩人的目光在半空中相撞。

男生的頭髮極短，露出青渣，眼皮褶子淺，瞳孔漆黑且漫不經心，下頜線弧度流暢，微仰著的突出的喉結上下緩緩滾動著。他的眼睛沒什麼情緒地停留在她身上。

一陣猛烈的晚風過境，灌進她喉嚨裡，乾澀得讓人說不出一句話。許隨落荒而逃，女生和男生的談話順著風隱隱傳到她耳朵裡，十分清晰。

她聽見柏瑜月軟聲問道：「發什麼呆呀，看見認識的人了？」

男生的聲音是接近金屬質地的冰冷，從喉嚨裡滾出三個字：「不認識。」

晚上十一點，許隨洗漱好躺在了床上，她正看著第二天的課表，學姐來寢室抽查。寢室只有她和梁爽兩個人，還有一個是柏瑜月，遲遲沒有回來。

柏瑜月從搬進來第一天就對自己的領地進行了劃分，還特別強調她有潔癖，讓她們的東西別靠著她的放，也別碰她的東西。

梁爽對此頗有微詞，但柏瑜月除此之外和她們也沒什麼矛盾，畢竟還是同班同學，她還是幫了忙。學姐來查房時，梁爽佯裝驚訝：「哎呀，我忘了，我們老師有事把她叫出去了，應該等等就回來了，學姐，這樣行不行？我讓她回來去妳那銷個假。」

「行，那妳們早點睡覺。」學姐說道。

送走學姐後，梁爽感嘆：「柏瑜月也太大膽了吧，出去約會這麼晚還不回來。」

許隨把手機放下，腦子裡出現兩人傍晚親密的一幕，心底又像被絲線纏住，透不過氣，她垂下眼睫：「應該快回來了。」

她不太想繼續討論這個話題，看向對面空蕩蕩的床鋪，說道：「聽說明天新室友要來了。」

當時許隨報名比較晚，她們才被分到同一個寢室，還有一個床鋪是空著的，聽說這個同學請了一個月的病假，明天才到。

「聽說是動物醫學系的，多好啊，解救小動物，早知道我也選這個科系了，當初腦子進了水才會選這麼苦的臨床醫學，才一個月，我頭就開始禿了，恐怕到畢業時，我已經變成阿哥了。」梁爽說道。

「那……我幫妳下單生髮水？」許隨語氣試探。

「嗯嗯，謝謝呀！」梁爽對她比心。

許隨笑出聲，剛才發悶的情緒被沖淡了些。兩人正聊著天，這時柏瑜月推門而入，梁爽跟她說了銷假的事，柏瑜月看起來心情不錯，還對梁爽道了謝。

次日，新室友駕到，身後還跟了兩個扛著大小行李的男生。新室友戴著副墨鏡，一身名牌，身後兩位男生正要跟進來。

新室友伸出食指一晃，語氣認真：「女孩子的閨房是你們這些臭男人能進來的？」

兩位男生聞言一僵，提著行李進也不是，退也不是。新室友從包裡摸出幾張紅鈔票遞給他們，爽快地說：「就放門口吧。」

「行，胡小姐，我們先走了。」

寢室只有許隨一個人，她恰好在看書，聽到聲響後，把書闔上，走過去：「我幫妳。」

兩人一起把行李拉進來後，新室友摘了墨鏡，距離感一下被打破，自我介紹道：「妳好呀，我是動物醫學三班的胡茜西，妳可以叫我西西。」

許隨這才看清她的樣貌，漫畫齊瀏海，眼睛很大，臉頰還帶著嬰兒肥，身材有點微胖，看起來爽朗又可愛。

「臨床醫學一班，許隨，妳叫我什麼都行。」許隨說道。

胡茜西是第一次離家住校，收拾東西根本不得章法，套被套時整個人都鑽進了被套裡，一邊套一邊罵罵咧咧，最後也沒套成功。

許隨有些哭笑不得，拍了拍她：「我來幫妳。」

被套經許隨的手後，一下子變整齊了。收拾完寢室後，許隨又陪著新室友去註冊校園卡，買生活用品。許隨全程沒有半句怨言，胡茜西一下子就喜歡上了這個外表看起來乖巧，做事卻相當有條理的女生。

至此，胡茜西就成了許隨旁邊隱形的人形吊飾，成天隨隨長隨隨短，還忍痛把她偶像的照片分享給許隨看，美其名曰——在偶像的見證下，她交到了一個好朋友。

許隨抬起嘴角，她也喜歡胡茜西，開朗又可愛，兩個人也日漸親密起來。

週五，許隨和梁爽在第二學生餐廳吃飯時，惦記著在寢室還沒吃飯的胡茜西，便傳訊息問她要吃什麼，打算幫她外帶一份回去。

傳完訊息後，許隨放下手機，專心吃飯。沒過多久，梁爽有些激動地推了推她的手臂，壓低了聲音：「快看，柏瑜月的男友現身了。」

「周京澤。」

許隨僵了一下，機械般地抬頭看過去，學生餐廳人聲鼎沸，一眼就看到他了。柏瑜月男朋友陪著她排隊。柏瑜月打到飯後，端著銀色的餐盤轉身。男生在她左側，雙手插著口袋，姿態漫不經心。柏瑜月時不時地抬頭對他說話，看向他時眼睛亮如星星。不知道她說了什麼，男生低下頭，扯了扯嘴角以示回應。

倏忽，有人擦身而過，肩膀差點撞到柏瑜月，男生極快地抬手，攬住她的肩膀，皺眉叫她看路。

許隨胃裡開始泛酸，吃不下東西，她垂下眼，低頭嚼著飯粒，食之無味。

兩人找了座位坐下，恰好就在她們斜前方，許隨只能看見他的側臉。

梁爽還在悄悄盯著兩人看，男生太出色，坐在那裡沒多久就引來路人一陣側目。

梁爽一邊看一邊感嘆：「妳看，柏瑜月的嘴角都快咧到後腦勺了，不過也是，我要是找到長得帥還這麼厲害的男朋友，不得開心死？」

「我還是第一次見到周京澤，聽說他換女朋友的速度很快，最短一個月，最長不超過三個月，妳猜這次柏瑜月能在他身邊待多久？」梁爽撥了一下餐盤裡的豆角，一臉八卦兮兮地問道。

「妳怎麼知道他叫周京澤？」許隨不想猜他女友的保存期限，隨口問了一個問題。

「那當然啦，我不是說要找個飛行員當男朋友嗎？早就混進京航的論壇了，他們學校好幾個出名的大帥哥我都掌握了一手資料。再加上，以柏瑜月高調的性格，班上誰不知道她交了個厲害的男朋友？」梁爽用筷子敲了敲桌子，跟說書一樣，「要不要聽我細細把八卦道來？」

許隨笑了一下，沒有接話。

「周京澤，大帥哥一枚，身高一百八十五公分，京北航空航太大學飛行技術系大一生，這個人最厲害的地方在哪，妳知道嗎？」梁爽拋出問題，要跟自己的聽眾互動。

許隨配合地搖了搖頭，梁爽繼續說道：「據說他母親是一位知名的大提琴家，父親好像是做生意的。我聽說高中時，他本來是一名音樂藝術生，學大提琴的，準備升學考結束後去奧地利留學專攻音樂，結果妳猜怎麼了？」

「大帥哥一身反骨，忽然改變主意，選擇留在國內學飛行，還是作為普通考生，以優異的高分考進京航。」梁爽說道。

「他外公是製造國家飛行器的工程師，不過早已退休好幾年，外婆是高校的音樂教授，這樣的背景，感覺他學什麼都不會差。」梁爽說著說著嘆了一口氣，「真羨慕這種人，做什麼都很優秀，總是一副遊刃有餘的樣子。」

「妳也很優秀呀，除了頭髮少點。」許隨安慰道。

梁爽笑出聲，她沒想到許隨看起來是這麼乖的人，還會冷幽默。梁爽又想起了一個八卦，低聲說：「我看論壇上說，周京澤在升學考前為了通過體檢，還特地去把刺青洗了。我覺得有點假，謠言吧。」

「不是，是真的。」許隨忽然出聲，語氣堅定。

梁爽呆了兩秒，然後對她擠眉弄眼：「妳怎麼知道是真的？難不成妳也悄悄關注他，妳喜歡他啊？」

被人無意戳破少女心事，許隨正喝著水，聞言嗆了一下，劇烈地咳嗽起來，臉漲得通紅。梁爽立刻抬手幫她順氣。

許隨和周京澤都是天中的，兩人是同班同學，她實在不是有意隱瞞，但解釋起來很麻煩。況且，她說出來也沒有什麼意義。周京澤應該不記得她了。

許隨看了一下不遠處的兩人，柏瑜月正在吃飯，周京澤懶散地背靠座椅，拿著手機低頭玩遊戲，明顯是過來陪她的。他的另一隻手撐在桌子上，手背上的淡青色血管明顯，手指修長又乾淨。

「我猜的，妳看，他手背上有一塊白印，明顯是洗了刺青留下來的。」許隨靈機一動。

梁爽回頭一看，周京澤的手背上果然有一個突兀的白印，看起來像剛洗掉刺青不久。

「細節大師。」梁爽朝許隨豎起了大拇指。

吃完飯後，許隨順便幫胡茜西外帶了一份鮮蝦滑蛋飯回到寢室，胡茜西立刻抱住她，哭道：「謝謝我的隨隨！」

許隨拍了一下她的肩膀，走到書桌前拿書時神色有些猶豫。因為一個星期前在天臺上撞見他與別的女生曖昧風月，她已經好幾天沒去天臺了。可心底終究害怕看見那一幕，許隨最後選擇了去圖書館。

晚上，許隨做了幾份習題，背了部分醫學知識，從圖書館回到寢室，胡茜西正坐在床上幫她的腳塗指甲油，葡萄紫的顏色，還有亮晶晶的亮粉在上面。

「隨隨，要不要塗？」胡茜西朝她晃了晃指甲油。

「還是算了，」許隨坐下來自己倒了杯水，「我怕我忍不住摳腳。」

「哈哈哈……」胡茜西忍不住笑，這是什麼奇奇怪怪的毛病？

許隨一臉無辜，她有強迫症，如果塗了的話，她真的會忍不住摳掉。去年過年時，小表妹強行拉著她去做指甲，結果不到一天，指甲就被許隨摳得跟禿頭的大爺一樣。

「對了，隨隨，明天週六妳有空嗎？」胡茜西擰緊蓋子，問她，「能陪我去京航一趟嗎？我有東西在我舅舅那，要過去一趟。」

「有，我陪妳去。」

週末，胡茜西睡到中午，兩人收拾了一下一起出門，經過學生餐廳時，許隨正要過去。胡茜西拉住她，朝她眨了眨眼：「別去了，有人會請我們吃飯。」

京航就在她們隔壁，走了大概十分鐘就到了校門口。可是他們學校實在太大了，她們轉了半個小時都沒找到飛行學院在哪。

胡茜西傳語音訊息吐槽：『你們學校是埋了什麼寶藏嗎？跟龍嶺迷窟一樣，防誰啊？我人都走暈了。』不知道那頭傳了什麼訊息，胡茜西關上手機螢幕，轉頭說：「我舅舅說來接我們，讓我們等著。」

不到十分鐘，胡茜西像看見新大陸一般，眼神興奮地朝對面揮手：「舅舅，我們在這！」

許隨站在一旁正看著京航的宣傳欄，聞言轉頭看過去，然後她看見了周京澤。他站在最中間，身後幾個男生眾星捧月般地跟著他。周京澤手指夾著一根香菸，步調閒適弛緩，幾個人圍著他談笑風生，他的神情放鬆，臉上掛著玩世不恭的笑容。

她怎麼也想不到是他。

她瞥見他指尖的猩紅，隨著周京澤走近，他的眉骨、挺拔的鼻梁越來越清晰，她的心跳得很快，像那一抹猩紅，微弱但控制不住地燃燒著。

周京澤顯然也看見了她們，拿著菸的手對同伴們抬了一下，然後朝她們走來。周京澤身邊站著一個男生，在兩人離得比較近時，挑眉故意說道：「喲，這不是茜西大小姐嗎？」

茜西茜西，聽起來就像她欠死，胡茜西三兩步跑過去，給了男生一拳，擰著眉說：「盛南洲，說了別這樣叫我，你不想叫全名，可以叫我的英文名 Tracy。」

「我看妳是欠抽。」盛南洲語氣認真。

周京澤見是兩個女生，掐了菸扔到一旁的垃圾桶裡。周京澤走到她們面前，嗓音摻著一點吸菸過後的嘶啞，問：「吃飯了嗎？」

「沒呢，我就等你這句話。」胡茜西想起什麼，挽著許隨的手臂，「對了，這是我的室友，叫許隨。」

按正常的來往禮數，這個時候應該是許隨主動說點什麼，可兩人靠得太近，她的大腦一片空白。

周京澤看著眼前的女生，熟悉感在大腦中一晃而過，飛快且抓不住，他皺了一下眉，撩起眼皮看了她一眼，聲音是摩挲後的顆粒感，低沉又好聽。

「妳好，周京澤。」

周京澤顯然不記得她了，許隨心底湧起一陣失落，隨即又鼓起勇氣打了招呼。

少爺出手闊綽，直接帶她們去了學生餐廳二樓的小餐廳，吃飯時都是胡茜西和盛南洲在唱雙簧，周京澤偶爾漫不經心地附和一句。

胡茜西不愛吃西洋芹，盛南洲非要逼她吃，還把自己碗裡的全夾到她碗裡，開口問她：「妳知道妳家那隻哈士奇為什麼長得醜嗎？」盛南洲本著教育的理念，等著胡茜西問為什麼，他好直接教育說因為牠挑食，結果胡茜西沒理他。

胡茜西把西洋芹全挑了出來，語氣認真：「因為牠長得像你。」

「妳——」盛南洲氣得說不出一句話。

「舅舅，你說是不是？」胡茜西找周京澤評理。

周京澤偏頭，看了盛南洲一眼，憋著一股壞勁：「你別說，還真挺像。」

許隨跟著輕輕笑了，盛南洲懶得理他們，繼而看向許隨，說道：「許妹妹，剛剛還沒自我介紹，我叫盛南洲，西西的朋友就是我的朋友，以後有什麼事可以來找我。」

「嘁，有事不找周京澤，來找你？」胡茜西毫不留情地拆他的臺，笑著看向另一個人：「舅舅，你說是不是？」

雖然是玩笑話，但許隨的心一緊，她裝作不經意地低頭吃東西，實際在等周京澤的回答。周京澤正要開口，放在桌邊的手機發出震動聲，來電顯示是柏瑜月。

周京澤拿起手機，放在耳邊聽電話。許隨坐在他對面，看見他的喉結線條弧度流暢，他左手放在桌邊，有一搭沒一搭地摳動碳酸飲料的拉環，冰霧沾在修長的指尖上。

「嗯」、「有事」等簡短的話語震在耳邊，那邊不知道說了什麼，周京澤很輕地哼笑了一下。

許隨如坐針氈，只是覺得難熬。

「掛了。」周京澤說道。

掛了電話後，盛南洲揶揄道：「嘖嘖，周爺就是厲害，女朋友一天主動打十通電話來，我也沒見他往回打一通。」

「說起來，你女朋友竟然跟我同一個寢室，不過她好像不知道我和你的關係，你沒跟她說啊？」胡茜西說道。

「懶。」周京澤撂出一個字。

他們在學生餐廳吃著飯，中途周京澤的同班同學大劉過來了，看著乖巧規矩的許隨調侃道：「這麼快就換女朋友了，換口味了？」

許隨被調侃得有些侷促，這一幕恰好落在周京澤眼裡。

大劉就坐在旁邊，周京澤懶散地笑了一下，伸手往前抬了抬，示意他過來。周京澤修長的手指搭在拉環上，大劉一臉聽八卦的表情俯下身，一隻手搭在他脖頸上，「嗒」的一聲，拉環被扯開，白色氣泡噴湧而出，糊了大劉一臉。

大劉立刻掙扎，周京澤後背靠椅子，用一隻手輕而易舉地按住他，大劉被搞得一身狼狽，氣泡糊得他眼睛都睜不開。弄得大劉連聲求饒「我錯了」，周京澤才鬆開他。

氣泡迅速變成水，淌在他臉上濕答答的，別提有多狼狽了。

「你猜。」周京澤吊兒郎當地笑，一臉紈褲模樣。

「哈哈哈……」周圍的人笑得前俯後仰。

周京澤就是這樣，跟你好好說話的時候，會弄一些小招數讓你明白，這件事不應該這樣，不尊重別人。大劉看著他的表情明白過來。

「你真行。」大劉知道自己玩笑開過頭了，正準備道歉時，許隨拿了一張紙巾給他擦臉。大劉更加不好意思了：「妹妹，對不起，我就跟這人開個玩笑。」

「沒關係。」許隨軟糯的聲音透著好脾氣。

「行了，滾吧。」周京澤笑罵道。

一行人吃完後，許隨陪著胡茜西去周京澤宿舍拿東西。在路過京航操場時，一群肌肉發達，穿著綠色訓練服的男生，為了訓練抗顛簸能力，在固滾上面轉來轉去，或許是為了增強體能，他們一邊訓練一邊喊道：「翱翔天際，護衛領土！」

傍晚的夕陽正盛，汗水順著他們的臉頰滴下來，一聲聲鏗鏘有力的口號迴盪在操場上。

胡茜西直勾勾地看著他們，盛南洲在她面前打了個響指：「還看，口水都流出來了。」

「兩個現成的寸頭帥哥放妳面前不看，非得費那脖子往後看。」盛南洲說道。

「呸！」胡茜西撥開他的手。

周京澤單手插著口袋在前面走著，倏地，他碰見了一個熟人，朝對方點了點頭：「學長。」

「來這裡一個多月了，還習慣嗎？」學長熟稔地拍了拍他的肩膀，兩個人看起來認識已久。

周京澤點了點頭，學長笑道：「學校開學典禮，你作為學生代表大出風頭啊，連我們這屆的都在討論你，發言精彩。」

「亂講的。」周京澤無所謂地勾了勾唇角。

學長走後，周京澤領著兩個女生進了男生宿舍，卻不讓她們上去，讓人在樓下等著。

周京澤正要上樓，二樓靠著欄杆聊天的男生一見樓下站著兩位美女，尤其是許隨，長得白又軟，看起來就好欺負，於是對著她吹起了口哨。

周京澤插著口袋，自下而上地看了他們一眼，眼神平靜，透露出「你們差不多得了」的意味。二樓的男生一看是周京澤，全都臉色悻悻，都不敢再吹口哨了，他才上樓。

十分鐘後，周京澤把一個禮盒扔到胡茜西懷裡，對她們抬了抬下巴：「走了。」

五樓陽臺上，周京澤嘴裡叼著一根菸，漆黑的眼睛盯著樓下兩個人的身影，尤其是那個穿著白色裙子的女孩。盛南洲彈開打火機，讓周京澤點菸，看見他若有所思的眼神，打趣道：

「這就惦記上了？」

周京澤咬著菸偏頭湊近那簇橘色的火，吸了一口菸，把菸拿在手上，反問道：「你覺得我會喜歡這樣的嗎？」

他從來不碰這種好學生。周京澤只是覺得她眼熟。

回去的路上，許隨忍不住問：「西西，周京澤怎麼會是妳舅舅？」

「我們兩家有點親戚關係啦，他其實是我小舅舅，而且大家都是一起長大的。」胡茜西解釋道。

回到學校後，胡茜西去拿快遞，許隨一個人先回宿舍。眼看她就要走進宿舍大門時，忽然，一隻橘貓從草叢裡飛竄而出，對許隨喵喵叫。

小貓踩著圓滾滾的腳掌來到許隨跟前，琥珀色的眼珠一直看著她，還試圖蹭她的腳。許隨的心軟成一片，她蹲下來，發現牠臉上帶著傷，血跡還在上面。

看起來就是亂跑出來，被雜草花刺之類割傷的。

許隨起身，去宿舍福利社買了一瓶礦泉水和一根火腿腸，重新折回牠面前，用礦泉水小心地幫貓清理傷口，又撕開火腿腸，小貓順著她撕開的開口咬起來。餵完食後，許隨拍拍牠的腦袋：「我走啦，我養不了你。」

晚上，室友們都還沒有回來，許隨打開筆電，上網搜尋了一下京航本屆的新生代表發言，網頁很快給了答案。

許隨坐在電腦前，安靜地看著影片裡的周京澤。

周京澤站在臺上，臺下有些哄鬧，他伸出長臂倏然將面前的麥克風拔高一大截，臉上的譏諷明顯，下面的學生發出一陣爆笑聲。一旁身高只有一百六十，剛發完言的主任有些頭痛：這屆的學生不好帶啊。

調好麥克風後，周京澤站在眾人面前，施施然開口：「各位同學，我長話短說，當然接下來你也可以認為我說的是廢話。」

「哇哦。」臺下有人發出調侃的聲音。

「相信很多人在軍訓結束後對京航有了初步的認知，我不管你是依然心懷夢想，還是因為每天六點準時響的鬧鐘而心生退意，」周京澤漆黑的眼睛掃了臺下一圈，痞氣中夾雜著一分漫不經心，「未來可能更難，高淘汰率，高風險，成為飛行員後還可能會遇到自然災害、被停飛等問題。」

「很多人可能會因此心生退意，我不想管這些，以前從書上看到一句話，送給選擇成為飛行員的大家——」

臺下人忽然靜了下來，都在等著看周京澤會說出什麼話。周京澤站在臺上，眼神睥睨臺下的人，聲音帶著一股張狂的傲勁。

「上帝一聲不響，一切皆由我定。」

禮堂再次安靜下來，靜默蔓延到每一個角落。周京澤輕輕笑了一下，將手中的發言稿摺成紙飛機，朝臺下一擲。

白色紙飛機飄飄揚揚在半空中飛了一圈，繼而飛向萬人如海的臺下。學生群中忽然爆發出一陣鼓掌和歡呼聲。

所有同學像受這句話感染似的，競相向上跳躍，企圖抓住那架紙飛機，那是屬於他們的狂歡，同學們紛紛喊著——

「我要成為最優秀的飛行員！」

「我一定會拍藍天的照片給我媽看。」

有風吹來，鼓起了周京澤黑T恤的一角，他站在臺上，看著鬧成一團的同學們，慢慢地笑了。

黑衣少年，一身凜冽，一如當初，笑得輕狂又肆意。

許隨看著螢幕裡的周京澤，心不受控制地怦怦直跳，心潮也跟著澎湃起來。影片下面有好多留言，她一個個點來看。

有人問道：『這人誰啊？憑什麼這麼傲？』

熱心校友解答：『膚淺了吧，人升學考結束後去美國科羅拉多大峽谷玩跳傘，順手考到了直升機的私人飛行執照。』

倏地，外面傳來推門的聲音，許隨慌亂地用滑鼠關掉網頁。

梁爽大大咧咧地把門踹開，一進門就摟著許隨的肩膀說：「隨隨，妳之前不是跟我說想找個兼職嗎？我剛好認識個學姐，正在找家教，我把她好友傳給妳了。」

許隨點了點頭：「好，謝謝妳。」

「客氣什麼？」梁爽又捏了一下她的臉，手感實在是太好了。

許隨添加了那位學姐後，主動做了自我介紹。學姐很熱情，說道：『妳好，聽梁爽說了，妳就是那位解剖俐落還膽大的臨床醫學系的學妹吧，她一直誇妳是學霸。我阿姨在找家教，教一個六年級的小孩數學和英語，一週去一次，但時長是兩個小時，妳時間安排可以嗎？』

許隨問道：『地址大概在哪裡？』

學姐回覆道：『新合區的琥珀巷，因為沒有直達的地鐵，要轉幾趟公車，加起來有一個多小時。』

一個多小時，有點遠，要是有直達的地鐵就好了，而且許隨有點暈車，她正猶豫要不要去時，學姐又傳了訊息過來：『很多人都因為路程問題……總之，家教不好找，給我一個面子，妳週末可以去面試看看嗎？萬一妳很喜歡那家的小孩呢？如果不合適，再拒絕也行。』

話都說到這個分上了，再拒絕就不太好了，許隨答應了去面試看看。

誰都沒想到，接下來寢室的日子過得並不太平，柏瑜月有一天回來忽然大哭，哭完之後又打電話，結果打了好幾次都打不通，氣得直接把手機摔得四分五裂。

胡茜西安慰她：「妳別哭啊，出什麼事了？」

許隨則默默地蹲下來，收拾一地的碎片。柏瑜月揩掉眼角的淚，聲音冷淡：「沒什麼，和男朋友吵架了。」

沒兩天，班上的人開始傳柏瑜月被男朋友甩了，還說她去周京澤宿舍樓下等了一個晚上都沒復合成功，眾說紛紜。梁爽她們不信，小情侶吵吵架很正常嘛。

週四下午，胡茜西在寢室收到訊息，從床上坐了起來，對許隨眨眨眼：「周京澤來我們學校辦點事，他現在剛好有空，走，帶妳去蹭飯。」

胡茜西帶著許隨來到了東學生餐廳，盛南洲也在，他們還讓許隨推薦菜。許隨剛點完一份砂鍋米線，鼓著臉說：「我點的你們不一定喜歡吃。」

盛南洲挑眉：「這就有點瞧不起人了啊，哥哥我什麼不敢吃？」

這時，窗口的阿姨剛好把一份砂鍋米線推了出來，盛南洲一瞧，變態辣，上面漂著的是深不見底的紅油。

盛南洲雙手抱拳：「告辭。沒想到妳還是個嗆口小辣椒。」

「吃你的吧，話這麼多，」周京澤站在後面踹了他一腳，「不吃就別擋路。」

飯桌上，八卦的小胡同學連筷子都沒拆，就開始說事：「舅舅，你和柏瑜月怎麼回事啊？她老在寢室哭。都傳你們分手了，可柏瑜月說你們在吵架。」

「分了。」周京澤輕描淡寫地說。

許隨正低頭吸溜著米線，湯在鍋裡發出吱吱的響聲，聽見周京澤這句話驚嚇得被嗆到，辣意竄到喉嚨裡，又疼又辣，她咳得眼睛裡蓄出了濕意。

倏忽，一隻骨節分明的手推了一杯水過來，許隨撞上周京澤的眼神，心底頓時慌亂起來，他的眼睛像河底裡的岩石，水一退，黑色的岩石沉默且發亮。

周京澤正盯著她看。

第二章　綠色薄荷糖

她找到一個乾淨的玻璃罐子，把周京澤給她的薄荷糖全放在了裡面。

她一顆也捨不得吃。

「謝謝。」許隨拿起旁邊的水，快速仰起頭喝水，藉以躲避周京澤的視線。她猛灌了幾口水，喉嚨才稍微好受點。

「你傷心嗎？」胡茜西問道。

「他？」盛南洲冷笑一聲，轉過身靠近周京澤，手在他胸膛處摸來摸去，語氣做作，「書桓[1]，你沒有心！」

周京澤處變不驚，靠在他耳邊，語氣寵溺，用氣音說話：「乖啊，別亂摸。」

盛南洲如觸電般從他身邊彈開，與周京澤保持距離，罵道：「你少肉麻，雞皮疙瘩都起來

1 為連續劇《情深深雨濛濛》中的男主角。

了！」

「你周爺不在意分手的事，『喂』不見了，他比較傷心。」盛南洲說道。

「不會吧，你撿來才養了不到一個月，還帶牠去醫院打針看病什麼的，這麼快就走了？」胡茜西說道。

「嗯，」周京澤淡淡地應道，嗓音壓低說了句，「白眼貓。」

一行人吃完後，周京澤去學生餐廳後面的廁所洗了一下手，出來時他手裡拿了一張紙巾擦手，說道：「走了啊。」

「拜拜胖妞，拜拜許妹妹。」盛南洲笑嘻嘻地對她們揮手。

許隨點了點頭，胡茜西立刻握緊拳頭，罵道：「拜你個大頭鬼，誰想看見你啊！」

他們走後，許隨和胡茜西並肩走回宿舍，雖然她們知道了柏瑜月和周京澤分手的事，但她們決定裝作不知道。因為柏瑜月這次失戀，好像真的很難過。

新的一週來臨，前一夜剛好下了一場雨，推門走出去，空氣中瀰漫著青草香，夾雜著雨浸入泥土的腥味。

天氣千變萬化，許隨剛坐上公車沒多久，太陽就出來了，明晃晃的陽光穿透車窗玻璃，有些刺眼，許隨下意識伸手遮住了眼睛。

和對方約好的家教面試時間是下午四點，許隨一連換了三趟公車，因為出汗，身上的衣衫緊貼著後背，她坐在車上，被車顛得幾欲嘔吐，臉色蒼白。終於，許隨趕在四點前下車，她走進琥珀巷，按照學姐給的地址一家一家地找琥珀巷七十九號。

剛下車沒多久，許隨身體裡的反胃感還是很嚴重，她走得很慢，倏忽，她在不遠處看見了一家便利商店，店名是711，招牌正中間一個紅色的數字7，周圍是綠色的邊框。

許隨走過去，自動感應門徐徐打開，發出「叮」的一聲。

「歡迎光臨。」一道懶散的、沒什麼情緒的聲音響起。

許隨看過去，竟然是周京澤。男生隨意地窩在收銀臺的椅子上，漆黑的眼睫垂下來，神色倦怠，一副沒睡醒的樣子。他斜咬著一根菸，手肘屈起，肌肉線條緊實，正低著頭打遊戲，從側面看，後頸的棘突明顯，冷淡又勾人。

興許是維持同一個姿勢太久了，周京澤抬手搓了一下脖子，一抬頭，看見是許隨，略微挑了一下眉：「怎麼是妳？」

「我過來有點事。」許隨語氣有些緊張。

周京澤不太在意地點了點頭，低頭玩起了遊戲。許隨轉過身，站在一排冰箱前挑挑揀揀，身後不斷傳來遊戲的聲音。周京澤明明沒有看她，可是許隨緊張得不行，因為兩人正單獨處在同個空間。

許隨一時呆滯，忘了自己進便利商店要買什麼，冰箱裡的冷氣撲過來，冷得她一個激靈，最後她慌張地挑了一盒白桃口味的牛奶。

結帳時，周京澤把手機扔在一旁，站起來幫商品掃條碼。許隨付錢時，周京澤注意到她的異樣，她臉色異常蒼白，顯得兩隻眼睛特別黑且孱弱。

「妳怎麼了？臉色不太好。」周京澤聲音低沉，正盯著她看。

「有點暈車。」許隨回答。

周京澤扔下一句話：「等著。」

他轉身找出一件夾克，用力往下抖了抖，一盒壓片糖落在他手掌裡。周京澤打開蓋子，隨手拿了顆糖拆開扔進嘴裡，舌尖捲著糖片，薄荷糖被他咬得嘎嘣作響，聲音含糊不清：「伸手。」

許隨細長的睫毛顫了顫，伸出手掌，倏地，掉下一把綠色的薄荷糖，嘩啦嘩啦，像是上帝憑空給她的賞賜。她不敢抬頭，怕觸碰到他的視線，怔怔地看著他的手，手指骨節分明，虎口上有一顆黑色的痣，晃在眼前。

「這糖我經常吃，好像對止暈有點用。」周京澤嘴裡叼著一根菸，聲音含糊不清。

五分鐘後，許隨走出便利商店，她站在太陽底下，緊緊握著掌心的糖，手心裡全是汗。那一天，太陽曬得她快要融化，她卻異常開心。

許隨拆開一顆糖，包裝紙放在口袋裡，薄荷糖明明是涼的，她卻嘗出了甜味。

誰知道，命運的巧合接二連三地發生在同一天，她走錯了路，繞了半個小時才找到琥珀巷七十九號，結果發現這一戶就在711便利商店後面。

許隨站在門口，禮貌地按了按門鈴，對方「欸」了一聲，快步走過來開門。是一位保姆阿姨開的門。

保姆領著許隨走進去，她才見到這家真正的女主人。對方是一個四十多歲的女人，長相美豔，穿著一件包臀裙子，韻味十足。

「小許是吧？妳學姐已經跟我說了，叫我盛姨就好，來吃點水果，我剛切的。」對方熱情地開口。

「謝謝，」許隨看著她開口，問道：「是哪位要補課？」

「瞧我這腦子，我都忘了說，是我家小兒子，我喊他下樓。」盛姨對著樓梯口喊：「盛言加，快下來，新老師來了，別纏著你哥了。」

沒反應。

盛姨尷尬地笑笑：「小許，不然妳跟我一起上去？正好我想看看妳試教。」

「好。」許隨點了點頭。

許隨跟著女人上了樓，兩人走到左手的第三個房間，許隨站在門口，一眼就看到了正在玩平板電腦的兩個人。

「盛言加，還纏著你京澤哥，給你三秒鐘，滾出來。」盛姨語氣平靜。

交談聲戛然而止——

聽到熟悉的名字，許隨心一跳，周京澤放下平板電腦，一回頭看見許隨後愣了一下，隨即樂了，還真巧。

「上課了。」周京澤站起來摸了摸小孩的頭。

盛言加抱著周京澤的腿，苦苦哀求：「哥，求你了，別走。」

周京澤蹲下來一根根掰開他的手，懶懶地哼笑：「好好上課。」

周京澤走出房間時挑了挑眉，站在許隨面前，對上她眼底的疑惑，他簡單解釋：「他是盛南洲的親弟弟，我家也住這附近，便利商店是他家的，我幫忙看一下，因為盛姨去打牌了。」

被小輩告狀，盛姨很沒面子，她一把將周京澤推了出來，先發制人：「別擋著小許老師上課！」

「行。」

試教時間比較短，許隨大概講了三十分鐘，盛姨就直說滿意，還讓自己的小兒子歡迎新老師。

盛言加頂著一頭小捲毛，肥胖的小臉明明寫著不情願，嘴裡卻只能違心地說：「小許老師，歡迎您。」

許隨笑了笑，盛姨送她出去，恰好碰見周京澤坐在沙發上正準備起身，盛姨立刻制止他：「你去哪？」

「還能去哪？回家唄。」周京澤無奈地笑笑。

「不行，你家就你一個人，回去幹嘛？留下吃飯，阿姨做你愛吃的紅燒茄子給你吃。」盛姨說道。

周京澤懶散地笑笑：「再這樣下去，我都快成您兒子了。」

「那剛好，我早就想跟盛南洲斷絕母子關係了，你正好續上。」盛姨面無表情地說。

周京澤低下頭笑得肩膀發顫，神情輕鬆愉悅，最後到底沒走。

盛姨送許隨出去，拉著她的手，語氣嗔怪：「都說了留下來吃頓飯。」

許隨笑著搖頭：「我還有點事，等等還要去圖書館。」

「小許啊，我對妳剛才的試教特別滿意，盛言加還有半年就要小考，這小子的成績——我養頭豬都比他強，希望妳能幫幫他。當然，我知道妳的顧慮，來這確實辛苦了點，要不然妳今晚考慮一下，到時可以聯絡妳學姐。」

「好。」許隨點點頭。

晚上，許隨回到寢室，她找到一個乾淨的玻璃罐子，把周京澤給她的薄荷糖全放在了裡面。她一顆也捨不得吃。

到了十點，寢室裡還是只有她一個人，許隨撐著下巴看著玻璃罐發呆。忽地，胡茜西推門而入，說道：「隨隨，想我沒啊？」

「想。」許隨甜甜地一笑。

「我聽粱爽說妳今天去面試家教了，怎麼樣？」胡茜西坐下來。

許隨倒了一杯水給她，想了想：「挺好的，巧的是，我面試的那家居然是盛南洲家，要教的學生是他弟弟。」

「琥珀巷？誰把妳拐那麼遠？學校離那裡有點遠，累壞了吧，隨隨？」胡茜西一臉心疼，「不過盛南洲他弟弟好像是在找家教。」

「嗯。」許隨回答，她想起了什麼，想問胡茜西，又語氣猶豫，怕顯得自己過分關心，「西西，就是我聽盛姨說，周京澤一個人住？」

胡茜西嘆了一口氣：「反正他們家關係有點複雜，之前他們是一家人一起住在琥珀巷的，國三的時候他媽媽去世了，他爸就打算搬走，但周京澤不肯，留下他一個人。到現在他還住在那棟別墅裡，幸好他養了一隻德牧，可以陪著他。」

「這樣啊。」許隨應道，她忽然想起下午周京澤坐在沙發上，盛姨留他吃飯時，他眼底微微浮起的笑意。

沒多久，學姐傳來訊息，問她家教的事考慮好沒，許隨想起那雙漆黑且沉默的眼睛，在對話欄裡打字道——

『考慮好了，我想去。』

許隨最終答應成為盛言加的家教。週末上課時，她特地打扮了一下，穿了一件白色的針織短衫，下面搭一條藍色牛仔褲，青春又靚麗，她正對著鏡子梳頭髮，露出一截腰線。

「哇，隨隨，妳簡直是清純玉女的代言人，我想娶妳。」胡茜西上前來撲她。

許隨綁了一個丸子頭，額頭飽滿，眼尾微微向上挑，顯出漂亮又勾人的弧度。她邊收拾東西邊躲開胡茜西的「追殺」。

「行呀，那得在我和妳偶像之間選一個。」許隨笑道。

「那我還是只想嫁給我偶像。」胡茜西果斷地給了回覆。

和胡茜西鬧完之後，許隨收拾好出門，這次她學乖了，提前買了暈車貼片貼在耳後，然後轉了三趟公車，到達了琥珀巷七十九號。

許隨來到盛言加家裡，意外的是，一個小時的課程裡，盛言加的配合度還算高。許隨先拿了一份卷子測試他的基礎，然後根據他的弱點針對性地講課。他還算配合，也不鬧騰，但到了第二節課做試卷時，盛言加就開始唉聲嘆氣，注意力明顯不集中。原來問題出在這。

許隨拿試卷輕輕敲了一下小捲毛的頭：「你才多大啊，就開始嘆氣，快點做題。」

「小許老師，妳不懂，像我們這一代，整天被念書填滿。大人根本不知道我們的童年在哪裡。」盛言加一臉的少年老成。

許隨問他：「那你的童年在哪裡？」

「在樂高王國。」小捲毛毫不猶豫地回答。

「……」

許隨看了時間一眼，開口：「你要是能把一個小時完成的試卷縮短在四十分鐘內完成，我可以陪你玩二十分鐘。」

「嘁，這個世上拼樂高最厲害的，我只認我京澤哥。」小捲毛一臉不服。

許隨根本不受刺激，語氣平平：「是嗎？那從今天起，你有了第二個佩服的人。」

盛言加逼自己集中注意力快速寫完了試卷，許隨迅速幫他評閱卷子，然後跟他講解題方法，又幫他圈畫重點。許隨深諳望梅止渴這個道理，先是給人期許，然後推著他向前走。果然，兩個小時下來，盛言加感覺自己把這些不懂的重點都嚼透了。他不免有些佩服許隨。

「老師，兌現承諾的時候到了。」盛言加心心念念他的樂高。

盛言加作為一個小男生卻體貼得不行，直接提了一籃零食進來。許隨挑了一袋牛奶，還有一塊海鹽起司麵包墊肚子。

兩人坐在柔軟的地毯上，開始了樂高之旅。

中途，許隨狀似不經意地問：「怎麼沒看見你哥？」

盛言加扭過頭警惕地問：「妳問的是哪一個哥？」

許隨的心跳漏了一拍，她佯裝淡定地直視前方：「都隨便問問。」

「哦，不知道他們，我親哥倒是經常回來，京澤哥就不一定了，他要是在談戀愛的話就很少回來，單身的時候回來得比較勤。」盛言加回答。

許隨在心裡嘆了一口氣。

她餓得不行，快速咬了一口麵包。

門外響起了一聲敲門聲，盛言加頭也沒回，應道：「進。」盛南洲推門而進，旁邊還站著雙手插口袋的周京澤。

「哥！」盛言加扔掉樂高，朝門口走去。

許隨一臉震驚地回頭，此刻，她正盤腿坐在地毯上，嘴裡叼著一袋牛奶，唇邊還沾滿了麵包屑，形象全無。

盛南洲張開手臂，盛言加卻撲向周京澤，盛南州冷笑一聲：「你改姓吧。」

「哥，你不知道小許老師多厲害，樂高之王。」盛言加開始分享他們的戰績。

周京澤撩起眼皮看了過來，語調是一貫的漫不經心：「喜歡樂高？」

從他進門的那一刻，許隨神色就有些慌張，她胡亂地用手背抹乾淨嘴巴，桌邊那塊被亂啃一通的麵包，她吃也不是，扔也不是，只好緊緊地拿在手裡藏到了身後。

「就念書壓力大的時候，拼它舒壓。」許隨竭力保持表面的淡定，睫毛自然向上翹。許隨的臉有些紅，匆忙收拾了東西就要離開。

許隨抱著課本急忙下樓，一走出大門，就看見盛姨，許隨和她打了一個招呼，說道：「盛姨，課上完了，我先走了。」

盛姨笑盈盈道：「留在這裡吃飯呀。」

「不了，我——」許隨下意識地拒絕。

結果盛姨人瘦力氣大，直接把許隨拖回了院子，熱情得她毫無招架能力。

許隨就這樣被留下吃飯了，盛父還在公司加班處理要務就沒回來吃飯，飯桌上除了周京澤，還有盛家兄弟這一對活寶。

吃完飯後，已經八點多了，許隨再次跟盛姨道謝準備回去。盛姨看了外面黑漆漆的天一眼，開口：「吃個飯就這個時間了，妳一個人回去我也不放心，南洲妳送小許老師回去。」

盛南洲抬手撓了撓頭：「可是我的車拿去保養維修了。」

許隨神色偪促，她剛想說「不用」，周京澤彎著腰，撈起桌上的車鑰匙，撩起眼皮：「走吧，我送。」

「瞧我這記性，忘了你們和小許老師的學校就在隔壁，以後週末回家的時候你們順便帶她回來，」盛姨一拍自己的腦袋，叮囑道：「你小子負責把她給我安全送到學校啊。」

周京澤雙手插在褲子口袋裡往外走，他頭也沒回，騰出一隻手比了個「OK」的手勢，也不知道他答應的是哪件事。

許隨抱著課本亦步亦趨地跟在他後面，她發現周京澤家就在盛南洲家隔壁——琥珀巷八十號。

相較於盛家燈火明亮，周京澤家這棟氣派且占地面積大的別墅卻連一盞燈都沒有亮起，靜謐得可怕，呈現出一絲蕭瑟、孤單的意味。

一輛黑色的摩托車停在他家門口，周京澤走過去，扔了一個藍色的安全帽給她。許隨雙手接過，差點被砸倒。她費力地解開釦子，戴進去，安全帽大得把她整張臉遮住，連眼睛都沒露出來。

站在一旁的周京澤看樂了，他抬手把許隨頭上的安全帽掀起。許隨的臉被悶出一絲紅色，此刻正鼓著臉大口呼吸。

「等我一下。」周京澤扔出一句話。

周京澤走進家門，感應燈亮起來，沒多久他就走出來了，手裡拿著一個明黃色的安全帽。

「試試這個。」周京澤把安全帽遞給她。

這個安全帽明顯小一號，許隨戴上去剛好合適。許隨戴著明黃色的安全帽，一雙鹿眼澄澈，偏偏頭上頂著一個卡通圖案。

一向乖巧的她，顯得有一絲凶萌。

周京澤看她一眼，臉上的笑意收不住了。許隨覺得有點奇怪，問道：「有什麼不對嗎？」

「妳這個安全帽是盛言加的尺寸，他四年級的時候買的，那時他是漫威的頭號粉絲。」周京澤嗓音低，夾雜著笑意。

「我有一百六十五。」許隨小聲地辯解。

周京澤正要騎車走時，發現有什麼拽住了他的褲管，一回頭發現是他家德牧不知道什麼時候跟著溜出來了。

許隨看見周京澤走到圍牆底下，德牧乖巧地趴在周京澤腳邊，他蹲下身，大手摸了摸牠的頭，德牧順勢舔了舔他的掌心。

路燈昏暗，周京澤臉上的表情是放鬆的，有那麼一瞬間，他臉上那股桀驁不馴的感覺完全消失，許隨在他臉上看到了溫柔。

「牠叫什麼呀？」許隨忍不住問道。

「叫奎托斯，古希臘戰神之一。」周京澤笑著回答。只是，這種輕鬆的氣氛並沒有持續多久，周京澤褲子口袋裡的手機發出震動聲，他摸出來一看，臉上的表情瞬間不對勁了。

他不接，電話不依不饒響著。周京澤點了接聽，連客套話都懶得說，語氣冰冷：「什麼事？」

周父被噎了一下有些不滿，強忍著怒氣：『下週回來吃個飯，我生日，剛好一家人歡歡喜喜……』

聽到「一家人」三個字，周京澤神色閃過一絲陰鬱，眉眼透著戾氣，直接撂話：「我有事，父慈子孝的時間您留給您兒子。」不等對方回話，周京澤直接掛了電話，他抬手讓奎大人回去，重新站起來。菸頭丟在地上，被狠狠碾在鞋底，最後一點零星火光熄滅。

周京澤騎車送許隨回學校。

他明顯情緒不佳，風呼呼地吹過來，許隨坐在後座，即使她看不見周京澤的表情，也知道他渾身上下寫著「不爽」二字。

周京澤把車騎得很快，他俯著身子，一路加速，耳邊的疾風以倍速大力撲在臉上，兩邊的風景如按了快速鍵的電影般快速倒退。

許隨的心跳到了喉嚨口，她從來沒坐過快車，緊張又害怕，他騎得越來越快，許隨感覺視線所及之處都模糊一片。

她知道周京澤在發洩，只能默默地抓住車兩邊的橫桿。

周京澤心情終於得到發洩，倏地，他感覺身後的許隨整個人僵得不行，他戴著安全帽回頭瞥了一眼，許隨的指尖泛白，一直緊緊抓住橫桿。

他的心動了一下，像是被什麼蜇了一下。周京澤不自覺地鬆了油門，放緩了速度。連他自己都不知道，這是不經意地妥協了。

車速忽然減緩，許隨感覺他身上的戾氣也慢慢消失，又恢復了之前漫不經心的狀態。夏天其實早已過去，晚風有點涼，但吹起來很舒服。

車程已過大半，明明已經放緩了速度，他還是感覺出了許隨的不自然。周京澤低沉的聲音伴隨著風聲傳來：「怕我？」

「啊，沒有。」許隨急忙回道。

只是和你在一起太緊張了，總想和你說點什麼又怕你不喜歡，許隨在心裡說道。

「那妳僵著幹什麼？」周京澤沒什麼情緒地問道，他瞇眼看向前方，「下坡了，抓緊。」

那是他最喜歡的一段路，總有一種人生在加速又只屬於他一個人的感覺。

許隨伸出手小心翼翼地抓住了他的衣角，周京澤帶著她向下俯衝，他的後背寬闊，凸起的肩胛骨尤其明顯，許隨聞到了他身上的菸味，以及冰涼的薄荷味，凜冽又獨特，一點點灌滿鼻息。

一陣晚風拂過，許隨的頭髮被風吹亂，有一縷頭髮不聽話地貼到了他的後頸上，曖昧又不受控制。

許隨盯著他後頸淡青色的血管，伸出手，極為小心地把它勾下來，指尖卻不小心碰到了他的皮膚，而後迅速收手。

應該沒有發現吧。

輕輕刮過，像羽毛的觸感。周京澤握著摩托車把手，直視著前方，眼睛眨了一下。

在下坡的那一刻，許隨驚奇地發現，道路兩邊的路燈跟有感應似的，一盞接一盞地亮了起來，光線浮動，像宇宙裡被忽然點亮的星河。

星河美麗，她和悄悄喜歡的他在宇宙中央。

倏忽，因為一個轉彎坡道，許隨由於慣性影響撞在他背上，整個人貼在了他身上。這時換騎著摩托車的周京澤身體僵住，他感受到許隨柔軟的臉頰貼在後背，以及少女柔軟的胸。

周京澤的喉嚨一瞬間癢了起來。

許隨立刻坐直身體，慌張地說道：「對不起。」

周京澤沒有立刻回答，舌尖抵住下顎，懶懶一笑：「確實乖，許隨，我占妳便宜，怎麼是妳道歉？」

「那你要跟我道歉嗎？」

周京澤哼笑了一下，沒有回答，繼續往前騎。

到了學校門口後，許隨下車把安全帽摘下來還給他，看向他：「謝謝。」

周京澤人還坐在摩托車上，摸出手機，一看訊息，全是盛姨對許隨的關心，他似想起什麼，抬起眼皮：「對了，以後週末上課可以找我，我有空回去的話順便帶妳。」

「好，」許隨眼睛亮了一下，她問道：「那你在飛行學院哪個班？我到時候再去找你……」

周京澤拿著手機解了鎖，遞過去，語氣隨意：「省得麻煩，妳加我好友。」

許隨在回宿舍的路上，感覺像做夢一般，她居然加到了周京澤的好友。高中時，班上有個QQ群[2]，那時加人大家都是按批加的，她也混入其中，幸運地加到了周京澤，只是從來沒有說過話而已。

2　QQ，是中國大陸騰訊公司推出的一款多平臺即時通訊軟體。

他很少發動態，但許隨都會看。後來高三時有了微信，周京澤就不用ＱＱ了。許隨也就徹底失去了他的消息。

許隨心情雀躍地走進宿舍大門，忽地，橘貓從草叢裡竄了出來，對她喵喵叫著。許隨知道牠又餓了，跑去福利社買了火腿腸和水。

小貓趴在許隨手心吃火腿腸，吃完時睜著琥珀色的眼睛舔了許隨的手心一下，她笑彎了眼，拿出手機對牠的小腳掌拍了張照。

許隨回到寢室後，迅速洗完澡，刷完牙，拿著手機上了床。她躺在床上，登上通訊軟體，周京澤顯示在她的清單中。

周京澤的頭貼是他的德牧，點進他個人頁面一看，動態寥寥無幾，僅有的幾篇都是風景照。

螢幕映出一張糾結的臉，許隨將備註改為「周京澤」，皺眉覺得不妥，好像過於明目張膽，也生怕別人看見，最後改成了「ＺＪＺ」。

ＺＪＺ，這樣就沒人知道了，是屬於她一個人的祕密。

許隨反覆看著和周京澤的聊天畫面，上面顯示一則系統訊息。

『他已經是你／妳的好友了，快來聊天吧。』

許隨的心跳異常快，生怕下一秒螢幕上會彈出訊息。她在對話方塊裡打出「晚安」又刪掉，重新打字「我已經到了，今晚謝謝你」，周京澤好像沒說到了要傳訊息給他，想到這，她又刪了。

最後許隨發了一則動態，配圖是她在樓下拍的貓的小腳掌，文字寫的是：『嗨。』

發完以後，許隨退出通訊軟體，看了一下第二天的課表，手機顯示班級群組有訊息，她點進去看，發現個人頁面有紅色的訊息提醒。

她點開一看，呼吸止住，微睜眼確認，有些不敢相信。

五分鐘前，周京澤在她的動態按了一個讚。

十一月過半，在某天下過一場雨後，天氣陡然轉涼。天氣變冷以後，許隨換上了厚一點的衣服，她最近準備參加一個醫學技能比賽，所以每天拿著一個保溫杯，手肘夾著七八本書，一下課就往圖書館裡鑽。

週二，許隨照例在圖書館裡念書，距離考試還有兩天，她打算把全部內容都梳理一下，反覆背一下重點。

圖書館裡靜謐無聲，一排排成行的身影，大家都在做著自己的事。十點半，許隨坐在桌前，她看了一下外面的天空，暗沉沉的烏雲往下壓，似乎要下雨了。

她早上出門忘記帶傘，胡茜西傳訊息提醒她要下雨了，早點回宿舍。許隨打開筆記本，打算快速看一遍重點就回去。

倏忽，對面走來一個男生，輕喘著氣，他拿出保溫杯擰開喝了一口放在桌子上，緊接著拿出課本，然後坐下來複習。

許隨不經意地瞟了一眼，同一個系的，不過他看的是大三的課本。

許隨正準備走時，對方恰好伸出右手拿東西，在縮回去時不小心碰到了水杯，保溫杯蓋子沒擰緊，「啪」的一聲，水杯倒在桌子上，熱水也呈蔓延之勢把許隨的筆記本浸濕得體無完膚。

許隨立刻拿起筆記本往下抖水，師越傑立刻出聲道歉，遞了一張紙巾過去。許隨接過紙巾隨意擦了一下，作勢要拿著東西離開。

「同學，實在抱歉，要不然妳把筆記本交給我，我幫妳弄乾。」師越傑喊著她，嗓音裡透著歉意。

「沒關係。」

聲音意外地雲淡風輕，師越傑抬眼，瞥見一張膚白唇紅的臉，許隨拿著書本匆匆說了句話就離開了。

剛才的動靜不小，一旁的男生問道：「學長，沒事吧？」

師越傑搖了搖頭，笑笑：「沒事。」

路上漸漸下起了小雨，許隨拿著書頂在頭上一路小跑，結果走到一半，有個男生拿著一把長柄傘走到她面前，問道：「許隨是吧。」

許隨點了點頭，對方不由分說地塞了一把紅色的傘給她就走了。沒過多久，許隨的電話響起，胡茜西來電：『收到傘了嗎？』

「收到了，送傘的是妳朋友嗎？」許隨笑。

『必然不是，那是本小姐花錢僱人送傘給妳的，』胡茜西躺在床上，腿往上蹬，『本王可捨不得愛妃淋一滴雨。』

「謝謝胡大王！」

雨越下越大，劈里啪啦地澆了下來，在深淺不一的水坑上砸出一朵朵小花。快要到宿舍時，許隨的褲管已經被濺濕。

許隨舉著傘柄正要往前走，倏忽，草叢裡竄出那隻熟悉的橘貓，牠對許隨「喵」了兩聲，自來熟地鑽到她傘下。

一人一貓就這樣走進宿舍一樓的樓梯間裡。許隨收了傘，蹲下來，從包裡翻出一塊早上還沒吃完的麵包餵牠。

小貓湊到她手心前開始吃麵包，最後把許隨手裡的殘渣舔了乾淨。許隨摸了一下牠身上的毛，站起來就要走時，小貓咬住了她的褲管不讓她走。

許隨掰開牠，結果她走到哪，小貓就跟到哪。小貓瞳孔乾淨，對她一聲聲地叫喚，許隨反應過來：「我真的不能養你，宿舍不能養貓，被舍監阿姨發現就慘了。」

結果小貓還是一臉無辜地看著她。

許隨看了走廊外的瓢潑大雨一眼，絲毫沒有要停的架勢，而小貓渾身濕透，兩撇鬍子也髒兮兮的。許隨餵養這隻流浪貓有一段時間了，發現牠越來越瘦，一看就是有上頓沒下頓。

許隨最終還是心軟，蹲下來，把牠抱在懷裡。

許隨拿出手機在群組裡問了寢室女孩們的意見：『樓下有隻流浪貓挺可憐的，我能不能帶回來養兩天，晚點把牠送走？』

胡茜西：『可以呀。』

柏瑜月則回了兩個字：『隨便。』反正她不常在宿舍。

許隨當她這是默認的意思，貓抱回來時，胡茜西從床上直立起來：「好可愛的小貓咪，妳真的要養牠呀？」

「嗯，先養著，打算幫牠找個主人，我應該不能長期養。」許隨解釋道。

小貓身上太髒了，許隨親自幫牠洗了個澡，還拿出自己的小毛毯幫牠做了一個窩。梁爽見許隨忙上忙下，額頭都出汗了，嘆道：「隨啊，妳好善良。」

許隨拆了一盒羊奶蹲下來倒入一個小盒子裡餵給牠喝，笑道：「我只是覺得牠有點可憐。」

「而且小動物比人知道感恩。」許隨自言自語道。

寢室的人都很好，對於許隨養貓這件事沒什麼意見。

柏瑜月之前在群組裡也默認許隨可以養兩天，但回來時不知道是不是在前男友那裡吃了癟，臉色相當難看，見寢室多了隻貓，把書摔在桌子上，開始撒氣：「妳還真把這種髒東西撿回來了啊，就沒有傳染病什麼的嗎？」柏瑜月冷嘲熱諷道，她現在單純想找許隨碴。

「抱回來之前拿去給動物醫學系的同學那檢查了一下，沒有傳染病，而且，牠不會在這久待，」許隨語氣淡淡，說話時睫毛往上翹，「還有，仁者見仁。」後半句她沒說出來，柏瑜月應該能懂她什麼意思。

「妳——」柏瑜月擰著兩道漂亮的眉毛說不出一句話。

胡茜西「噗哧」笑出聲，都說許隨乖巧好說話，看來也不是這樣嘛，至少有自己的脾氣。

技能考試比賽很快來臨，許隨提前來到了考場，巧的是，柏瑜月和她在同一個考場。柏瑜月在第一排最後一位，許隨在第二排倒數第三位。

這次監考是一位老師與一位學生幹部搭配。師越傑在分試卷時一眼就認出了穿著薄絨外套，把臉埋在領子裡的許隨。

考試中途，許隨正凝神答著題，忽然，身後丟來一個紙團，彈在桌邊，最後落在了她腳下，她還沒來得及打開，主考官走過來撿起來，打開一看，臉色嚴肅：「這是什麼？」

「我還沒來得及打開。」許隨神色平靜地說道。

老師被她不痛不癢的態度刺激到，怒氣上來：「這是作弊，妳把老師當什麼了？比賽妳也好意思作弊？」

「我沒有，」許隨語氣不卑不亢，她放下筆，「如果您憑一張莫名其妙的紙條就判定我作弊的話，我可以放棄這場考試。」

「妳——」

師越傑走過來，禮貌地請老師去考場外面。也不知道師越傑跟老師說了什麼，他走進來，跟許隨說：「妳先好好考試，這件事是我們剛才處理不好，考試結束後我會給妳一個結果。」

許隨點了點頭，重新拿起筆考試。

考完試後，外面又下起了雨，許隨站在走廊裡看著雨簾發呆。身後的來人摩肩接踵，夾雜著雨聲，十分喧鬧。

有幾聲討論傳到許隨耳朵裡，聲音細卻很尖厲：「好學生也作弊啊。」

有人附和：「看不出來，之前我還拿她的解剖當範本呢，沒想到這麼虛榮。」

雨勢漸收，許隨挺直背脊，撐著傘走了出去。許隨被抓作弊的事情傳得很快，說法不一，事件持續發酵，但她看起來一點都沒受影響，不是餵貓就是念書，讓胡茜西想安慰她都沒辦法開口。

柏瑜月回來時，寢室裡只有許隨一人，她剛好洗完頭，正用毛巾擦頭髮，水珠抖落在橘貓的背上，小貓慵懶地翻了個肚皮，用力一甩，她見狀笑了一下。

柏瑜月走到自己的書桌前放書，橘貓踩著步子蹭到她腳下，嗅了嗅。柏瑜月以為是什麼髒東西，嚇得發出一聲尖叫，而後發現是貓，直接踹了牠一腳，罵道：「滾開。」

橘貓被踹到一邊，眼睛瞇起，發出一聲「嗷嗚」的聲音，立刻撲上去就要咬她。柏瑜月嚇得臉色發白，眼淚都嚇出來了。

許隨語氣生冷：「1017，回來！」

1017 聽到許隨的聲音還真的收了手，牠在柏瑜月身邊轉了兩圈，對她凶了幾聲，然後踩著軟乎乎的腳掌回到許隨身邊。

柏瑜月臉色發白，整個人跌在椅子旁邊。

「抱歉，妳下次別踢牠就不會這樣了。」

許隨正想要說點什麼時，手機來了訊息，她看了一眼，拿了一把傘出門了。

周京澤他們在操場體能訓練進行到一半，結果下了場大雨，他們只好解散。一群男生浩浩蕩蕩地回到宿舍。

大劉踹開寢室的門，罵罵咧咧道：「這雨大得好像在頭上下冰雹。」

周京澤插著口袋走進門，脫了外套後，渾身濕得難受，他兩手交叉抓住藍色的訓練服，往上一脫，露出兩排緊實又精瘦的腹肌，身上的肌肉線條流暢到不行。

盛南洲吸了一口氣：「嘖，這腹肌，羨慕啊。」

周京澤低頭懶懶地哼笑一聲：「想不想摸一下？」

盛南洲把一條白毛巾用力地砸在他身上，嗓音發顫：「臭流氓。」

幾個男生洗完澡後，看書的看書，看電影的看電影。周京澤坐在椅子上，聽完盛姨的語音訊息後，眉頭擰了起來。

盛南洲遞了一罐可樂給他，問道：「我媽怎麼了？」

「沒，她說這幾天遛奎大人的時候，發現牠很煩躁，經常拆家，因為不滿意。」周京澤扯開拉環，氣泡浮在上面。

「不滿意什麼？」

周京澤有些頭疼，自己都想笑：「還能是因為什麼，『喂』不見了，牠不爽唄。」

「發情了嗎？『喂』是小母貓啊。」盛南洲覺得稀奇。

「應該是，」周京澤端著可樂喝了一口，背靠椅子，「改天去幫牠買個伴。」

「喂」是一隻橘貓，是周京澤兩個月前出門遛奎大人時撿到的流浪貓。由於周京澤懶得幫牠取名字，整天「喂」來「喂」去，乾脆取名為「喂」了。

一開始，德牧和橘貓天天打架，周京澤每次都要分開牠們，可沒多久，牠們居然窩在一起玩玩具了，感情也越來越好。

可周京澤養了這隻貓一個多月後，這隻貓離家出走，再也沒有回來過。其間德牧怏怏不樂，周京澤特地出去找了幾趟。可茫茫人海，哪裡那麼容易找到一隻丟失的貓。

「先不說狗發情的事情，兄弟你上次送許妹妹回學校的後續呢？」盛南洲對他擠眉弄眼。

周京澤慢悠悠地說：「後續是我問她，盛言加和盛南洲這兩兄弟誰長得比較欠揍。」

盛南洲拿肩膀撞了一下周京澤，說道：「我說真的，我怎麼感覺許隨妹妹對你有意思啊？」

周京澤腦子裡閃過一張驚慌失措的臉，繼續開口：「我也認真的，她好像挺怕我的。」

「也是，換成是我，我也不會喜歡你這個渣男。」盛南洲搖著他的肩膀學韓劇女主角，「垃圾！」

周京澤哼笑一下，懶得反駁。

次日上午又是一場大雨，等雨停得差不多了，周京澤才出門去醫科大辦點事，辦完照例傳了訊息給胡茜西：『晚上出來吃個飯，有事找妳。妳可以帶許隨來蹭飯。』

『行啊，但是隨隨不會出來的，她這幾天心情不好。』胡茜西回。

周京澤：『？』

胡茜西把許隨被誣陷作弊的事情完整說了，並嘆氣：『我覺得她最近都不會出門了，因為沒心情，老是有八婆議論她。我看隨隨雖然一言不發，但無精打采的。』

雨絲很小，幾乎沒有，周京澤回了個「知道了」就把手機放回口袋裡了。他戴著黑色的鴨舌帽，一抬眼便看見不遠處的兩個人。

胡茜西口中「沒心情」、「無精打采」的當事人，此刻正和一個男生站在校門口，兩人各自捧著一杯飲料。

周京澤下意識地瞇眼看過去，女生纖細乖巧，男生穿著白色的外套，個子挺高，不知道跟她說了什麼，許隨白皙臉上的笑快要融化在面前的鮮奶油裡。

第三章　她只是想被看見

許隨既緊張又羞得不行，她接連向後退了幾步，無意撞得山茶花叢搖晃得嘩啦嘩啦。

師越傑背對著綠色公車站牌和許隨聊著天，許隨不經意地往他身後一看，整個人向前踉蹌了一下，他攥住她的手肘才使其保持平衡。

許隨低聲道了句謝，收回自己的手，她的眼神有些慌亂，師越傑順著她的視線轉頭看過去。

周京澤手正插著口袋，慢悠悠地朝他們走來，黑色鴨舌帽下是一張玩世不恭的臉，他嚼著薄荷糖，臉上掛著懶散的笑。而師越傑看見周京澤的一剎那臉上的笑意微收，等他走到跟前時又恢復如常。

「你怎麼來這了？」許隨抬眼問他。

「找個人。」周京澤低頭看她。

許隨感覺氣氛有點不對勁，正想要打破尷尬介紹兩人認識時，師越傑主動開口，笑容溫和：「京澤，好久不見。」

許隨微微睜大眼，乾淨的瞳孔裡閃著疑惑：「你們……認識？」

師越傑點頭，正想說兩人的關係時，周京澤用舌尖抵住薄荷糖，把它咬得嘎嘣作響，糖渣融化在唇齒間，他哼笑了一下，語氣漫不經心：「不只是認識，妳覺得我們是什麼關係？」

周京澤的眼睛筆直地看向師越傑，像一把暗藏的利劍，師越傑整個人被架在那裡，他猶豫半天，最終只憋出兩個字：「朋友。」

周京澤聞言嘴角微微挑起，弧度嘲諷，但最終也沒說什麼。

由於周京澤強行加入，強大的氣場橫亙在兩人中間，師越傑反倒不知道說什麼了，他對許隨開口：「這件事妳可以安心了，考試成績也是正常錄入。」

許隨點了點頭，師越傑臨走時猶豫了一下，還拍了拍他的肩膀，笑著說了句「走了」，周京澤極輕地嗤笑了一聲，什麼也沒說。

師越傑走後，周京澤倚在公車站牌旁邊，他拿出壓片糖，倒了一顆薄荷糖，低頭拆著包裝紙，下頷線弧度俐落硬朗，一句話也沒有說。

許隨害怕他誤會，結結巴巴地解釋：「剛才那個是監考的學長，因為……考試發生了一點意外……」出於某種心態，許隨並沒有跟周京澤說那個陷害她的人是誰。

「學長啊，」周京澤慢條斯理地咬著這三個字，半晌話鋒一轉，「事情解決了嗎？」

「算是吧。」提起這個，許隨就有些無精打采。

考試結束後，師越傑就申請查了監視器畫面，來來回回看了兩個多小時的考場影片重播，發現真正的作弊人後，又去聯絡教務處和當事人。事情最後得以順利解決，不過那名學生甘願被處分，也不願道歉。平白受人陷害，許隨覺得有點委屈。

但許隨還是感謝師越傑，她不太習慣欠別人人情，所以說他有什麼要求都可以提，師越傑推辭不過，乾脆讓她請他喝飲料，於是就有了被周京澤撞見的這一幕。

許隨正想說點什麼，老師這時傳訊息讓她去辦公室拿影印的試卷。周京澤看見她猶豫的眼神，彈了她腦袋一下：「趕緊去吧，我剛好也有事。」

許隨走後，周京澤站在公車月臺上抽了一根菸，他摸出手機，打了一通電話，掛掉之後登進通訊軟體，找到柏瑜月的頭貼。

兩人的聊天紀錄還停留在上週日，柏瑜月傳的那則。

——『我看見你送許隨回學校了。』

周京澤一直沒有回，雨絲斜斜地打了過來，他用拇指揩去螢幕上的水跡，盯著上面的話若有所思。

許隨去辦公室幫老師分好試卷後，就回了寢室。她一推開門，1017就立刻跑過來對她「喵喵」叫。

柏瑜月正在梳頭髮，忽地把木梳「啪」的一聲放到桌子上，語氣不太好：「吵死了。」

許隨沒有理她，拆貓糧倒入盒子裡餵貓，全程徹底忽略柏瑜月。柏瑜月點了一個啞炮，渾身不爽，正要開口說話時，「叮」的一聲，放在桌面上的手機螢幕亮起，柏瑜月拿起手機，點開通訊軟體，是周京澤傳來的一則訊息：『妳出來一趟。』

柏瑜月看見這則訊息時，眼睛亮了一下，立刻收拾桌面，開始補妝，眉眼間是掩不住的雀躍和開心。

柏瑜月迅速把自己收拾好，還換了一件絲絨半身裙，前凸後翹，漂亮又妖豔。柏瑜月出門時剛好撞上回來的梁爽。

「去哪啊，打扮得這麼漂亮？」梁爽問。

「當然是重要的人找我約會囉。」柏瑜月說著還順便回頭看了許隨一眼。

橘貓吃完東西後，許隨正拆羊奶倒入盒子裡，聞言手晃了一下，羊奶灑到地面上，小貓立刻低頭舔了乾淨。

柏瑜月和周京澤分手後，一直處於單身狀態。能輕而易舉調動柏瑜月心情的人，恐怕只有周京澤。原來上午周京澤說的找個人是找柏瑜月，心忽然被揪成一團，眼睛開始泛酸，盯著某一個點發呆。

許隨發了十分鐘呆後，不願意讓自己處在這種萎靡的狀態中，她起身收拾了幾本書，決定去圖書館，做點其他的事總比亂想好。

許隨抱著幾本書下樓，一股冷風撲來，她不自覺地瑟縮了一下肩膀。雨已經停了，地面濕漉漉的，許隨走過一條林蔭道，再下臺階，一直朝左走。

圖書館距離女生宿舍有一段距離，走完小道後，還要穿過一座花園。天氣降溫後，花園裡就沒有多少人，裡面花朵成簇，兩排棕色長椅相對擺放，上面的扶手生了鏽。

許隨走沒幾步，就聽到一陣爭吵聲。她不由得停下腳步，隔著一叢野生的山茶花，她看見了正在爭吵的兩個人。

許隨垂下漆黑的眼睫，老天真的太愛捉弄她，她到底要撞見周京澤和別的女生在一起多少次？

準確來說，是柏瑜月單方面控訴。柏瑜月站在周京澤面前，不再是人前的高傲模樣，眼淚吧嗒吧嗒地落下來，她低頭：「我錯了……我們和好，好不好？」

周京澤沒有說話。柏瑜月的情緒在他的沉默中再一次失控：「我不是跟你道歉了嗎！難道在一起的時候，你對我很用心嗎？」

「你……還是喜歡我的，對嗎？」柏瑜月的聲音帶著哭腔，她像是找到救命稻草般，一把把上半身穿著的針織襯衫扯開，從鎖骨延至胸前，肌膚白皙，視覺衝擊感強烈。

柏瑜月抖著手去抓周京澤的手，把他的手放到胸前，毫無自尊可言，她哭著說：「你不是說，你……最喜歡碰我嗎？」

周京澤看著她一句話也沒說，最終只是抬手幫她整理好衣服，一雙骨節分明的手把拉鍊重新拉了回去。許隨瞥見他虎口的黑痣停留在女生的肩膀。

天是灰的，周京澤穿著一件飛行夾克，肩頭已經變成深色，他一直聽著，好的壞的，照單全收，他只給了一句話，說得很慢——

「柏瑜月，別做自降身分的事。」

柏瑜月終於崩潰，肩膀抖個不行，泣不成聲。她終於死心，因為知道她在周京澤這沒有可能了。

柏瑜月抬腳向前走，走了十多步，周京澤站在原地，對她喊了一句：「我說的妳考慮一下。」

柏瑜月背影僵了一下，最後頭也不回地離開了。

周京澤穿著黑褲子、短靴，站在那裡高大又帥氣，他腳尖輕輕點了一下地，嗤笑一聲：「別聽了，出來吧。」

許隨心一驚，抱著書本往外挪了兩步，她解釋：「我不是故意的。」

周京澤轉身，慢悠悠地說：「那怎麼辦？本來就分手了，還被看見了，更受傷。」

「對不起。」許隨想了一下。

周京澤雙手插口袋，一步一步朝她走去，目光筆直地盯著許隨。他來到許隨面前，兩人距離近得幾乎是額頭能碰額頭的地步。

他身上的菸味襲來，凜冽的氣息讓許隨心慌不已，她下意識地後退，結果周京澤更近一步。

周京澤俯身看她，眼睛黑如岩石，壓著幾分輕佻和散漫：「要不然妳替上？」

熱氣撲耳，許隨耳朵一陣陣地癢，在周京澤的注視下，她的臉肉眼可見地變得通紅，像是一滴絳紅滴到透明油紙上，從臉頰迅速蔓延至耳後，竟有幾分嬌豔欲滴的感覺。

見許隨不說話，周京澤又逼近一步，抬了抬眉頭，問道：「嗯？」

「我……我……」許隨既緊張又羞得不行，她接連向後退了幾步，無意撞得山茶花叢搖晃得嘩啦嘩啦，光線隱去，有什麼掉落，空氣中也像有什麼在劈里啪啦地燃燒。

周京澤站在她面前，慢慢靠近她，許隨瞥見他高挺的鼻梁，薄唇正一寸寸往下壓，近得她可看見他黑漆漆的睫毛。一顆心提到了喉嚨口，既害怕又隱隱期待。

結果周京澤俯下身，伸手用拇指和食指捏住她肩膀上的山茶花花瓣，竟然送進了嘴裡。周京澤嘴唇抵著淡粉色花瓣，牙齒慢慢咀嚼蠶食它，漆黑的眼睛裡透著戲謔的笑意，邪性又透著一股壞勁。

許隨鬆了一口氣，大口地喘氣，同時懷裡緊抱著的幾本書嘩嘩掉在地上，花瓣再一次簌簌抖落在兩人肩頭。

「逗妳的。」周京澤眼底的捉弄明顯。

「晚上出來吃飯，西西知道。」周京澤又摘下一片花瓣，指尖輕輕地捻了一下。

許隨點了點頭，周京澤走後，她的手撐著膝蓋，仍在小口地喘氣。她看著他散漫離去的背影想，怎麼會有這麼壞的人？

像毒藥，隨便一句話就讓人上癮，陷入夢境中，下一秒卻摔入地獄，讓人不得不清醒。

晚上九點，胡茜西輕車熟路地帶著許隨來到京航後面的小吃街，走了幾分鐘後，坐在燒烤攤邊的盛南洲朝她們揮了揮手。

許隨看過去，幾個男生坐在那裡，周京澤穿著黑色的衣服，背對著她，頭髮過短，露出一截冷白的脖頸。

胡茜西走過去，小心翼翼地避開水坑，在距離他們一公尺的地方吐槽：「我真的很不喜歡這種油煙味很重的地方，人家可是精緻消費主義者。」

盛南洲放下茶杯，冷笑一聲：「上次是誰點了兩份豬腳，一打豬腰子的？」

「你——你，不要血口噴人，哮天犬。」胡茜西衝上去就想揍他。

「你怎麼老是惹她？」周京澤掀眸看他一眼，手裡拿著菜單轉了一下拍到許隨面前：「想吃什麼自己點。」

盛南洲想自己好歹算個五官端正的帥哥，怎麼就是哮天犬了？於是兩個人繼續爭吵不停，胡茜西揪著他的衣領，說道：「我上次就吃了一點，你不要汙衊我。」

兩個人撕扯著，大劉也在，在一旁看得歡樂，周京澤彎曲手指敲了敲桌子，眼神掠過兩人：「你們轉學吧，適合讀小太陽幼稚園。」

兩個「小學生」聞言立刻鬆手，老闆這時送上餐具。胡茜西拆開筷子，怎麼也戳不破塑封的碗。盛南洲自然地接過她手裡的餐具拆開，還用熱水燙了一遍，嘴裡卻說：「怎麼那麼蠢！」

許隨有點糾結症，也怕自己點的大家不滿意，把菜單推了回去：「你們點吧，我吃什麼都可以。」

他們點了沒多久燒烤就送了上來，這裡的服務生好像跟周京澤認識，把盤子放下來時，問道：「老規矩，一打烏蘇啤酒？」

周京澤靠著椅背，笑了一下：「謝了。」

啤酒上來後，大劉像大家都來參加他的喜宴似的，把每一個人的杯子都倒得很滿，還勸酒，嚷道：「不喝就是不給兄弟我面子。」

眾人：「……」

輪到許隨時，她下意識地拒絕，溫聲說：「我不會喝酒。」

「許隨，要不然妳就來一點，不然妳一個好學生坐在這，光我們喝的話，真的很像犯罪現場啊。」大劉勸道。

「說什麼屁話！」周京澤長腿一伸，踹了大劉一腳，嗓音低沉，「行了，別勉強人了。」

一群人坐在一起聊天，許隨撐著下巴看盛南洲和胡茜西打鬧，以及聽大劉說周京澤在學校的一些事。許隨認真聽著，連周京澤什麼時候走了都不知道。

大劉像周京澤的腦殘粉，拍著桌子說：「我周爺學科和術科成績排第一，厲害吧，老師喜歡他喜歡得不行，想讓他當班長，結果他居然拒絕了。好可惜，想蹺個晚自習都沒人罩著。」

「不過我老是惹禍，上次還是周爺幫我背鍋，他被罰在操場做固滾和跑步，好像是上個月吧，天太熱了，他竟然直接將訓練服脫了，一身的肌肉，結果操場圍觀的女生都炸了，」大劉喝了兩口酒，開始羨慕周京澤的女生緣，「他就是行走的撩人機器，第二天學校的表白牆被洗版了，全是我周爺的名字。」

許隨的心緊了緊，問道：「他在學校很多人追嗎？」

大劉剛想應聲，一道熟悉的冷淡聲音在頭頂響起：「聽他瞎扯。」

一盒牛奶出現在許隨右手邊，她聽到椅子在一旁拉動的聲音，周京澤去而復返，一身黑夾克，重新坐了下來。

許隨去摸那盒牛奶，還是溫熱的，感嘆他不經意的細心，輕聲開口：「謝謝。」

周京澤哼笑了一下，沒有說什麼，拿起桌邊的酒喝了起來。盛南洲用筷子敲了敲碗：「朋友們，今天我們之所以聚在這裡，是因為有一件事我想……」

「有屁快放。」胡茜西翻了個白眼。

「他想找大家組個臨時樂隊，參加學校的比賽，」大劉搶走了盛南洲憋了很長的發言稿的風頭，「他想找妳幫忙。」

「你怎麼這麼熱衷於校園活動了？」胡茜西轉頭看他。

「因為獎品是去北山滑雪場玩，兩天一夜，」周京澤接話，「他跪下求了我好久。」

「對，我記得妳不是會電吉他嗎？美麗漂亮的西西公主。」盛南洲無形之中狗腿起來。

胡茜西也沒扭捏：「行吧，反正我天天背書也快瘋了。」

「好了，本人手風琴擔當，大劉是主唱兼Keyboard，周爺是大提琴和聲，妳是電吉他，」盛南洲嘆了一口氣，「還差一個很噪的爵士鼓。」

忽地，一道軟糯但堅定的嗓音響起：「我會。」

「妳？」眾人一臉震驚，齊刷刷轉頭看著許隨。

許隨想開口時，手機發出「叮」的一聲提示音，她點開一看，是柏瑜月的道歉訊息。

周京澤看著許隨沒有說話，眼底的趣味漸濃。盛南洲嚇得下巴磕到了桌子上，桌上骨碟裡盛著的花生米受到震動掉在地上。

「許妹妹，妳這消息跟大劉穿過女裝一樣，讓人難以置信。」盛南洲說道。

「是真的，小學到國中學了一段時間，不過現在生疏不少。」許隨解釋道，還順便關上了手機螢幕。

許隨會打爵士鼓這事，沒人知道，小時候爸爸送她去學的，只是他去世以後，許母就不讓她學這種東西了，她開始盡力學著做一個乖女兒。

許隨說完臉還是熱的，天知道她鼓起勇氣說的時候下了多大的決心。

她只是想被周京澤看見。

「那行，這事就這樣定了唄，還有一個月，我們週末或者平常有時間的時候一起排練。」盛南洲拍板。

周京澤朝前側抬了抬手，示意服務生過來結帳，服務生拿著一個小本子結帳，說了價錢，周京澤挑眉：「是不是算錯錢了？我們點了挺多的。」

「沒算錯，幫你打五折，酒水免費。」忽地，不遠處傳來一道爽朗渾厚的嗓音，老闆走了過來，拍了拍周京澤的肩膀，「上次的事還得感謝你。」

眾人皆回頭看過去，原來是老闆本人。老闆人高馬大，留個平頭，跟周京澤道謝。

老闆和周京澤寒暄了幾句就走了，周京澤笑著轉過臉去，一抬眼對上一排看八卦群眾的臉。

「上次他兒子出了點事，幫了個忙。」周京澤簡單解釋，懶得再多說一個字。

盛南洲點了點頭，還惦記他樂隊的事：「哎，我們還沒取名字呢，反正是吃燒烤時組的樂隊，我看電視節目都是什麼青春之夜、奪冠之夜，要不然我們就叫燒烤之夜吧。」

胡茜西：「？？？」

大劉：「？？？」

許隨：「。」

「傻子。」周京澤毫不猶豫地罵出聲。

週二，許隨坐在教室裡上通識英語課，中途休息時，她坐在椅子上整理筆記，門口一位女同學對她擠眉弄眼：「許同學，師越傑學長找哦。」女生拖長語調並放大音量，周圍交頭接耳的女聲立刻消失，眾人皆齊刷刷地看向門口，發出起鬨的聲音。

師越傑是誰？醫科大學的風雲人物，學生會會長，家世好，長得好，連續三年因為成績第一拿了學校獎學金，重點是他人真的很好。在醫科大，與他接觸過的同學沒有一個對他評價不好。

許隨一臉淡定地走了出去，師越傑穿著白色的休閒衣，眉眼乾淨，站在她面前開口：「公告今天下午會出，學校會澄清考試的事，也會公開對柏瑜月的處罰。」

「謝謝學長。」許隨開口。

師越傑點了點頭，想起什麼笑了一下：「恭喜妳，醫學技能比賽妳拿了第一。」

「運氣好。」許隨笑的時候，兩個梨窩明顯。

「我就不打擾妳上課了，進去吧，有什麼困難可以找學長幫忙。」師越傑語氣溫和。

「謝謝。」許隨點點頭。

許隨進門時，起鬨聲再一次加大，這也不怪他們，師越傑實在優秀，還主動來找許隨，很難不讓人聯想什麼。周圍的人紛紛調笑，許隨神色平靜地回了座位，前排的女生找她借筆芯，她翻了一下筆盒，找出來遞給對方。

前排女生問她：「學長來找妳，妳不激動嗎？」

「沒什麼感覺。」許隨搖搖頭。

這節課胡茜西也在，她一個動物醫學系的學生跑來蹭課，完全是因為聽說許隨他們的通識英語老師長得帥，特地過來一睹神顏，沒想到會撞見這一幕。

胡茜西聽到這句話從書裡抬起腦袋，看著許隨，好像發現了什麼。

大部分人看到的許隨，好脾氣、乖巧，同時有能力，遇事也淡定，但透著清冷的疏離。而在周京澤面前，許隨好像很容易緊張和害羞。

嘖，周京澤就是禍水。

梁爽坐在許隨旁邊，習慣性捏她的臉：「我們隨隨好受歡迎哦。」

「沒有的事，他來找我說柏瑜月的事。」許隨拍了拍她的手。

「提起她我就氣，自從柏瑜月和周京澤分手後，我就感覺她不太正常了，」梁爽皺眉，「還好，她自己主動換了寢室。」

澄清通知一出，輿論幾乎一面倒，不過柏瑜月看起來沒受什麼影響，也坦然接受處罰，隔天，她就申請了換寢室。

最讓許隨驚嘆的不是這個，而是柏瑜月居然向她道歉了，語氣還很真摯。

說起這個，許隨拿出手機再一次看著柏瑜月的道歉訊息發怔，到底是因為什麼？上次師越傑還說她拒不道歉。柏瑜月低頭是她沒想到的。

晚上回到寢室後，許隨發現自己被拉進了一個群組，她發現周京澤和胡茜西都在裡面，暗猜這是關於樂隊比賽的群組。

盛南洲在群裡發話：『這週末大家應該都沒事吧，定在下午五點我們學校的C排練廳，應該沒問題吧。』

群裡沒一個人說話。

盛南洲一連發了好幾個紅包，馬上被領完，接著一群人開始附和：『收到了，盛隊長。』

大劉：『盛隊長客氣，週日必須有時間。』

胡茜西：『我也。』

周京澤就一個字：『謝。』

盛南洲傳了一個豎中指的貼圖。許隨看著手機螢幕笑：『我也沒問題，週末補完課就過去。』

盛南洲在群組裡抱怨道：『各位，我們這個樂隊還沒有取名呢，歡迎大家踴躍發言。』

沒人理他，盛南洲連發了六百塊錢紅包，螢幕裡立刻下起了紅包雨。群組成員領了紅包後跟上了發條一樣，開始積極發言。

不會唱歌的大劉不是大牛：『叫美女與野獸怎麼樣？』

我是隊長聽我的：『這裡只有你一個人是野獸。』

西西公主：『不可，叫原地爆炸比較好。』

『或者三十六封情書呢？』

我是隊長聽我的：『我想了幾個，大家挑挑看，綠皮火車、貓屎咖啡、燒烤之夜，這些怎麼樣？』

大家七嘴八舌地討論起來，許隨想了一下，在一眾答案中發表了自己的意見，但很快被刷了過去。

她嘆了一口氣，正要收起手機，等看清手機螢幕時微微睜大眼，一直沒發言的周京澤開了口。

『剛才許隨說的可以，就叫碳酸心情了。』

許隨加入周京澤他們樂隊的決定做得匆忙，甚至沒弄清楚這到底是什麼性質的比賽就主動加入了。

直到下午許隨從思政樓出來看到公告欄才明白過來，這場螢火之樂的表演是兩校聯合舉辦的，為了促進兩校的情誼和友好交流，兩校學生可以自由合作曲目上臺表演。這個活動在學校傳得沸沸揚揚，許隨抱著書本站在公告欄前看著上面的比賽規則，一道身影籠罩下來，溫和的聲音響起——

「感興趣？」

許隨聽見聲音，偏頭看清來人之後，禮貌地打招呼：「學長。」

「是有點感興趣。」許隨回。

師越傑嘴角抬起，抬手扶了一下眼鏡：「都說勸人學醫，天打雷劈，可能看我們太辛苦，學校想讓我們放鬆一下吧。」

「我正打算報名，不知道學妹有沒有合作的意願？」師越傑的語調是放鬆而平淡的，殊不知，他垂著的指關節正用力彎曲著。

許隨已經加入盛南洲他們那隊了，她正想開口拒絕，一道女聲插了進來：「學長，那你可來晚了，人家許隨早就跟隔壁航校的人組了樂隊，一起參加比賽呢。」

「妳怎麼知道？」許隨皺眉。

站在一旁的女生朝她晃了晃手機，語氣帶著點嘲諷：「兩個學校的論壇早傳開了，也是，對方可是周京澤，不會玩樂器也得硬著頭皮上。」

「學長，你就別費這個力了，人家手肘已經往外拐了。」有人附和道。

許隨是個不太願意把自己置入紛爭的人，她正打算直截了當地說清楚時，師越傑開了口：「許隨想參加什麼是她的自由，畢竟我聽說學業壓力這麼大的情況下，她的成績還拿了A＋，這樣手肘也拐不到哪去，妳們覺得呢？」

師越傑說話的語氣如春風，不疾不徐，是一貫的溫和，卻帶著一種震懾和不容置喙。幾個女生也沒想到會踢到鐵板，還討到羞辱，全都臊著一張臉離開了。

人群散去後，師越傑和許隨並肩走在校園的路上，中途有一兩個學生騎著自行車橫衝直撞一路搖車鈴，師越傑便讓她走在了裡側。

「剛才她們說的話，妳不用放在心上。」師越傑出聲安慰。

許隨搖搖頭，恰好一陣風吹過，一片泛黃的葉子飄飄搖搖地掉了下來，她伸手接住，眼底透著一股與年紀不相符的成熟。

「不會，每個人都有發表自己看法的權利，比起這個，我承受過更不好的惡意，但是現在也把自己保護得很好。」

「那就好。」師越傑點了點頭。

師越傑與許隨並肩走了一段路，快到路口時，他忽然開口：「許隨，妳和周京澤很要好？」

師越傑用了一個很安全的詞語，像是試探，也是為了確認。許隨搖搖頭，說道：「我不知道。」

周京澤對她，應該是把她當成自己外甥女的一個好朋友吧。

第四章 喜歡下雨天

伴著雨聲，隔著一道牆，她聽了周京澤近一個小時的練琴聲。

週末，許隨提前了半個小時去盛家幫盛言加補課，因為他們要排練，許隨不想到時候因為自己的事讓大家等著。

一到盛言加房間，許隨宣布了一個「噩耗」：「我等等有點事，課程結束後沒有玩樂高這一項。」

小捲毛立刻趴在桌子上，一副無精打采的模樣：「我就等著和小許老師在樂高的世界裡翱翔呢。」

「今天我們上一個小時數學課，雖然沒有樂高玩，」許隨特地賣了個關子，拍了拍他的肩，「但剩下的一個小時我們用來看電影之類的。」

小捲毛立刻精神了，改口：「小許老師，我迫不及待想在數學的世界裡遨遊了。」

許隨認真幫小捲毛上完了一節數學課後，盛言加立刻把桌面收拾得乾乾淨淨，打開投影機，一臉興奮地問：「老師，我們看什麼呀？《復仇者聯盟》還是《魔戒》？」

「都不是，我們看《六人行》。」許隨笑咪咪地搖了搖頭。眾所周知，《六人行》是學習英語、訓練口語的範本美劇之一，盛言加想當場撞牆而死。

一個小時的劇集結束後，許隨留了兩份數學卷子給盛言加，還有一篇《六人行》的觀後感。

「手段，全是手段，小許老師，妳太壞了！」盛言加控訴道。

許隨看了一下時間，笑咪咪地說：「不跟你說了，壞老師還有事，先走了。」

許隨收拾好東西匆匆下樓，她一路小跑出客廳，結果在庭院裡碰見了正在組局打牌的盛姨。盛姨穿著水藍的盤釦針織開衩旗袍，外面披著一件羊毛披肩，風情又漂亮，盛姨正愁還差一個牌友，一見許隨，眼睛一亮：「小許老師，過來打牌啊。」

「我還有點事。」許隨當即預感大事不妙，急忙說道。

盛姨三兩步走過來，跺了跺腳，拉著她的手：「十分鐘，就十分鐘，隔壁老李去上廁所了，妳就幫忙打一下。」

「可是我不太會。」許隨心裡叫苦不已。

「沒事，我們教妳。」盛姨不由分說地拉著她，把人按到了牌桌邊。

一張木方桌，旁邊還放著果盤，裝了果脯和瓜子，陽光斜斜地照了下來，幾個街坊坐在一起打牌，爽朗的笑聲和罵聲全摻在輸贏裡。

德牧趴在盛姨腳邊，許隨趁著發牌的間隙，傳了一則訊息給周京澤：『那個……我可能要晚點到，你們先排練。』

不到一分鐘，手機顯示ZJZ回的訊息：『在哪？』

許隨低頭回訊息：『還在盛姨家，她拉著我打牌，而且我還……不太會。』

盛姨正發著牌，眼尖得不行，笑道：「小許老師，不要玩手機了，就算是和男朋友傳訊息也不行，上了我的牌桌要專心。」

許隨哭笑不得，只得把手機放在了一邊。許隨只懂一點點，還是每年過年旁觀舅舅一家人打牌學了一些規則，她在玩牌方面就是菜鳥，毫無勝算可言。玩了十分鐘，許隨發現自己手裡的牌爛到不行，盛姨從開局一直春風滿面，她悄悄瞥了手機一眼。

周京澤回了兩個字：『等著。』

等著什麼，是他會幫忙找救兵，還是他打電話給盛姨讓她走？許隨在心裡猜測著。她靠著拙劣的牌技撐完了一局，可隔壁老李還沒出現，大家正在興頭上，她只能強撐著繼續打爛牌。

第二局，許隨手裡的牌並不怎麼樣，她正猶豫著要不要破罐子破摔亂出時，一道低沉的嗓音響起：「出這個。」與此同時，桌邊多了一盒菸和一個銀質的打火機。

許隨倏地回頭，周京澤竟然憑空出現在面前，黑色衝鋒衣，黑褲子，薄唇挺鼻。

「京澤，你怎麼來這了？」盛姨問道。

「您把我人扣這了，我就來了。」周京澤笑。

盛姨的眼珠在兩人間轉了一圈，轉而笑道：「行啊，老規矩，三局兩勝，贏我兩次才能走。」

許隨語氣有些著急：「盛姨，我們真的有事，要排練……」

「沒事，很快。」周京澤打斷她。

接下來的時間，許隨比之前更不在狀態。因為周京澤就站在她身後，時不時俯下身指導。他的手肘撐在許隨右側，淡青色的血管明顯，黑色的衣料擦過她的肩頭，許隨發覺自己的感官被無限放大，他好像是剛洗完頭，身上透著薄荷味的清香，還散發著一點羅勒味。

許隨的臉頰發熱，一雙骨節清晰的手伸了過來，拇指和食指抽出一張牌，他用氣音哼笑：「發什麼呆？」他的指尖不小心碰了一下許隨的手，很輕，像雪，他虎口的黑痣反覆出現在她眼前，許隨整個人不自在，呼吸有些急促，她用指甲用力掐了一下掌心。

許隨暗暗告訴自己要淡定，要裝作不在意，千萬不能露出破綻。

不然喜歡他這件事，無處藏。

許隨呼了一口氣，努力讓自己保持平靜。周京澤很聰明，他那種聰明是憋著壞勁的，先給你一點甜頭吃，再打個措手不及。

在周京澤的指導下，許隨連贏兩局，盛姨把輸的錢全推到許隨面前，指著他說：「趕緊滾，你再待下去，老娘要破產了。」

周京澤壞笑，從菸盒裡摸出一根菸咬在嘴裡，低頭對上許隨猶豫不決的眼神：「這個錢……」

「收著，拿去買糖吃。」周京澤咬著一根菸笑，聲音有些含糊不清。

兩人並肩走出盛家庭院，周京澤兩指指尖夾著一根菸，走得比她快一點，許隨盯著他的肩頭，鼓起勇氣說：「柏瑜月的事，謝謝你。」

周京澤回頭，挑眉：「妳怎麼知道是我？」

「猜的。」許隨答。

「行，」周京澤踢了一下腳下的石子，懶散地笑，「那妳要怎麼謝我？」

許隨本來想說「只要我能做到的，都可以」，結果周京澤單手插口袋，偏頭看著她，黑如岩石的眼睛緊鎖著她，語氣意味深長：「還是說，也請我喝飲料？」

周京澤最後帶她回了學校，而盛南洲他們早已在排練室。算起來，這是許隨第二次來京航，一進學校大門，恰好遇見剛結束訓練的方陣，他們穿著海藍色的制服，英姿颯爽，像一大片掀起的海浪。

「我怎麼沒看見你穿過飛行員的制服？」許隨問。

每次許隨見他都是一身黑，不是黑夾克就是衝鋒衣，從來沒見他穿過制服。

「那是因為妳見我的時機不湊巧，」周京澤偏頭，眼睛落在她身上，發出輕微的哂笑聲，「怎麼，妳想看我穿？」

許隨撞上他的目光，一時回答不上來，結結巴巴地說：「不是……我看盛南洲也……沒穿。」

她跟周京澤欲蓋彌彰地解釋，周京澤眼睛直視著前方，一副散漫的狀態，也不知道有沒有在聽。

倏地，一個男生衝過來，肩頭擦過，他自然而然地抬手攥住了她的手肘，直接將她拉到了一旁，許隨瞬間僵住，神經繃緊。

許隨一個踉蹌，下巴撞向他的肩膀，兩人離得如此近，她一抬眼就瞥見他俐落的下頷線，有點硬，是男生野蠻生長的骨骼，瘦但有力量。風從兩人間的縫隙吹過，她感受到他骨骼的溫度，心不受控制地跳了起來。

「看路。」一道低沉的嗓音落在頭頂。

周京澤走在前面，雙手插口袋。許隨跟在後面，被他鬆開的那一側手肘還是麻的，像有電流滋滋竄過。她悄悄對周京澤的背影比了一下，剛才，她整個人將將到他肩膀那裡。

兩人來到排練室時已經晚了二十分鐘，盛南洲氣得想脫鞋砸他又不敢，嚷道：「等等排練完你請客。」

「行。」周京澤無所謂地扯了一下唇角。

盛南洲站在臺前，開始囉唆：「除了周爺，想必大家手裡的樂器都已經吃灰許久，這次排練呢，大家先各自重新把樂器練熟，下半場的時候我們再隨意挑一首歌練默契，怎麼樣？」

沒人理他。

盛南洲下意識地把求救的眼神投向好脾氣的許隨，後者給面子地出聲：「好。」

排練室很大，許隨坐在爵士鼓面前，轉了一下手裡的鼓棒，開始練習、找感覺。大家各自開始練習手裡的樂器，她練習時趁機聽了一下大劉唱歌。

大劉長得高壯，五官也有點凶，沒想到聲音還挺好聽、挺溫柔的，反差挺大。

一行人正練習著，發出不同的樂器聲。倏地，一陣低沉的、類似於雨天嘆息的琴聲傳來，讓人不自覺地陷入雨天失落的情境裡，十分動聽。

場內所有人不自覺地放下手裡的樂器，一致看向前側坐著拉大提琴的周京澤。由於眾人的動作過於一致且眼神崇拜，盛南洲問：「我拉手風琴難道就不帥嗎？」

「你像在彈拖把，你以為你拿的是哈利波特的掃帚嗎？」胡茜西一臉「你快醒醒」的表情。

許隨看著周京澤的背影發怔，他坐在許隨的斜前方，第一次，她可以光明正大地看他。讀高中時，他坐在最後一排，上課時老師點別的同學站起來回答問題，她就假裝轉頭去看那個同學。

其實是在回頭看周京澤。

餘光裡都是他。

不知道周京澤什麼時候把外套脫了，單穿著一件白襯衫，袖子挽到勻實的前臂處，他側著頭，左膝蓋頂住琴的左側，另一條長腿夾住深紅色的琴身，右手拿著琴弓在琴弦上緩緩地拉動，左手在上面按弦。

周京澤身上的散漫勁消失了，背脊挺直，像挺拔的樹，他的眼神專注，有光跳躍在睫毛上，雅痞又紳士。

琴聲很動聽，像經歷一場雨一場風，萬千思緒都在裡面。許隨坐在後面靜靜地聽著，想起高二上學期，因為解題思緒阻塞而心生的煩悶，日復一日普通，偶爾羨慕別人肆意閃亮的平淡時期——

週三下起了滂沱大雨，霧氣瀰漫在整個教室，就連桌子上也蒙著一層水氣。雨太大，中午大部分人選擇留校。教室裡喧鬧不已，玩遊戲的、講段子的、做作業的，幹什麼的都有。

因為數學成績不盡如人意加上教室念書環境差得不行，許隨一個人跑到頂樓的階梯教室，在經過那條走廊時，她無意瞥見周京澤和一幫人待在一起。

幾個男生，還有一個學校裡知名的女生，他們待在一起，有說有笑，周京澤坐在中間，不怎麼說話，笑容懶散，卻是最勾人的。

不知道誰開了一句女生和周京澤的玩笑，那女生也不怯場，問道：「你敢嗎？」

他坐在桌子上，背靠牆壁，校服外套鬆垮，側臉線條凌厲分明，他聽到這句話緩緩笑了，把手搭在女生肩頭，湊在女生耳邊低語。

不知道他說了什麼，原本淡定的女生耳根迅速變紅，全然沒有之前的盛氣凌人。

他總是這樣，放浪形骸卻又讓人著迷。

周圍發出起鬨聲和尖叫聲。

雖然只是背影，但她一眼瞥見他手背上囂張又標誌性的刺青，還有旁邊一把立著的大提琴，琴身上刻了「Z」。不是他還有誰？

許隨迅速收回視線，在他們的起鬨聲和女生的嬌笑聲中加快了腳下的步伐，然後走進最裡面的階梯教室，關上門輕微喘氣，開始查漏補缺，結果一道錯題也看不進去，喉嚨乾澀得不行。

中間好像是周京澤說了什麼，一群人很快推門走出去，隔壁恢復安靜。就在她以為所有人都走了時，隔壁卻響起了一陣大提琴特有的悠揚琴聲。

只有周京澤一個人在。

他在練琴，莫名地，許隨的心靜下來了，她從桌子上拿起了試卷和筆記，走到了靠牆的那一邊，坐在地上背靠著牆壁，開始靜心訂正錯題和寫試卷。

伴著雨聲，隔著一道牆，她聽了周京澤近一個小時的練琴聲。

那兩三個月是雨季，天空都泡在一層霧濛濛的濕氣中，只要中午下大雨留校，許隨就會跑去階梯教室念書，以及聽周京澤拉大提琴。

她在碰運氣，有時他會來，有時不來。

同學們都抱怨雨天的不方便、空氣的潮濕，她卻很喜歡。

寧願天天下雨，因為你在。

——而現在，許隨看著周京澤的背影想，她終於可以光明正大地看他拉大提琴了。

一群人排練完已經是晚上七點多了，準備出去吃飯，他們一邊走出排練廳一邊聊天。天空呈現幕布般的暗藍色，冷風陣陣，許隨不自覺地瑟縮了一下。

周京澤走在前面，昏黃的路燈將他的影子拉長，許隨悄悄走進他的影子裡。

大劉因為聽了周京澤拉大提琴，對他的崇拜更進一層，一路叨叨個不停：「周爺，你這水準完全是國家劇院大廳的水準啊，之前聽說你要去奧地利留學繼續深造音樂，怎麼跑來這受苦了？」

許隨站在一旁聽他們說，她其實也很好奇周京澤為什麼會這樣做，放著大好的前途不要，跑來這選了前路未定的飛行技術系。

當初在天中，周京澤改志願這件事鬧得沸沸揚揚，卻沒一個人知道他這樣做的原因。

周京澤邊向前走邊低頭滑手機，聞言笑了一下，沒有回答。

大劉好奇得抓心撓肝，他下意識地看向盛南洲，後者聳了聳肩：「從小到大，我就不懂他在想什麼，人家可成熟了。你周爺這麼容易被看懂還是你周爺嗎？」

周京澤直接踹了盛南洲一腳：「你不去說書真是屈才。」

「每次都想用針線把他的嘴縫起來。」胡茜西十分認同。

盛南洲正要說點什麼時，一個男生從側邊走過來，個子很高，雙眼皮，他走到胡茜西面前，語氣害羞：「那個……能跟妳要妳的電話嗎？」

一群人停下腳步，周京澤終於捨得把目光從手機上挪開一點，他正好整以暇地看著站在身側的人。

周京澤沒有看胡茜西，他在看盛南洲。

胡茜西今天因為樂隊排練，穿著黑夾克、黑褲子，又特地化了個煙燻妝，背著一把電吉他走在路上，確實有幾分酷颯的味道，跟平日留著二次元齊瀏海的可愛形象完全不同。

「我嗎？」胡茜西用手指了指自己。

男生撓了撓頭：「對，我不會在半夜騷擾妳的。」

胡茜西為人一向爽快，況且對方還算個小帥哥，她正想說「好啊」，一旁的盛南洲出了聲，問道：「哥們，你是散光還是近視，需要我帶你去看看嗎？」

「啊？」

「盛南洲！」

兩道聲音同時響起。

「考慮清楚了嗎？這丫頭毛病很多，你不要被她的外表騙了，腦子笨，脾氣還大……」盛南洲語重心長地說道，數落了她好幾個缺點。

男生最後走了。

他們站在一起，盛南洲攬著胡茜西的肩膀催促道：「快點，去吃飯了。」

「別碰我！」胡茜西的音量猛地提高，一把甩開盛南洲的手，還沒開口，一滴滾燙的眼淚砸在他手背上，她眼眶通紅，「你是不是覺得自己很了解我？」

盛南洲心慌了一下，下意識想上前為她擦淚，不料胡茜西後退一步，看向他，眼睛裡寫滿了委屈和不解：「你為什麼總是這樣？既然這麼嫌棄我，為什麼什麼事都要叫上我？」

「不是這樣的……」

不等盛南洲解釋，胡茜西說完就跑開了。許隨擔心得不行，第一反應是抬腳去追，結果有人更快一步，朝胡茜西跑開的方向追去。

「他們怎麼了？不是一直這樣打鬧的嗎？」大劉一臉不解。

「誰知道？」周京澤意味不明地笑了一下。

「那我們還吃飯嗎？」大劉問道。

「吃」這個字還沒送到嘴邊，周京澤的手機鈴聲就急促地響了，他走到不遠處接聽。

兩分鐘後，周京澤折回，眉頭擰著，語氣有些焦急：「有點事，先走了。」

周京澤走出校門，攔了一輛車，直接坐了上去，低聲說了個地址。他坐在後排，手肘撐在窗沿上，指尖反覆輕叩著玻璃，最後乾脆降下車窗，冷風灌進來，心底的不安和煩躁依然沒有被沖淡。

由於周京澤加了三倍的錢，司機很快將他送到了目的地——荔樹下。荔樹下是典型的富人區，別墅成群，燈火輝煌，住在這裡的人非富即貴。

周京澤站在一棟燈火通明的別墅前，哼笑了一下，都不知道多久沒來這裡了。他抬腳走進去，保姆陶姨聽見聲響出來迎接，一見是周京澤，聲音是熱切的驚喜：「小少爺回來啦，吃飯了沒有？陶姨這就去做兩道你愛吃的菜……」

兩人站在前庭空地上，周京澤笑，摟住她的肩膀：「您別忙活了，我剛吃完。」

「真的假的？你不要騙陶姨啊。」陶姨從小就待在周家，是看著周京澤長大的，也在他母親生前盡心盡力地照顧過她。他們搬離琥珀巷之後，沒人吩咐，陶姨還是每半個月雷打不動地過來幫周京澤做飯、打掃衛生。

在周京澤心裡，她和親人沒差別。周京澤攬著陶姨的肩膀進門，他臉上的笑意在看見周正岩那一刻斂得乾乾淨淨。陶姨打了個招呼就退出去了，把空間留給這對父子。

「外公呢？他怎麼樣了？」周京澤單刀直入。

周正岩輕咳一聲，饒是尋常嚴肅的臉色也有點不自然：「叫了醫生過來，檢查又發現沒什麼事就送他回去了。」

周京澤一雙銳利的眼睛盯著周正岩看了一秒，反應過來他被這老東西騙了。還真是關心則亂，他不知道該氣還是該笑。現在冷靜下來想，他外公怎麼會趕來周正岩的生日宴，不一拐杖把周正岩杵死就算不錯了。

客廳富麗堂皇，琉璃吊燈的燈光溢下來，角落裡堆了兩座小山高的禮物，周京澤乾脆坐在沙發上，揚了揚冷峻的眉毛：「找我什麼事？特地把我騙到這裡，難不成是想聽我祝你『福如東海，萬壽無疆』的屁話？」

「我可說不出這種違心的話。」周京澤嘴角挑起，諷刺意味明顯。

周正岩氣個半死，把茶杯「嘭」的一聲放在桌子上，怒火四起：「混帳東西，你非要把我氣死才甘心？」

周京澤揚了揚冷峻的眉毛，不置可否。他俯身抓了桌上一顆蘋果，然後窩在沙發上，把蘋果拋在半空中，一副玩世不恭的模樣。

在生日當天被親生兒子送這樣的祝福，周正岩胸前起伏不定，看著周京澤油鹽不進的模樣，被氣個半死。

倏地，一個女人從樓梯走下來，對方一身素色衣服，穿著棉拖鞋，溫婉氣質明顯。祝玲來到客廳，對周京澤友好地笑了笑：「京澤，好久沒見你過來了。」

周京澤扯了一下嘴角算作回應。

祝玲走到周正岩面前，溫聲說：「正岩，京澤還小，你一把年紀還跟小孩生什麼氣？」

「你到書房幫我一下，有個東西我搬不動。」祝玲去拉他。

周正岩最終起身去幫忙了，周京澤沒什麼表情地看著兩人並肩的背影。祝玲確實有點手段，三兩下就把周正岩的火熄了。

周京澤一個人坐在空蕩蕩的客廳，覺得再待下去沒有意思，正起身要走。有人按了門鈴，陶姨依聲迎接，腳步聲由遠及近，周京澤低著頭，夾著菸的手肘撐在膝蓋上，聞到一陣香水味，他慢慢地笑了。

「嗨，好久不見。」周正岩的得力祕書趙煙一身OL套裝，紅唇動人。

「是好久沒見。」周京澤勾唇。

趙煙坐在他對面，從包裡拿出一份資料，開始說正事：「正時集團董事長周正岩目前願把他名下的兩套房產，還有正時集團的部分股份無條件贈予你……你只要在這份合約上面簽名，贈予書即刻生效。」

周京澤聽了半天，才反應過來，周正岩開始良心發現補償自己的兒子了嗎？他倏地打斷祕書：「簽名就行？」

趙煙愣了一下，點頭，然後把筆和合約遞過去。周京澤懶散地坐在沙發上，合約攤在他大腿上，他捏著筆向左轉了一下，眼睛虛虛地看了合約一眼：「趙祕書，這個條款是什麼意思，能不能解釋一下？」

趙煙坐到他旁邊，傾身指著條款解釋。周京澤稍微坐正了一下，換了個姿勢，膝蓋無意間碰了一下趙煙的膝蓋。

很輕的一下，有意無意，分不清。

然後他瞥見趙煙神色閃過一絲不自然，她繼續開口，周京澤忽然看著她，彷彿眼睛只住得下她一人，聲音夾了幾分輕佻：「趙祕書，妳換香水了？還是Serge Lutens的黑色曼陀羅適合妳。」

「你怎麼知道我換香水了？」趙煙臉色驚訝。

「因為上次的味道……讓人心動。」周京澤緩緩地說道，刻意咬重了最後兩個字。

像周京澤這種痞帥又帶點壞的男生，最了解怎麼調動女人的心緒。說完這句話，他拉開了兩人的距離，兩指指尖夾著的菸火光猩紅，不再說話。

趙煙此刻跟抓心撓肝一樣，又忍不住問道：「真的嗎？」

還沒等周京澤回答，一個黑色的硯盒朝他直直地砸了過來，他側頭閃了一下，硯盒的邊角飛向他的額頭，然後掉在地上，「我怎麼養了你這個畜生東西？連我的祕書都敢……」周正岩氣得不輕，最後兩個字他不齒說出來，彷彿保留了最後一分體面一樣。

趙煙醒悟過來，自知失禮，站起來連聲道歉。

周京澤眉骨上立刻湧出一道鮮紅的血跡，額頭上傳來火辣辣的痛感，他低著頭，舔唇笑了。

陶姨聞聲出來，嚇了一大跳，又趕忙跑進廚房裡拿冰塊了。周京澤站起來，拍了拍褲子上的灰，才回答他的問題，吊兒郎當的語氣：「這不是從小看，學到老嘛。」

「你——」周父被噎得說不出一句話。

周京澤偏頭看向站在周正岩身邊溫順的女人，好心提醒：「祝姨，不要以為嫁進我們家就一勞永逸了，妳得有點危機意識啊。」

祝玲的臉色煞白，說不出一句話。

最後，周京澤抬頭將燃著的菸頭丟進茶杯裡，火星遇水發出「滋」的一聲，最後徹底熄滅。

他走到玄關處，想起什麼，回頭看了他們一眼，說道：「以後少整這些戲碼，有這份心可以到我媽墳前多磕兩個頭。」

「另外，我不會要我爸一分錢，您可以放心了。」周京澤眼睛直視祝玲。

周京澤從小就在信託基金帶來的自由中長大，這是他母親從他一出生就幫他準備的。他根本不缺錢，退一萬步講，他就算窮到去要飯的地步，也不會向周正岩開口要錢。他走出家門，獨自穿過庭院往外走，陶姨追出來時，人已經不見了。

周京澤單手插著口袋往外走，冷風蕭蕭，半山坡的路他硬是一個人走了下來，卻沒想到在路口撞見了正好回家的師越傑。

師越傑穿著白色的休閒衣，正費力地騎著自行車往上，額頭上已經沁了一層汗。寒風將周京澤敞開的外套吹向一邊，他瞥了師越傑一眼，勾唇冷笑，他從對方身上收回視線，就要與之擦肩而過。

一道尖銳的剎車聲響起，師越傑喘著氣從車上下來，一眼看到了周京澤臉上的傷口，要去碰他：「怎麼回事？」

周京澤別開臉，眼底的厭惡一閃而過：「別碰我。」

師越傑也不生氣，他把自行車停在一旁，聲音溫潤：「你等我一下。」

說完之後師越傑就跑開了，周京澤站在樹下勾了勾唇角，百無聊賴地踢著腳下的石子，他都有點佩服自己的耐心，竟然真聽師越傑的話在這等著。他就是想看看師越傑想幹什麼。

十分鐘後，師越傑從馬路的另一邊跑過來，氣喘吁吁地停在周京澤面前，他把一袋東西塞到周京澤手裡。

周京澤低頭看，透過白色塑膠袋發現裡面是碘酒、紗布。他低頭扯了扯唇角，反手把藥扔到一旁的垃圾桶裡，開口：「你討好錯對象了。」

周京澤走後，許隨和大劉在外面吃了點東西。大劉走後，許隨正準備折回學校時，接到了胡茜西打來的電話。

電話那頭傳來胡茜西壓抑又委屈的哭聲，許隨皺緊兩道細眉，語氣擔心：「妳怎麼了？是盛南洲欺負妳了嗎？」

『沒，我把他罵跑了，我現在在寢室呢。』胡茜西回答，過了一下又有些難為情地說道：『我就是生理期來了，又痛又餓。』

許隨明白過來，接話：「妳想吃什麼？我剛好還在外面。」

『想吃紅糖糍粑，還有海苔魚翅粥，』胡茜西抽了一下鼻子，又補充了一句，『陳記家的。』

許隨失笑，胡茜西確實是一位可愛的挑食大小姐，她點頭：「好，我幫妳帶。」

『愛妳，我的隨！』胡茜西立刻表白。

胡茜西說的這家店恰好在學校附近，是一個叫陳老伯的人開的，他家的粥品十分好喝，粥燉得又軟又糯，還有一種特有的花香，價格實惠，因此生意十分火爆，每次去吃至少要等四十分鐘。

可能今天是週末的原因，老伯店裡的夥計又請假，許隨等了一個小時左右。她站在門口昏昏欲睡，眼皮直垂。

倏地，老伯喊住她，把打包好的粥遞給她，一臉歉意：「同學，不好意思啊，今天太忙了。」

許隨接過粥，搖了搖頭，說：「沒事。」

許隨走出陳記，一陣冷風湧來，她下意識地縮了縮脖頸，不經意地往前一看，正好看見周京澤從計程車上下來。

「周京澤？」許隨有些不確定地喊他。

周京澤聞聲走過來，他穿的外套很薄，漆黑的眉眼壓著，看起來情緒好像有些不佳。

「沒吃飯？」周京澤的嗓音有些啞，一眼就看到了她手裡拿著的粥。

許隨搖頭，回答：「幫西西帶的。」

小吃街對面撞球室的燈光晃了過來，將周京澤的五官照得立體分明，同時她也看見了他眉骨上方的血痕，微睜大眼：「你怎麼了？」

「沒事，磕了一下。」周京澤懶散地笑了一下，語氣不太在意。

「你等等。」許隨立刻在包裡翻來翻去，最終找到一個粉色的史努比OK繃，她緊張地將上面的褶皺順平，遞給他。

周京澤沒說話，盯著她手裡粉色的OK繃看了兩秒，最終將眼神移向許隨。許隨從他的眼神裡讀出了「妳覺得爺會貼這種娘裡娘氣的東西？」的訊息後明白過來，她的神色有些窘迫。

許隨有些不好意思地把手縮了回去，皺了一下鼻子，周京澤盯著她看了兩秒，忽然改變主意，伸出手：「給我吧。」

許隨把OK繃遞過去，周京澤接過來放在口袋裡，看她：「吃飯了嗎？」

「沒有。」許隨腦子有點愣，下意識地說了這兩個字。

周京澤點頭，嗓音嘶啞：「那陪我吃點。」

「啊，好。」許隨應道，同時在心裡對胡茜西默念了三個對不起。

周京澤手插著口袋向前走，許隨注意到他尾指勾著一個白色的塑膠袋，隱隱透著藥膏的模樣。周京澤朝前走了幾步，見人沒跟上來，停下來回頭看了她一眼。

許隨立刻跟上去，她很想問「傷嚴不嚴重」之類的話，但是他今晚氣壓比較低，而且她以什麼立場問？想到這，話到嘴邊又嚥了下去。

兩人來到一家餃子店，店快要打烊了，老闆娘站在鍋前，打了個哈欠，一整晚的水蒸氣把她的眼睛熏得通紅。

「小周，你來了啊？」老闆娘笑著打招呼。

「是，今天生意怎麼樣？」周京澤問。

老闆娘揉了一下眼睛說：「今天挺好的，天一冷，點外送的也多了起來，還有點忙不過來。」

周京澤單手插口袋，笑著說：「辛苦。」

周京澤抬手朝不遠處指了一下，讓許隨去坐著。她坐下來，抽出一張紙巾擦了擦桌子，然後看過去。

周京澤站在那裡，跟老闆娘開口：「兩碗水餃。」

周京澤點完之後坐到她對面，骨骼清晰分明的手輕輕地叩著桌面，不知道在想什麼。他本來就不是話多的人，許隨又不太會說話，尷尬在兩人當中蔓延。

老闆娘端上兩碗熱氣騰騰的餃子，隨即又用骨碟盛了兩顆茶葉蛋送到桌上，聲音爽朗：「要打烊了，送你們的。」

「謝謝。」周京澤禮貌開口。

一碗滿滿當當的餃子放到許隨面前，她拿著一小瓶醋，跟不要錢似的往裡面倒了很多。

周京澤見狀挑眉：「這麼能吃酸？」

「調一下味。」許隨解釋。

「你可以試試，」許隨開口，笑道：「但是你加一點就好。」

畢竟她這個不是尋常人的吃法，一般人的胃扛不住。周京澤聽她的建議加了一點醋，果然，食欲好了一點。

兩人面對面坐在一起吃東西，許隨看出他心情不佳，腦子裡竭力搜索她在網上看過的笑話和一些梗。

「考你幾個問題，」許隨睜著眼睛看他，語氣認真，「為什麼游泳比賽中青蛙輸給了狗？」

周京澤：「？」

「因為青蛙用蛙式犯規。」

周京澤扯了一下嘴角，許隨不氣餒，繼續問道：「為什麼小王可以一邊刷牙，一邊悠閒地吹口哨？」

周京澤：「？」

許隨臉頰的梨窩浮現：「因為他刷的是假牙！」

「……」

周京澤結完帳走出店門，小吃街上的人早已消失，他手插著口袋往前走，許隨低著頭一直在想，到底哪個環節出了錯啊？明明很好笑啊。

許隨想到什麼，追上周京澤拍了拍他的肩膀：「既然如此，那我必須拿出我的必殺技。」

「什麼？」周京澤回頭。

許隨今天穿的是一件休閒衣，她不知道什麼時候把帽子戴上了，手臂縮在衣袖裡，睜大眼，手指扒拉著下眼瞼對他做了個鬼臉。可她的眼睛又大又乾淨，穿的又是白色休閒衣，一點震懾力都沒有。

又凶又可愛。

「妳在幹什麼？」周京澤揚了揚眉毛。

「在扮演鬼，不像嗎？」許隨眼神茫然。

「什麼鬼？」

「開心鬼。」許隨回答。

這個回答讓周京澤忍不住笑了，他的胸腔震顫，氣息都收不住，露出了今晚第一個真正意義上的笑容，不是機械地牽動嘴角那種。

許隨費力地把自己的手臂從袖子裡扒拉出來，似自言自語道：「你終於笑了。」

他終於開心了。

許隨和周京澤告別以後快步走回學校，回到寢室推開門，1017 鑽了出來跑到她腳邊。許隨沒空理橘貓，開口對躺在床上的胡茜西道歉：「西西不好意思，有點事耽誤了。」

「沒事，辛苦妳啦。」

許隨洗完澡，上床後摸出手機，發現收到一則訊息。

ZJZ傳來的：『今晚謝謝。』

許隨在對話欄裡打出「不客氣」，又覺得太官方了，刪除，重新傳了一則：『沒事，你到了嗎？』

手裡緊握著的手機螢幕在兩分鐘後重新亮起來，ZJZ：『到了，剛洗完澡。』

許隨嘴角翹起，鄭重地回覆：『那，晚安。』

許隨一夜好眠，對比她的好心情，胡茜西最近的心情就顯得不那麼好了。盛南洲打了幾次電話過來，無一不被她忽視。他幾次託人送零食來也無效，統統被胡茜西拒之門外。

和胡茜西一起去校外買飲料時，許隨試探性地問她是不是不準備原諒盛南洲了，大小姐回覆：「打死也不原諒，他這次太過分了。」

盛南洲平時沒少調侃胡茜西，這次他知道自己真的有點過分了，但胡茜西不接他電話，人也見不到，所以他求著周京澤藉請大家吃飯的名義，讓許隨把胡茜西帶出來，再當面跟她道歉。

周京澤同意了，順便踹了他一腳：「平時就叫你少欺負她。」

「是是，周爺，不——舅舅，我錯了。」盛南洲做下跪狀。

周京澤坐在椅子上，傾身撈過桌上的手機傳訊息給許隨，教她騙人。

胡茜西聽到許隨說周京澤贏了一個飛行比賽拿了獎金要請大家吃飯時，半信半疑：「才大一呢，飛什麼行！」

「直升機飛行，他……不是有私人飛行執照嗎？」許隨一時語塞，還好臨時想了個理由。

「好唄，盛南洲不去吧？」胡茜西正在修剪手指甲。

許隨按照周京澤教的，說謊一定要看著西西的眼睛她才會信，於是許隨逼自己直視大小姐，假裝淡定道：「不去。」胡茜西最後答應去吃飯。

週三傍晚，許隨和胡茜西按照周京澤給的地址，來到市裡一家歐式飯店，一進門，打著紅領結的服務生迎了上來，領著她們刷卡乘電梯，兩人一路來到二十三樓。電梯門打開，花紋繁複的進口手工地毯直鋪腳下，琉璃暖燈懸在中間，許隨和胡茜西往前走，她看了一下周邊進出的人士，他們的穿著打扮顯示著貴氣與不俗。

她心裡忽然感慨周京澤是真的家境優越，人又出色，她與他的差距也是真切的。

兩人來到二三〇九號包廂，胡茜西推門進去，一眼就看到桌子中間擺了個她喜歡的慕斯蛋糕，還有她想揍一拳的盛南洲。

胡茜西反應過來，下意識就想去打許隨，喊道：「好啊，許隨，妳還學會騙人了。」

「我——」許隨想躲，下意識地躲到了周京澤後面。

周京澤用眼神制止，冷不防地出聲：「我教的。」

「行了。」周京澤雙手插口袋，然後偏頭看向身後的許隨：「陪我下去買包菸。」

周京澤這是把空間留給兩人的意思，許隨明白過來，跟著他下了樓。

兩人來到樓下便利商店，冷風陣陣，周京澤進去買了一包菸，在收銀臺結帳時，許隨的肚子不爭氣地叫了起來。

「三十九塊八。」穿著橙色背心的店員說道。

周京澤掏錢的動作一滯，瞥向那微微發紅的耳尖，懶散地笑了一下：「來份關東煮給她。」

許隨站在原地正要擺手拒絕，周京澤轉身從菸盒裡摸出一根菸，咬在嘴裡，打火機發出

「啪」的一聲，同時經過她，一句低沉的聲音震在耳邊：「想吃什麼自己點，小朋友。」

周京澤出去抽菸，許隨坐在便利商店的吧檯裡吃關東煮，她點了兩串丸子，一串海帶，一根火腿，還有別的小零食，坐在那裡吃完了。她一邊吃一邊偷偷看向玻璃窗外不遠處抽著菸的男人。

許隨吃完以後，周京澤抬手讓她出來。許隨走到他面前，他及時踩滅了菸頭，看了時間一眼：「差不多了，上去吧。」

兩人再次乘著電梯上樓，湊巧的是，電梯裡只有他們兩個。許隨站在前面一點，周京澤站在左手邊，他倚在牆面上，頭靠在上面，喉結緩緩地上下滾動著，莫名地勾人。

「你覺得他們會和好嗎？」許隨問道。

電梯顯示螢幕顯示到了十一樓，周京澤正要開口回答時，「嘭」的一聲，電梯呈震動式劇烈地搖晃了一下。

緊接著，「啪」的一聲，電梯燈滅了，裡面黑得伸手不見五指。漆黑將人的恐懼和陌生感一點一點放大。

沒想到萬年難遇的電梯故障被他們遇到了，許隨心裡有點慌，她下意識地回頭，卻看不到周京澤在哪裡。

「周京澤？」

許隨只叫了兩遍，沒有聽到應答後，她竭力維持心底的平靜，立刻按響電梯電話和警鈴。電話那邊有了回應，許隨一開口，發現自己的聲音有點抖——

「你好，這裡是電梯，出現故障了，麻煩盡快派人過來。」

『妳好，可以問一下具體位置嗎？』維修人員問道。

「F棟十一樓，」許隨努力平穩聲音，似想到什麼，「麻煩快點過來。」

通完話後，許隨摸黑走到電梯後面，她拿著手機，螢幕顯示訊號一格，電量為百分之三。許隨藉著螢幕丁點的光亮看過去，發現周京澤不知道什麼時候坐在角落裡，他閉上眼，睫毛顫動，額頭有豆大的汗流出來。

許隨心一緊，蹲在他面前，推了推他的手臂：「周京澤。」

周京澤費力地睜開眼，看了她一眼又重新閉眼靠在牆上。他感覺自己像一塊在海裡不斷被迫下沉的海綿，無力而恐懼。他想起那個潮濕的閣樓，陰暗的蜘蛛爬來爬去，窒息感上來，像是脖子被人扼住，呼吸一寸寸被奪走。他掙扎著逃離，卻發現一切都是徒勞。

許隨蹲在一旁，看見周京澤喘不過氣，胸腔劇烈地起伏著，額頭的汗沾濕他漆黑的眼睫毛，臉色蒼白。

她高中和周京澤同班時，聽人說過他有幽閉恐懼症，她還以為是玩笑，原來是真的。

看周京澤那麼難受，一絲心疼的情緒在心底蔓延，許隨的心揪成一團，不是之前的愛慕情愫，而是她很想做點什麼緩解一下他現在的痛苦。如果可以，她想代替他承受這些痛苦。

許隨猶豫了一下，輕輕抓住他的手腕，開口：「不要怕。」

周京澤緊閉著雙眼，感覺自己墮入無邊的黑暗裡，似貨櫃沉入深海中，四周封閉，任由海水滲進來，把喉、嘴、鼻一點點溺去。

黑暗中，有人抓住自己的手腕，溫暖一點一點傳過來，像羽毛，似陽光，他清楚地聽見了一個溫柔的聲音不停地重複：「不要怕。」

周京澤費力地睜開眼，眼前出現一張線條柔和的臉，漆黑乾淨的瞳孔裡獨映著他的臉，似黑夜裡抓到浮木。

他順著那隻手，反過來，慢慢往下移，寬大的手掌心貼了過去，彷彿熨帖著彼此的血管，厚繭摩挲著柔嫩的掌心，掌心在一瞬間相扣起來。

第五章　蒙了塵的禮物

「你真想不起來那禮物是誰送的啊？」

「送我禮物的人那麼多，難道我得一個一個去想嗎？」

維修人員在十分鐘後迅速趕來，一束強光照射進來時，兩人彷彿大夢初醒般自覺鬆開手，周京澤靠著牆根站起來，抬手擋住刺眼的光，聲音無比嘶啞：「我去一下洗手間。」

許隨則上了二十三樓找胡茜西他們，推開門，兩人已經坐在那鬥嘴了二十分鐘。胡茜西見許隨來了，立刻不好意思起來，岔開話題：「隨隨，快吃飯，你們再不來，菜就要涼啦。」

「對了，我舅舅呢？」胡茜西問道。

盛南洲手機剛好有訊息進來，看了一眼：「他說他有事先走了，帳已經結了，讓我們吃。」

「盛南洲，你小不小氣，怎麼賠禮道歉還得我舅舅出錢？」胡茜西嗤笑他。

盛南洲恬不知恥地回答：「還不是因為我爸疼我？」

許隨在想，像周京澤這樣家世背景好，人又有天賦，做什麼都遊刃有餘，輕狂肆意的人，人前桀驁不羈，身上有一種年輕人特有的蓬勃叫囂的氣質，但實際上謙遜又穩重，會跟餃子鋪的老闆娘說「辛苦」，會注意到天氣涼了女生不能喝冷的牛奶，也總是在朋友聚餐時悄無聲息地結好帳。這樣的人，被賜予很多愛都不奇怪，怎麼會得幽閉恐懼症呢？

許隨又想起了他一個人住在琥珀巷那棟很大但不會經常亮起燈的房子裡。

「寶貝，妳在想什麼？」胡茜西伸出五根手指在她面前晃了晃。

許隨回神，去拿桌邊的果汁喝了一口掩飾，笑道：「在想你們終於和好了。」

周京澤消失了整整一個星期，或者說是消失在許隨的世界裡。許隨每天會翻好幾次他的個人頁面，但他什麼也沒發，最新的一則動態還停留在三個月前。

許隨偶爾會從胡茜西的話語裡捕捉周京澤的零星消息，比如「聽說盛南洲在飛行技術理論考試考倒數第二，舅舅卻拿了第一」、「今天有人跟周京澤表白」。

通常許隨都是一邊餵貓，一邊靜靜地聽著。

週末，許隨幫盛言加上完課後正趕著要走，恰好盛南洲敲門進來，說道：「這週不用去學校排練了，等等直接去京澤家，他家也有琴房，妳過去也方便。」

「好。」許隨應道。

許隨下樓，發現胡茜西、大劉他們早已在那裡等著她。一行人跟著盛南洲一起來到周京澤家。

盛南洲按了兩下門鈴，沒反應，倒是德牧在院子裡發出一聲吠叫。盛南洲站在圍牆外跳了兩下，喊道：「奎爺，去叫你爹起床！」

德牧朝著他們汪汪了兩聲，用腳扒開玻璃門，噔噔跑上樓了。

周京澤睡眼惺忪地出現在他們面前，一身灰色家居服，眼皮垂著，神色冷淡，表情不怎麼好看，一副哪個不要命的敢叫爺的架勢。

周京澤緩緩抬起眼皮看了他們一眼。

「你——」

盛南洲話還沒來得及說完，「嘭」的一聲，門在他面前關上，差點夾到他鼻子，一句罵聲淹沒在風中。

五分鐘後，周京澤換了一身衣服再次幫他們開門。他很隨意地洗了把臉，水珠順著冷硬的下頷往下滴。

「進來吧。」他的聲音是剛睡醒的嘶啞，沙沙的。

許隨跟在他們身後，她發現，他家的院子很大，二樓還有一個溫室花房，但從外面看已經空置很久了。

周京澤趿拉著棉拖鞋，領著他們進去。許隨對他家的第一印象就是空、大，冷色系傢俱，黑色沙發。

灰色的自動窗簾拉得緊實，周京澤在客廳裡找了好久的遙控器，抬手對著窗簾按了一下，光照進來，風和空氣一併湧了進來。

「隨便坐。」周京澤對他們抬了抬下巴。

大劉整個人躺進沙發裡，左摸右摸周京澤家裡的東西，語氣興奮：「周爺，你一個人住這大房子也太爽了吧，沒人管，還可以開 party。」

周京澤笑了笑，沒有接話。

大冷天的，周京澤打開冰箱從裡面拿出一罐冰可樂，「刺啦」一聲扯開拉環，扔到垃圾桶裡。他舉著可樂罐喝了一口：「想喝什麼冰箱裡拿。」

「都是飲料啊。」大劉湊過去一看，瞪直眼，冰箱裡全是飲料，連一顆雞蛋和一根麵條都找不到。

「別的沒有，就飲料多。」周京澤欠揍地笑。

一週沒見他，周京澤好像又恢復了散漫、對什麼都遊刃有餘的狀態。飯店那件事似乎已經過去了。

一群人歇了一下跟著他上三樓，周京澤推門進去，聲音冷冽：「我讓阿姨把琴房打掃了一遍。」

琴房很大，右側放著一臺一九六三年的德國黑膠唱片機，書架上的唱片種類應有盡有，周京澤獨有的大提琴立在那裡，練累了可以坐在軟沙發上，旁邊還有遊戲機和投影機。

大劉一下跳上沙發，上下顛了顛：「我不想練了，我想躺在這快活一下。」

「睡吧。」盛南洲抓起毛毯往他身上扔，然後用力按著不讓他動彈。

兩人立刻扭打在一起，大劉按著盛南洲的頭往沙發底下衝，聲音含糊不清：「老子一嘴毛，快成奇異果了！」

說要拿冠軍，可是他們連正式表演的歌都沒有決定。一群人意見不一，要找一首不那麼抒情，又不太噪，還要適合改編的歌，有些難度。

「刀哥怎麼樣？比較有氣勢。」盛南洲說道。

周京澤正擦著他的大提琴，聞言抬頭看他：「想找抽就直說。」

「王女神怎麼樣？」大劉提議他的女神。

胡茜西搖頭：「太溫柔了。」

一群人提了好幾首，包括小眾的外國歌謠，以及著名的樂隊槍與玫瑰、The Beatles 的歌，都被否定了。

「〈倔強〉怎麼樣？雖然傳唱度高，但我們是改編，可以玩點不一樣的，」許隨認真地說道：「而且我們不是青年歌唱比賽嗎？這首就是年輕人喜歡的歌，熱血，夢想，青春。」

「我還挺喜歡的。」許隨一句喜歡脫口而出。

周京澤窩在沙發裡，手撐著下巴，聽到這個歌名明顯愣了一下。

說完這句話的許隨瞬間後悔，心底暗叫不好，下一秒，盛南洲跟發現了新大陸一樣，語氣興奮地問道：「許隨，五月天欸，還是〈倔強〉！妳怎麼知道周少爺喜歡他們，尤其是這首歌？莫非妳喜歡他，提前做好功課了？」

許隨當著兩百多人的面邏輯流暢地做過報告，一點也不緊張，她也可以舉證這個組合一點也不小眾，喜歡這個組合的人多了去了，就是個機率問題。

可眼下，因為某道視線停留在身上，許隨的腦子就跟當機了一樣，一句話也說不出來。

「因為……我……」許隨緊張起來，拼不出一句完整的話。

眾人屏息，期待地看著她，倏忽，一道沉沉的聲音打斷他們：「因為是我告訴她的。」

大家換了個方向看過去，包括許隨，她不明白周京澤為什麼幫她解圍。

周京澤的表情無懈可擊，一點也不怕大家壓迫的眼神，盛南洲最先放棄，說道：「好沒勁哦。」

許隨鬆了一口氣，話題總算過去。

最後大家投票一致同意，定了這首歌。胡茜西打了個響指，指使盛南洲：「哮天，你去找他們的唱片用唱片機放一下，大家聽聽，一起找找感覺。」

盛南洲不喜歡這個稱呼，髒話在嘴邊，又想起兩人剛和好，最終選擇忍辱負重。盛南洲手肘撐在沙發上方，側身一跳，走到綠窗簾邊的唱片架前開始尋找。

周京澤按喜好排序唱片，盛南洲很快找到唱片，將它抽了出來，他拿在手裡正要往回走時，一低頭，不經意發現唱片架旁邊放著一箱東西。

盛南洲一向好奇心重，他指了指這個箱子：「兄弟，這個是什麼？怎麼還用封條封著，能看嗎？」

周京澤正低頭調大提琴的音，側頭看了一眼：「不知道，應該是阿姨打掃時收起來的廢棄物品，看吧。」

盛南洲得到批准，找到一把裁紙刀，把箱子劃開，往裡一看：「哇哦，不愧是我周爺。」

「什麼？我也要看。」大劉走過去。

盛南洲的話引起大家的好奇，一眾人都走過去，除了當事人。這一整箱東西，全是周京澤以前收到的禮物。

有未拆封的香水、限量版模型、足球、情書、手錶等禮物，有些東西他連包裝都忘了拆。大劉看花了眼，語氣羨慕：「我要是有周爺一拇指的女人緣，也不至於單身到現在。」

胡茜西糾正：「不是女人緣，是臉的問題。」

大劉聽了更是一臉生無可戀，盛南洲在箱子裡面翻找，看見一個包裝精美的盒子，拿在手裡拆開一看，夾在裡面的某樣東西先掉了出來。

唱片不稀奇，誰喜歡一個人的時候不會投其所好？稀奇的是掉在地上的黑色小方盒，盛南洲打開一看，是很普通的指套和一條藥膏，已經蒙了塵。

「我服了，這絕對是我見過最有心的禮物，周爺，你看一眼。」盛南洲說道。

周京澤回頭，看到指套和藥膏時愣了一下，旋即正色道：「看完了吧？過來排練。」

他們看周京澤對此不以為意，只好把東西塞了回去，把它們歸為原樣。盛南洲站起來，用唱片機放了五月天的歌。

音樂響起來，盛南洲走過去摟住周京澤的肩膀，語氣八卦：「你真想不起來那禮物是誰送的啊？」

周京澤穿了一件黑色的休閒衣，他傾身拿著可樂喝了一口，臉上掛著吊兒郎當的痞笑，眼睛裡壓著幾分漫不經心和涼薄：「送我禮物的人那麼多，難道我得一個一個去想嗎？」

「也是，」盛南洲拍了拍他的肩膀，評價道：「渣男。」

音樂用唱片機放出來的音質比較好，明明是悠揚向上的語調，許隨全程沒有說過一句話，沉默得不行。

這場排練下來，許隨並不怎麼在狀態，甚至結束後要聚餐時，她假借肚子疼提前離開了。

許隨坐公車回去時，坐在後排，頭靠在玻璃窗上，看著外面一路倒退的風景發呆，想起了高中那年。

高一下學期，許隨剛從小鎮上轉來天中。新學期第一天，全校每一個班都在大掃除。許隨背著書包，穿著一件素色的裙子跟在班導師身後，穿過長長的走廊，走向新班級。

班上的男女生在大掃除，有的女生認真地擦拭著自己的桌子，大家隔了一個學期沒見，有聊天的，也有打鬧的，十分喧鬧。

班導師一進門，用戒尺敲了敲桌子道：「安靜，這個學期轉來一個新同學，從今天起跟我們一起上課，大家歡迎。」

「許隨，妳做一下自我介紹。」班導師把戒尺放下。

高中的許隨因為常年喝中藥身材浮腫，剛轉學來之前又經歷了一場水痘，額頭、臉頰上還留著一兩顆痘痘，總之，黯淡又無光。

她站上臺，語速很快，希望快點結束這場審視：「大家好，我是許隨，很開心加入三班。」

臺下響起稀稀落落的掌聲，班導師指了指前面：「許隨，妳就坐在第三排，等等去教務處領書。」

班導師走後，教室又歸於一片熱鬧中，無人在意許隨的到來。能夠引起青春期男生注意的，要麼是英語老師穿的裙子很短，要麼是新轉來的學生有夠漂亮。女生更是了，她們聚在一起討論新買的指甲油，或者晚自習跟誰去了溜冰場。

原先的整體可能不會有排擠，但一個外來的人一時很難融入。

沒人在意許隨的到來。

許隨走向自己的座位，拿出紙巾擦了擦桌子，但她沒有椅子。許隨不知道是原本屬於她的椅子被哪位同學拿去踩著擦玻璃了，還是真的缺一個椅子。

許隨看了一下四周，沒人理她，她隔壁桌也不在。

她走向後面，隨便問了一個男生：「你好，哪裡有新椅子可以領？」

男生靠在桌子上拿著手機和一群人玩遊戲，許隨問了三遍，他一直沒抬起頭，對她視若無睹。

尷尬和侷促蔓延，有時候，漠視往往比嘲諷更可怕。

許隨剛想轉身走，一個拿著拖把拖地的眼鏡男一路飛奔過來，喊道「借過借過」，許隨躲避不及，小腿被濺了泥點。

許隨往後退，不小心踩中了一個人的球鞋，她慌亂回頭，眼前出現一雙白色的NIKE球鞋，上面赫然留下了腳印。

「對不起。」許隨低聲道歉。

「沒椅子？」頭頂響起一道凜冽的含著顆粒感的聲音，十分好聽。

許隨猛然抬頭，下午四點，太陽從教學大樓的另一邊照過來，打在男生立體深邃的五官上，單眼皮，薄唇，俐落分明的下頷線。

他的校服穿得鬆鬆垮垮，衣襟敞開，五根手指抓著球，彎曲的手指飛快地轉了一下，當著許隨的面，揚手一扔，籃球正中最後一排的籃子，他很輕地笑了一下。

渾身透著輕狂又肆意的氣息。

許隨點了點頭，他撂下兩個字：「等著。」

十分鐘後，男生跑到另一棟教學大樓，爬上五樓拿了一個新椅子給她，額頭上沁出一層亮晶晶的汗，喘著粗氣。

「謝謝。」許隨輕聲說。

男生似乎沒放在心上，走廊外有人喊了句：「周京澤，不是說再打一場籃球嗎？我都等你多久了！」

「來了。」周京澤應道。

周京澤從她身邊跑過去，揚起的衣角挨著許隨的手背擦了過去，那一刻，許隨聞到了他身上清冽的薄荷味，同時聽到了自己的心跳聲。

後來許隨融入了這個班級，將自己看到的以及聽到的周京澤漸漸拼湊起來。他個子很高，成績好，是最好的大提琴手，手背上有一個囂張的刺青，喜歡吃薄荷糖，養了一條德牧。在學校裡人緣很好，從來不缺女生的愛慕，時而放浪冷淡，但又比同齡人穩重。

許隨常常覺得他是名副其實的天之驕子。

許隨不知道自己是什麼時候開始注意他的，升旗時會常常用餘光看斜後方的男生，直到眼睛發酸。偶爾看見他穿一件簡單的灰色休閒衣，她會在心裡偷偷感嘆怎麼會有人把休閒衣穿得這麼好看。她期待雙週小組換位子，這樣好像又離他近了點。

許隨一直默默地藏好心事，無人知曉，直到第二年夏天，她偶爾聽班上的女生說起周京澤的生日，在夏至，六月二十一日，是熾夏，一年中陽光最熱烈的時候。

下課出去裝水時，許隨經過走廊，男生們背靠欄杆聊球，還有遊戲。

她匆匆經過，在走廊盡頭的飲水機前停下來，擰開蓋子裝水。

她盯著窗外搖曳的綠色樹影發呆。忽然，一道黑色的影子投在飲水機鏡面上，熟悉的薄荷味傳來，是周京澤。

許隨倏地緊張起來，周京澤拿著一個透明的杯子裝水，他微弓著腰，窗戶把投進來的日光切成細碎的光斑落在他肩頭。

他握著杯子，骨節突出來，一點細白，修長乾淨的手指彎曲抵住杯壁，冷水出來，冰霧爬滿杯身。

許隨在餘光中瞥見他那雙好看的手指起了大大小小的水泡，有的已經破了，有紅痕留在上面。

他在裝水，指關節延伸的肌腱微微發抖，以至於杯裡的水也輕輕搖晃。他的手指一定很疼。

人走後，冷水溢出杯子，許隨盯著上面的小漩渦，想起班上的人說過，周京澤練琴經常練到最後一個才走。

他生在羅馬，有絕對的天分，卻仍努力。

許隨看到他練傷的手後，第一次動了心思，想為他做點什麼。烈日當頭，許隨走遍大街小巷，逛遍商場，磨破腳跟買到了他喜歡的歌手的唱片，指套和藥膏則被她藏在了盒子裡面。夏至那天，日頭好像比往常更曬一點，蟬鳴琮琤有韻，打開一扇窗，風吹進來，將桌上的白色試卷吹得嘩嘩作響。

下午第二節課是體育課，許隨以肚子疼為藉口請了假。她打算趁所有人不在時悄悄把禮物放進周京澤的抽屜裡。

許隨走向後排，拿著禮物，環顧了一下四周，正要把禮物塞進他的抽屜裡，「嘭」的一聲，有人將門踢開，張立強啐了一句：「真熱。」

然後他的視線定住，緊接著神色起了變化，語氣嘲諷：「喲，小胖妞，妳也喜歡周少爺啊。」

「可惜了，他喜歡長得漂亮、身材好的，誰會看上妳這樣的啊？」

一群男生此起彼伏地笑起來。被羞辱的滋味並不好受，更何況是被這些處在青春期，以欺負人為樂，不懂尊重為何物的男生議論。

許隨垂下眼，拿著禮物的手微微發抖，後背發涼。

一群男生嘲笑得明目張膽，張立強本來是站直說話的，忽然被一個力道很重的籃球砸到後背，他瞬間向前踉蹌了一下，後面火辣辣地疼。張立強沉下臉，抄起旁邊的椅子轉身就想砸，卻在看清來人時，慢慢把椅子放下了。

周京澤站在他面前，漆黑如岩石的眼睛把張立強釘在原地，緩緩笑道：「這樣就沒意思了。」

張立強從周京澤的話體會到兩層意思，一是別做這麼丟臉的事，二是周京澤的事還輪不到他插手，不然後果自負。

張立強立刻認了，周京澤這樣的人他惹不起，只好和一群人低頭離開了教室，臨走還回頭惡狠狠地瞪了許隨一眼。

眾人離開後，教室裡只剩下周京澤和許隨兩人，他彎腰把球扔進籃子裡，一步步走向自己的座位。

綠色的扇葉在頭頂緩慢地轉著，許隨仍覺得心底燥熱，掌心已經出了一點汗，他來到她面前，影子在窗邊投下來，貼著褲子口袋的手伸出來，主動去接她手裡的禮物。

周京澤的視線停留在她身上，很輕地笑了一下：「謝謝啊。」

「不客氣。」許隨懷疑自己當時大腦抽了才說出這句話。

說完這句話的許隨落荒而逃。從早上開始，周京澤的桌上就堆滿了大大小小的禮物，他其實沒有必要去接她的禮物。

可他接了，許隨開心了很久。

叮咚一聲，公車報站聲把許隨的思緒拉回，她下了車回到學校，寢室裡只有她一個人。1017 迎了上來，許隨摸了一下牠，便有氣無力地趴在桌子上。她以為自己是有點不同的，或者說心意被發現了。

但她現在知道，周京澤那樣做，是因為教養和骨子裡透出對別人的尊重，僅此而已。他下午幫她解圍，應該也是怕她尷尬吧。

他把禮物收下了，卻從沒有拆開過，隨意地將它丟在一個箱子裡，指套蒙了塵，藥膏也早已過期，是溫柔，也最絕情。

許隨想起下午周京澤那句漫不經心卻透著冷意的話：「送我禮物的人那麼多，難道我得一個一個去想嗎？」

當初自以為被看見，不過是一場溫柔的粉飾。

許隨下巴放在桌上，整個人像被抽斷，1017 像是察覺到她的情緒，像個毛線球一樣蹭到她腳邊取暖，使勁往裡拱。她在日記本上寫下了一句話——

我現在有點想放棄了。

其實周京澤沒有做錯什麼，許隨送的禮物不過是萬千禮物中最普通的一個，可許隨就是有點受傷，是喜歡一個人的自尊心在作祟。

許隨一連幾天心情都有些不平靜，不過她維持表面的平靜，照常上下課，偶爾被胡茜西拖去附近的商場逛街，買了好看的衣服會在寢室扮演喜歡的電影人物，對著鏡子臭美。

看見胡茜西扮演卓別林，有一撇鬍子都歪到嘴邊了，許隨捧腹大笑，笑著笑著心裡又覺得空空的，有一絲失落滑過。

盛南洲最愛約飯局，他們這幫人學校又離得近，一週約了兩三次，許隨每次恰好都有正當的理由拒絕，比如「我有個實驗走不開」，或是「我剛吃完飯，吃不下第二頓了」之類的，讓人無法反駁。

週四，一幫人待在學校後街的大排檔吃飯，盛南洲看到訊息直皺眉：「許隨來不了了，說她的貓生病了，要帶牠去打針。」

盛南洲關上手機螢幕，推了推正埋頭認真吃小黃魚的胡茜西，問道：「我怎麼覺得許隨最近有點反常？」

胡茜西一副你逗我的表情，盛南洲立刻去找支持者，把眼神投向一旁的周京澤。周京澤坐在那裡，肩膀微低著，手指捏著湯匙，有一搭沒一搭地盛了一口湯往嘴裡送，氣定神閒地回答：「湯挺好喝的。」

胡茜西拍了拍盛南洲的肩膀：「您想多了，她最近念書壓力大吧。」

許隨最近去完圖書館悶得發慌時，會去學校天臺透氣。她站在天臺上看了一下風景，習慣性地看向東北角京航的那個操場。

天氣嚴寒，他們依然日復一日地在操場上喊著鏗鏘有力的口號，堅持體能訓練。許隨穿著一件牛角釦的白色毛呢大衣，一陣冷風吹過，她不由自主地瑟縮了一下，朝掌心呵了一口氣。

許隨很怕冷，又喜歡吹冬天的冷風，算是一個奇怪的癖好。

她站在欄杆處，搓了一下手掌，電話鈴聲響起，許隨點了接聽，媽媽在電話那頭照例問了一下她的課業以及生活近況。

許隨一一作答，媽媽在那邊語氣溫柔：『一一，我寄了一箱紅心柚給妳，甜得很，妳拿去分給室友吃。』

一一是許隨的小名，至於紅心柚，是她們南方的時令水果，每年冬天，許母都會寄一箱過來。

「好，謝謝媽媽。」許隨乖乖應道。

許母照例叮囑了幾句後，便說道：『奶奶在旁邊，妳跟她說兩句。』

換奶奶接電話後，許隨敏銳地聽到了幾聲壓抑的咳嗽，皺眉：「怎麼又咳嗽了？奶奶，妳衣服穿夠了嗎？」

『穿夠了，是前兩天突然降溫有些不適應。』奶奶笑咪咪地解釋道。

結果許母在一旁戳穿奶奶，小聲地嘀咕道：『還不是妳奶奶一把年紀了還學年輕人熬夜……』

奶奶在那邊嘮叨地分享著黎映鎮發生的事，許隨臉上始終帶著笑耐心地聽她說，到最後叮囑她要多注意身體。

臨掛電話時，奶奶的聲音嘶啞但慈祥：『一一，在北方還怕冷嗎，還是習慣了？』

許隨一怔，用手指戳了戳水泥欄杆上面的霜花，莫名想到了那張玩世不恭的臉，答非所問道：「其實還是有點冷。」

掛電話後，許隨習慣性地點進周京澤的個人頁面，依然是一片空白，拇指點了退出，她隨手滑了一下動態，倏地滑到盛南洲發的動態，文字是「託我周爺的福」，底下還配了一張圖。是一張在射擊場的照片，周京澤穿著灰綠色的訓練服，單手舉著槍，戴著護目鏡，側臉線條流暢且硬朗。

許隨移不開眼，她站在天臺上，幫盛南洲的動態按了個讚。冷風吹來，她往衣領處縮了一下，怕被他看見，或是怕別人知道什麼，拇指按在上面，又把讚收回了。

做完這一連串動作後，許隨覺得自己有些好笑又矛盾。明明逼著自己不去見他，卻又四下關注著有關他的一切。

逃不開。

許母寄快遞用的是特快，沒兩天就寄到了。許隨用裁紙刀劃開箱子，把柚子分給了室友，剩了兩個她想著排練時可以帶去給大家嘗一嘗。

結果許隨在底部發現了一包東西，她拆開一看，是一雙棉製的手套，裡面塞了幾張鈔票。兩張一百的，還有好幾張皺巴巴的十塊、五塊，也有硬幣。

一共是三百塊。

許隨看著手套和錢既想笑又想哭，一下子明白了她奶奶為什麼會感冒了。

週末時，由於大劉下午有點事，他們把排練時間調到了上午。許隨和胡茜西來到周京澤家，是周京澤開門。

一個星期沒見，許隨有點緊張，門打開的那一刻，她下意識地避開了和他的視線交流，只聽見一道嘶啞的聲音，語氣嗤笑：「妳們是烏龜嗎？」

「哼。」胡茜西朝他做了一個鬼臉。

他們早已在琴房等著，周京澤睏得不行，單手插著口袋泡了一杯美式咖啡端上樓。

他們排練的時候需要眼神交流，通常是隨著節奏的變化更換樂器，輪到周京澤向許隨抬眼示意時，她的目光只是極快地與他碰了一下，然後低頭打鼓。

周京澤察覺到了，什麼也沒說。

中場休息時，盛南洲自我誇讚：「我們簡直是天造地設的一幫人。」

「沒知識也不必這麼外露，『天造地設』指的是情侶。」胡茜西放下電吉他，坐在沙發上指正。

周京澤抬了一下眉頭，笑：「是我教子無方。」

大劉看到許隨帶來的柚子放在桌子上，開口：「這柚子甜不甜啊？」

「甜的，」許隨接話，她看了一圈，問，「有刀嗎？我剝給你們嘗嘗。」

「廚房應該有。」胡茜西說。

許隨點了點頭，抱著一顆柚子下了樓。胡茜西見許隨下去，而周京澤還窩在沙發上玩消消樂，皺眉：「舅舅，你一個主人，還不下去幫忙？」

周京澤只得扔了手機，雙手插口袋下了樓。

果不其然，許隨站在廚房，黑眼珠轉來轉去在找刀。一道冷淡聲音響起：「在頭頂。」

不等許隨反應，周京澤走過去，輕鬆拉開消毒櫃，拿出一把水果刀，徑直接過她手裡的柚子，從黃色果皮的頂端開始劃刀。

周京澤輕車熟路三兩下就把柚子的表皮剝開，苦澀的清香瀰漫在狹小的空間裡。周京澤人長得高，他低下頭，露出一截冷白的脖頸。

他從中取了一瓣紅柚，把外衣剝開，指尖沾了一點白絲，他把果肉遞給許隨。後者接過來，咬了一口。

周京澤拿著刀繼續切水果，放到盤子裡，冷不防地問道：「妳最近有事？」

「沒有。」許隨否認。

周京澤沒有說話，點了點頭，繼續把柚子分裝到盤子裡。許隨站在一旁，安靜地吃著紅柚，嘴唇上沾了一點紅色的汁水。

柚子真的很甜，許隨鼓著臉頰，吃得認真，像小金魚。倏忽，一道高瘦的影子籠罩下來，與地面上她的影子纏在一起。

周京澤站在她面前，手肘撐在她身後的櫃子上，打算把水果刀放進消毒櫃裡。許隨因為他猝不及防地靠近，心不受控制地跳了起來，仰起頭神情有些呆滯地看著他。

冬日的陽光照射進來，照在她白得幾近透明的肌膚上，上面細小的茸毛清晰可見。周京澤瞥見她水潤的嘴唇上沾了一點紅色的柚子汁，眼神一黯，原本不想說的話這時冒了出來：「那妳是在躲我？」

周京澤把柚子端上去時，大劉吃了一塊，豎起大拇指誇道：「真的好甜，許隨，你們南方的水果都這麼甜嗎？」

「確實甜，而且蜜柚是我們當地的特產。」許隨接話。

排練結束後，一群人各回各家，許隨還要跟著盛南洲去他家，幫盛言加補課。結果一到他家裡，盛姨就拉著她的手讚不絕口，原因是盛言加小朋友在這次一百分制的模擬考中，數學考到了八十一分，英語七十二分。

這對於他以前雙科都不及格的分數來說，算是進步很大。

「辛苦妳了啊。」盛姨拍拍她的手。

「還好。」許隨接話，然後進了盛言加房間的門，一進門，小鬼坐在那裡，一副尾巴翹上天的樣子。

「上課了，還在這擺造型呢。」許隨拿書拍他。

小捲毛笑了一聲：「嘿嘿。」

盛言加小朋友難得考出好成績，從親媽那裡得到了想要的東西，上課的時候非常配合。許隨見小朋友念書的熱情空前高漲，多加了一份卷子給他。

「小許老師，我對妳的喜歡快要消失了。」盛言加趴在桌子上，苦著一張臉說道。

「但不影響老師對你的喜歡。」許隨自然地接話。

小胖子的臉悄悄紅了一下，許隨看了時間一眼，收拾好東西準備出去。盛南洲恰好敲門進來，還有周京澤。

他倚在門框上，正低頭玩著手機。

盛南洲說道：「許隨，留在這裡吃頓晚飯吧。」

許隨刻意沒讓自己去看那個人，推辭道：「不了，時間還早，我想回去睡一覺。」

盛南洲還想再說點什麼，小捲毛坐在那裡有些不耐煩：「哥，你煩不煩呀？你們快走吧，我和小許老師有話要說。」

「行，看在你那勉強不讓人丟臉的成績。」盛南洲看了他弟一眼，走的時候還幫他們帶上了門。

小捲毛坐在地毯上，拿著一盒沒拆封的樂高，望著許隨。

「不會是又要邀請我拼樂高吧？老師今天有點累。」許隨問道。

「當然不是，京澤哥今天答應陪我一起玩。」盛言加伸手去拿置物盒裡的兩張票，彆扭地遞過去，神色有絲不自然，「我媽讓我感謝妳，所以請妳看電影。」

「行呀，」許隨沒去接，開口，「票先放你這，我們到時候直接電影院見。」

「妳一定要來啊。」盛言加強調道。

「好好。」許隨對他揮手。

許隨走後，周京澤走進來陪小捲毛下象棋。莫名地，周京澤今天心情不怎麼好，和盛言加下棋一點也沒放水，把盛言加殺了好幾個回合，殺得小捲毛片甲不留。

意外地，盛言加輸了棋還哼起歌，周京澤拿出壓片糖，拆了一顆薄荷糖扔進嘴裡，挑眉：「輸了還這麼開心？」

盛言加想起什麼，臉紅道：「我約小許老師去看電影了。」

周京澤神色不變，把盛家一個壞掉的遙控器拆開，他知道小鬼遲早憋不住，果然，下一秒，盛言加的語氣是按捺不住的興奮：「她答應了，我準備那天和她表白！」

周京澤正用螺絲起子扭著小孔裡的螺絲，聞言愣神戳了手指一下，他回神冷笑：「你喜歡小許老師什麼？」

小孩子就是這樣，單純又直接，盛言加大聲回答：「我喜歡小許老師長得好看又溫柔，她眼睛很大很漂亮，皮膚白，笑起來還有兩個梨窩，還對我特別好，幫我補課……總之，她很像我的姐姐，我特別喜歡跟她待在一起。」

周京澤嘴裡的薄荷糖嚼得嘎嘣作響，糖末抵在舌尖，他毫不留情地打擊小胖子：「小鬼，你毛都還沒長齊，連表白的『表』字都不會寫吧，另外，實話告訴你，小許老師對你好，幫你補課，是收了你媽的錢，她不喜歡你這種愛玩、成績還不好的肥宅。」

盛言加才六年級，他整個世界觀都崩塌了，小捲毛睜著大眼睛推著周京澤出去，眼眶有點紅：「哥哥，你好討厭，我不要你修遙控器了，你出去，你這種人根本不懂什麼叫喜歡。」

周京澤被盛言加推著趕出門，並沒有生氣，反而笑了，連胸腔都是愉悅的震動。

「你這種人根本不懂什麼叫喜歡」這句話他聽了無數遍，交往過的女朋友到最後都會扔出這句控訴。

他這樣花心又浪蕩的人，看起來好像什麼都無所謂。上一任柏瑜月鬧脾氣跟他說分手，周京澤想也沒想就同意了。反而是柏瑜月聽後哭哭啼啼，控訴他根本不懂什麼叫喜歡，也從來沒考慮過他們的未來。

笑話，他自己的未來都不知道在哪。

天氣預報說週三氣溫要再降八度，還會下雨。

許隨早上從被窩裡爬起來，冰涼的空氣鑽進毛孔裡，天氣果然變冷了。許隨一向怕冷，穿了件白色的羽絨外套去上課，她抱著書本出門時，發現走廊欄杆上已經結了一層透明的霜花。

下午恰好沒課，她上完課連衣服都懶得換就去電影院了，結果在看清陪盛言加小朋友站著的是誰時，她在心底把自己罵了個遍，再怎麼樣也得收拾一下，怎麼隨便套了羽絨外套就出來了，臃腫又不怎麼好看。

盛言加本來還在生周京澤的氣，可是他媽媽不放心他一個人出門，說必須找一個家屬陪同，親哥去網咖打遊戲了，只剩下隔壁睡懶覺的京澤哥。小捲毛只有放下他的自尊心去求周京澤。

「小許老師，妳想喝什麼？我請客。」盛言加在看見許隨的那一刻眼睛亮了一下。

周京澤哼了一下，意味不明，他走到前臺那拿盛言加的電影票去選電影，偏頭問道：「喜歡什麼類型的電影？」

「恐怖片。」許隨回。

盛言加為了追隨喜歡的小許老師，此刻把自己的膽小忘得一乾二淨，說道：「我也是！」

周京澤送出電影票的手停在半空中，拇指很輕地摩挲了一下票面，很輕地笑了一下：「許隨，妳到底……還有多少意外？」

周京澤選好恐怖電影的三個座位後站在那裡，他今天穿了件工裝外套，一雙軍靴，整個人顯得挺拔又剛勁。

前臺服務生把票給他時一連偷看了他好幾眼，滿臉笑容地問道：「您的票，請問還有什麼需要的嗎？」

周京澤沒什麼表情地要了一瓶冰水，盛言加抓著許隨的袖子晃了晃，獻殷勤：「小許老師，妳喜歡吃什麼？我請妳！」

許隨不太喜歡吃零食，她眼神遲疑，正要拒絕，周京澤斜睨了緊張兮兮的小鬼一眼，開口：「點吧，不然這小鬼要哭出來了。」

最後，許隨抱著一桶爆米花進場。

電影還有三分鐘開始，盛言加坐在中間，許隨坐在裡面，周京澤坐在靠走道最外面的位子。

周京澤一坐下來就靠在座位上玩手機，視線根本沒抬起來過。許隨垂下眼，重新打起精神把視線投向銀幕。

電影很快開場，許隨很快被劇情吸引，看得專注起來，一點也沒分心。這可苦了旁邊逞強的盛言加小朋友。他從一開始就看得後背發涼，卻硬逼著自己像個男子漢，努力地睜大眼盯著銀幕。可人一怕什麼就來什麼。

大銀幕上的女鬼一臉是血，突然陰著一張臉從書桌裡爬出來。這一動作嚇到了場內的觀眾，幾個女生尖叫起來。

「啊——」

畫面逼真又嚇人，電影院驚恐的叫聲此起彼伏。盛言加猛地叫出聲，他捂住雙眼不敢看，當下想要尋求安慰。

盛言加小朋友的頭下意識地倒向周京澤那側，忽然意識到這是一個千載難逢和小許老師感情升溫的好機會，於是他的頭慢慢倒向了許隨那一側。

就在他的腦袋距離小許老師還有兩公分時，一隻冰涼的手捏住了他命運的後頸皮。周京澤眼睛直視著螢幕，手卻不閒著，直接把盛言加拎回了座位上。

周京澤警告性地看了他一眼，聲音卻是懶洋洋的：「老實點。」

盛言加感到十分委屈，全程捂著眼睛，從手指縫裡看完了一部恐怖電影，最後出了一層冷汗。

許隨喜歡看恐怖電影，沒有注意到這邊的動靜，最後電影結束她還戀戀不捨地拍了照留念。

她在個人頁面裡發了一則動態，僅自己可見，配文：『像做夢。』

周京澤雙手插在口袋裡，掀起眼皮看了她一眼：「就這麼喜歡恐怖電影？」

許隨趕忙關上螢幕，看向站在左側的男生，輕輕地應了句：「嗯。」很喜歡。

三個人一起走出影廳，盛言加走在最前面，看到娃娃機裡的蜘蛛人，扒著玻璃窗，語氣激動：「哥，你快去兌幣，我要夾娃娃。」

周京澤只得幫這位大爺去兌了一小籃遊戲幣，小捲毛把籃子放在一旁，站在娃娃機前玩得不亦樂乎。

許隨站在一邊，忽地看向另一邊最靠裡面的娃娃機，她不自覺地走了過去，站在它面前發呆。倏地，一道黑色的影子投了下來，冷淡的嗓音響起：「想要？」

許隨點了點頭，語氣帶著淡淡的笑：「有點，小時候爸爸因為工作，經常早出晚歸，所以他買了一個捲心菜娃娃陪著我。後來他去世了，又因為搬家，那個捲心菜娃娃就丟了。」

「不過我都這麼大了，不需要它了。」許隨笑著指了指玻璃窗裡的捲心菜娃娃。

周京澤沒有接話，他把嘴裡的菸拿下來，語氣吊兒郎當又輕狂：「周爺夾給妳。」

結果五分鐘後，周京澤為自己的囂張買了單，他用十多個硬幣夾了個寂寞。周京澤掌心的硬幣順著虎口滑向投幣口，清了清嗓子：「這次可以。」

娃娃機的鉤子鉤著捲心菜的肚子緩緩移向出口，兩個人的眼神充滿期待，許隨的眼神還帶著興奮：「它好像要出來了。」

結果「咻」的一聲，娃娃又掉了回去。

空氣一陣沉默，周京澤在尷尬中自得地開口：「我去兌幣。」

兩分鐘後，周京澤拎著一籃硬幣去而復返，站在娃娃機面前神情淡定地投幣，屢戰屢敗。

這時，旁邊來了一對情侶，男生輕而易舉地花兩個幣夾到了一個娃娃，女生雀躍地跳起來摟住他的脖子，語氣興奮：「老公，你真棒！」

「還想玩嗎？」

「想。」

許隨站在周京澤左側，在隔壁情侶旁若無人地親暱和親熱中，感到了一絲不自在。她的脖頸有一絲癢，然後微微泛紅。

周京澤叼著一根菸，拿出打《英雄聯盟》的姿態全身心備戰，忽地，有人扯了扯他的衣角，他低頭，對上一雙澄澈的眼睛。

「要不然算了吧。」許隨語氣商量。

周京澤盯著眼前的娃娃機，冷笑：「我還不信這個邪了。」

最後周京澤用了一百多個遊戲幣，卻連個屁都沒夾到，儘管許隨勸了好多次，說了許多「走吧，這些錢都夠在網路上買好幾個娃娃了」、「我真的沒有很想要，算了」之類的話，可他依然不為所動。這該死的勝負欲。

後來，工作人員拖著一袋娃娃過來把它們放進機器裡，周京澤本來打算收手的，這個時候不死心地問：「多少錢？能不能買一個？」

工作人員一臉標準化的微笑：「不好意思，先生，這是非賣品。」

許隨忍不住扶額，這也……又有點好笑是怎麼回事？就在這一刻，她在心裡原諒了周京澤。管他呢，他確實值得她喜歡，而且，她也沒辦法控制自己。

喜歡戰勝了她的自尊心。

看周京澤不依不饒的架勢，許隨情急之下拖著他的手臂，對工作人員彎腰：「不好意思。」

被許隨拖走的周京澤轉頭堅持不懈：「你開個價。」

盛言加都在玩別的遊戲了，見周京澤和許隨往外走，也急忙跟了上去。一行人走出電影院大門。

冷風一吹，理智回神，許隨才驚覺自己竟然膽子大到還拖著周京澤的手臂，她急忙鬆手：「不好意思。」

盛言加的一聲尖叫打破兩人的思緒：「哇，下雪了。」

許隨聞言轉頭看向正前方，發現紛紛揚揚下起了小雪，雪像被風吹在半空的蒲公英，她伸出手，薄薄的、涼涼的雪花融化在掌心。

竟然下雪了。

在小朋友心裡，玩永遠最重要，這個時候什麼電影、小許老師全被盛言加統統拋在腦後，盛言加大喊一聲，語氣祈求：「哥！」

盛言加還沒說出後半句話，周京澤就知道他想幹什麼，薄唇裡滾出一句簡短的話：「二十分鐘。」

得到批准後，盛言加大叫一聲，如同歡快的鳥兒衝向電影院旁邊的院子。周京澤和許隨則坐在轉角處的椅子上等盛言加。

許隨坐在椅子上，冷風灌進衣領，她不自覺地瑟縮了一下。周京澤坐在一旁，手肘撐在大腿上，挑了挑眉：「冷？」

「一點點，南方人。」許隨不好意思地皺了皺鼻子。

許隨本身就體寒，一到冬天就手腳發涼，再加上這是京北城，來北方幾年了，她還是有些不習慣，怕冷得要命。

「在這等著。」周京澤扔下一句話。

五分鐘後，周京澤返回，他傾身往許隨手裡塞了一杯熱可可，許隨內心感嘆於他的細心，輕聲開口：「謝謝。」

周京澤扯了一下嘴角：「客氣。」

大冷天的，周京澤又買了一罐冰的碳酸飲料，扯開拉環，喝了一口。許隨看向覆滿冰霧的冷飲，問道：「不冷嗎？」

「爽。」周京澤答。

兩人又陷入一陣沉默，許隨喝了一口熱可可，體內的溫度回升，她正想找個話題時，周京澤側頭看她，盯著那一抹慢慢恢復紅潤的嘴唇，問道：「許隨，是不是因為盛南洲上次的玩笑，還是我哪裡做得——」

許隨搖搖頭，舒了一口氣，儘管握著熱可可杯身的指尖發著抖，她仍抬起頭，鼓起勇氣直視他：「其實我高中和你同班。」

第六章　碳酸心情

周京澤心底的某處被擊中了一下，不輕不重，落下一筆，他形容不出這種感覺。

看周京澤明顯愣住的神色，許隨睫毛垂下來，自嘲一笑：「不記得也沒關係。」

周京澤背靠長椅，微弓著腰，一條長腿撐在地上，他斂起漫不經心的神色，瞇了瞇眼回憶，記憶中，班上好像是有這個女生，穿著寬大的校服，經常低著頭，每天早上進教室時匆匆從他座位旁經過，衣袖偶爾擦過他桌面上的卷子。

他對許隨有點印象，但以為只是跟眼前這個女生重名，熟悉感上來，周京澤將目光移向許隨，記憶中那個羞怯、安靜的女生與眼前的人漸漸重疊。

「妳變化很大，」周京澤說出一句話，骨子裡的教養促使他再次開口，「抱歉——」

許隨搖搖頭，從兩人在大學重逢起，她已經接受了不被周京澤記得的事實。畢竟他是天之驕子，在學校永遠是眾星捧月的對象。

她只是一顆黯淡星，太不起眼了。

有些人，就是好命到記不住周圍人的名字，卻被對方惦記了很久。

周京澤拎起地上的可樂，傾下身，手裡拎著的可樂罐碰了一下她握著的熱可可，漆黑的眼睛緊鎖住她：「那重新認識一下，嗯？」

「好。」許隨聽見自己輕輕說道。

冬天晝短夜長，時間在上課與樂隊緊張的排練中一晃而過，他們這群人也日漸熟悉，配合也默契起來，一眨眼就來到了耶誕節前夕。

兩校聯辦的文藝比賽時間定在十二月二十四日，這一天，學校四處洋溢著熱鬧與歡慶氣息。

特別的是，今天恰巧也是許隨的生日。許隨一大早醒來就收到了媽媽和奶奶發來的大紅包，奶奶還親自打來電話，無非讓她注意保暖，今天生日拿著紅包出去吃頓好的。

許隨在走廊上打電話，跟老人家撒嬌：「可是奶奶，我只想吃妳做的長壽麵。」

老人家笑得合不攏嘴：『好好，等妳寒假回來，奶奶天天做給妳吃。』

中午時，許隨請了兩位室友在外面吃飯，梁爽坐在餐廳裡，一臉狐疑：「妳撿到錢了？」

胡茜西則摟著許隨的脖子開口：「是呀，小妞，今天怎麼那麼開心？」

「就……可能前兩天考試考得比較順吧。」許隨胡亂找了個藉口搪塞過去。

但許隨沒想到飯後結帳暴露了自己，服務生拿著帳單和金融卡折回，臉上掛著標誌性的笑容：「您好，由於今天是您生日，本次消費可享受餐廳的八八折，另外，本店將會額外贈送您一個蛋糕，許小姐，祝您生日快樂哦。」

許隨怔住，服務生走後，兩位室友一左一右掐住她的脖子，大喊：「要死哦，妳生日怎麼不告訴我們？」

「妳們現在不是知道了？」許隨靈動的眼睛裡含著笑意，食指抵在唇邊，「但是，噓，妳們陪我吃飯，我已經很開心啦。」

下午，許隨和胡茜西趕去京航練習室排練，晚上就開始比賽了。一年一度的兩校文藝比賽十分熱鬧。

周圍的嘈雜聲不斷，後臺人擠人，一副混亂的狀態，興許是受環境的影響，許隨坐在後臺化妝時，心底有一絲緊張。

可人一怕什麼就來什麼，一個女生端著兩杯咖啡在人滿為患的後臺穿過，喊著「借過」，不料被旁邊正在試衣服的女生一撞。

女生手肘一彎，一杯滾燙的咖啡倒了過來，一大半潑在了許隨的褲子和白色襯衫上，身體傳來的刺痛讓許隨下意識地皺眉。

胡茜西正幫許隨化著妝，立刻不滿道：「搞什麼啊？」

兩個女生見狀連連彎腰道歉，並遞來紙巾。可胡茜西看著許隨的表情都替她疼，喊道：

「這麼大個人妳們沒看見嗎？馬上就到我們上臺了，怎麼上？」

許隨接過紙巾，將身上的咖啡漬擦掉，可身上穿著的白襯衫徹底毀了。她扯了扯還在發火的胡茜西的袖子，開口：「我去洗手間洗一下，用烘乾機試試看有沒有用。」

胡茜西差點被她乖軟的性格氣死，無奈地開口：「能有什麼用啊？只能再去借一套衣服了，可這個節骨眼誰還有多餘的衣服啊！」

「我有。」一道乾脆且有些驕橫的聲音傳來。

眾人回過頭，是柏榆月。柏榆月穿著一件紫色的禮服，嫋嫋婷婷，化了個明豔的妝，她走過來時，上挑的眼梢裡眼波流轉，十分奪目。

「可能尺寸不合適，要不要？」柏榆月抱著手臂說道。

胡茜西氣急，說道：「妳——」

許隨伸手攔住胡茜西，直視柏榆月：「我要。」

柏榆月抱著手臂愣了一下，沒料到許隨會接受她這份「善意」，最後開口：「那過來吧。」

許隨跟過去，在與她並肩時，忽然開口：「謝謝。」

柏榆月聽到這句話後，再次開口時語氣都彆扭了，但她不得不端起架子，把沙發上的一套衣服丟給許隨：「扯平了。」

許隨從更衣室出來時，果然，尺寸大了，柏榆月生得高挑，骨架又稍大點，她穿上去自然不合適，揪著衣服的領子小心翼翼地往前走，生怕會走光。

在看到許隨換好衣服時，胡茜西感到眼前一亮，誇道：「太美了！」

「可是衣服大了，」許隨的眼睛在休息室裡轉了一圈，說道：「要是有夾子或者別針就好了。」

許隨的視線在休息室內掃來掃去，猝不及防撞上一雙眼睛。

師越傑送東西過來給自己的搭檔。他今天穿著黑西裝，佩戴紅領結，俊朗又風度翩翩，看見許隨後便走了過來，一路引來許多側目。

「還順利嗎？」師越傑笑著問道。

他問完之後，注意到許隨緊揪著領子，立刻明白過來怎麼回事。師越傑毫不猶豫地伸手將領口上的金色胸針取下來，遞給許隨。

許隨搖搖頭，師越傑笑笑，開口：「沒關係，它對我來說，只是一枚點綴的胸針，對妳來說，是救場的東西。作為你們的學長，幫忙是應該的，總不能讓我當惡人吧。」

許隨被他最後一句話逗笑，也不再扭捏，大方地接過來：「謝謝學長，我會還給你的。」

胡茜西全程沒有說過一句話，默默地接過胸針將許隨脖頸後鬆垮的帶子別緊。一番折騰後，她們總算可以順利上臺。

許隨落在後面，走出休息室正要去找他們會合時，柏榆月抱著手臂倚在牆邊，看了她一眼，開口：「妳挺幸運的，但妳駕馭不住他。」

這個「他」，柏榆月雖未指名道姓，但兩人都知道是誰。許隨性格軟，一向好脾氣，可這次，她目光坦蕩地看著柏榆月，神色清冷：「謝謝妳借衣服給我，但我從來不欠妳什麼。」

說完這句話，許隨挺直背脊，頭也不回地擦肩而過，留柏榆月一個人在原地發怔。

她從來不欠柏榆月什麼。

大學與周京澤重逢，他已經不記得她了。第二次見面，她是他外甥女的室友。第三次見面，他們已經分手了，她沒做過任何逾矩的事。

許隨走過去與他們會合，一行人站在幕布後面，主持人在臺上正說道：「下面要出場的是碳酸心情，這支樂隊可是兩校友好的象徵……」

「有請他們上場，帶來改編版的〈倔強〉。」

臺下立刻響起如潮的掌聲，周京澤背著大提琴站在陰影裡，他忽地抬頭看了許隨一眼，在震天響的掌聲裡誇了一句：「很漂亮。」

許隨雖然知道這只是禮貌的誇讚，可她的心還是像被撓了一下，癢癢的。她正要開口時，幕布緩緩拉開，許隨只得斂起心神準備表演。

盛南洲打了個響指，許隨坐在角落的位置開始打鼓，熟悉的旋律一響，臺下立刻歡呼起來。

大劉站在臺前，他的音色乾淨純粹，隨著電吉他的伴奏，唱道——

「當我和世界不一樣，那就讓我不一樣，堅持對我來說就是以剛克剛，我如果對自己妥協，如果對自己說謊，即使別人原諒，我也不能原諒，最美的願望一定最瘋狂，我就是我自己的神，在我活的地方……」

臺下的人跟著搖臂晃動手裡的螢光棒，笑著聽他們唱歌。他們把這首曲子改得低緩了一些。胡茜西的電吉他和盛南洲的手風琴一直是技術到位的狀態。

大劉唱完這段給了左側的男生一個眼神，周京澤低下頭拉弓，露出一截骨節清晰的手腕，大提琴獨特的低沉聲音響起。

周京澤坐在那裡，長腿靠著血紅的琴身，戴著黑色鴨舌帽，側臉線條凌厲分明，垂下眼，無比專注。琴聲在他長達一分鐘的演繹下，把人們帶入情境中。

在那裡，森林無邊，忽然經歷一場大火，鳥兒受傷，林木被燒毀，大家朝不同的方向逃竄，一隻鳥兒正要往上空飛，被燒斷的木頭砸斷了翅膀，鮮血淋漓。

但是，一陣風起，受傷的鳥兒慢慢試著向上飛，琴聲漸漸上揚。周京澤拉到其中一個點時，偏頭給了許隨一個眼神。

目光在半空中輕輕一碰，許隨拿著鼓棒，在半空中轉了幾圈，對觀眾露出一個笑容，立刻敲響爵士鼓。鼓聲如雨點，如疾風，有力且上揚。

大提琴低沉的聲音和爵士鼓激揚的聲音交織在一起，在某個點上，大劉放開嗓子高唱——

「我不怕千萬人阻擋，只怕自己投降……」

臺下頓時躁了起來，他們好像看見了重生後的鳳凰，以及牠衝上雲端的那一刻。盛南洲他們很有默契，胡茜西不斷撥動電吉他的琴弦，將氣氛推至最高潮，他們對視一眼，一起合唱——

「我和我驕傲的倔強，我在風中大聲地唱……」

青春是什麼？是體內叫囂生長的蓬勃氣質，是躁動。這一刻，臺下觀眾被感染得一起跟著唱，尖叫聲和掌聲淹沒了人潮，他們唱道——

「這一次為自己瘋狂，就這一次我和我的倔強，就這一次讓我大聲唱，啦啦啦……就算失望不能絕望，啦啦啦……就這一次我和我的倔強……」

大劉把麥克風一扔，歡呼一聲，直接跳到觀眾中，人群中發出歡呼和尖叫，受氣氛感染，盛南洲也忍不住從舞臺上跑向觀眾席。

臺下觀眾將他們兩人拋在半空中，歡呼一陣接過一陣。在一大片金色的碎片和彩帶中，周京澤放好琴，站了起來，取下黑色的鴨舌帽，站在舞臺中央，他的嘴角上揚，笑容輕狂又肆意，同時右手五指併攏，手掌齊平，舉至太陽穴的位置，朝觀眾席的老師和同學做了一個無比瀟灑又帥氣的飛行員敬禮動作。

臺下歡呼聲越來越響，有人在人群中大喊「厲害」，女生啞著嗓子站起來大喊：「帥炸了好嗎！」

「天哪，那是飛院的周京澤吧，好帥啊啊啊，帥斷我的腿！」

「對啊，拉的大提琴也好聽，他怎麼什麼都會啊！」

身邊的討論聲不斷傳來，而站在臺下的師越傑靜靜地看著臺上的一幕，許隨坐在爵士鼓後面，一直不自覺地微笑著看向周京澤，眼睛裡有光。

全部表演結束後，他們改編的〈倔強〉毫無懸念地拿到了第一名。他們上臺領獎時，周京澤沒去。從小到大，周京澤拿過很多獎，每次發言都千篇一律，次數多了，他也懶得上去。

周京澤站在角落裡等著他們領完獎去聚餐，隔壁班一個叫秦景的朋友剛好站在他旁邊。

秦景撞了撞他的肩膀，下巴朝臺上許隨的位置點了點，語氣熱絡：「哥們，你們隊的那女生長得挺漂亮的，介紹認識一下唄。」

周京澤一邊低頭看手機一邊嚼糖，以為他說的是胡茜西，頭也沒抬，語氣踐得不行：「我外甥女，沒戲。」

「不是，」秦景推了推周京澤的手臂，糾正道：「不是，是另一個。」

周京澤按著螢幕的拇指停滯，緩慢抬起頭，才反應過來他說的是許隨。

秦景一向喜歡獵豔，他把手機遞給周京澤看，絮叨道：「你看學校論壇都炸了，首頁不是在討論你，就是在討論那女生，已經有人扒出來了，隔壁學校，臨床一班的許隨。」

「你看，文章裡全是剛才表演時拍她的照片，全是求聯絡方式的，主要是她剛才在臺上太好看了，那女生長得乖巧又好看，軟妹打鼓，這誰頂得住啊？剛才她對臺下一笑，我腿都軟了，還好我剛才錄了她的表演影片。」

周京澤拇指快速向下滑動著文章，眼底波瀾未起，直到秦景跟他炫耀錄下的影片，眼底才起了細微的波瀾。

他剛才在認真演奏，加上站在許隨左前方，根本沒有注意到許隨的表演。在影片裡，他看到了不一樣的許隨。

一束追光打在許隨身上，她穿著一條掛脖白色連身裙坐在那裡，烏眸紅唇，玉頸香肩，裙擺下的兩條腿纖長筆直，乖巧又好看。

鼓棒在許隨手裡像一支筆，她輕鬆地揮棒，卻敲出激昂的節奏。明明是那麼乖巧安靜的人，打起爵士鼓卻一點都不違和，在她身上有一種寧靜的熱度。

許隨拿著鼓棒開始轉動，在半空中轉了幾圈，然後用力地敲向鼓面，她露出一個笑容，梨窩浮現，臺下立刻燥熱起來，影片還錄到了秦景聒噪的叫聲。

在某一瞬間，周京澤心底的某處被擊中了一下，不輕不重，落下一筆，他形容不出這種感覺。

秦景見他看得入神，再次推了一下他的手臂：「這種乖乖女，你也喜歡？」

周京澤抬頭，視線落在臺上的許隨身上，有一搭沒一搭地嚼著嘴裡的薄荷糖，沒有說話。秦景知道他以往的對象都是同類型——胸大腿長又妖豔，壞笑道：「還是說，你萬年只喜歡一種口味？」

周京澤兩個問題都沒有回答，低頭看著手裡的影片，不動聲色地刪除了。周京澤把手機丟到秦景懷裡，頭也不回地轉身扔下一句話：「走了。」

「哎——」秦景慌亂地接自己的手機，語氣焦急，「剛才的話還沒說完呢，要不然你就介紹給我……」

周京澤雙手插口袋不疾不徐來到後臺和他們集合，獎拿了，北山滑雪場兩日遊也有了，盛南洲可謂春風滿面。

在見到周京澤那一刻，盛南洲大喊：「京京！」周京澤正點著菸，聽到這親暱的叫聲，一陣反胃，直接把菸折斷了。

盛南洲一臉興奮地衝過來，周京澤拿手指著他，語氣生冷，直接撂話：「你試試。」

可盛南洲實在太開心了，他不管不顧地衝過來抱住周京澤就想親，眼看他的嘴就要碰上來時，周京澤一把攥住他的手腕向後扣，嘴角叼著半截菸，騰出另一隻手直接把他雙手扣住，用力地往後掰。

骨節發出哢嗒聲，盛南洲被迫俯下身，接連求饒：「啊——啊——我錯了，周爺，疼疼疼——」

胡茜西笑著走上前，難得替盛南洲求一回情：「饒了他吧，舅舅，他手廢了，誰買單？」

周京澤笑著鬆開他的手，說道：「稀奇。」

束縛鬆開後，盛南洲站直身子，整理一下身上的衣服，開口道：「那當然，先吃飯再唱歌，訂了紅鶴會所。」

「我們先過去了啊，舅舅。」胡茜西抓住盛南洲的手臂朝他揮手。

周京澤點了點頭，問：「許隨呢？」

「哦，她說要還東西給別人，會晚點，舅舅，你順便帶她一起過來唄。」胡茜西說道。

「嗯。」

他們走後沒多久，許隨從休息室出來，就碰上了在走廊抽菸的周京澤，他倚在牆邊，頭頸筆直，吐了一口煙，喉結上下滾動，白色的煙霧縈繞著修長的指尖向上升騰，火光猩紅，不知道他在想什麼。

許隨看見周京澤，還是一如既往地侷促，不知道該說什麼，想了半天，她遲疑地問道：

「你……在等我嗎？」

「嗯。」周京澤把菸掐滅，丟進了一旁的垃圾桶，慢慢地走向許隨。

許隨提著一袋東西，還穿著原來的白色掛脖連身裙，肩膀瑩然如玉，露出很細的鎖骨，像兩個月牙，她剛卸完妝，沒了脂粉氣，瞳孔清透，看起來乖巧又清純。

周京澤看著她露出來的白皙肩膀，擰眉：「不去把衣服換下來？」

他的眼神一落在許隨身上，她就莫名地緊張慌亂，說話也不連貫了：「我……原來的衣服髒了，現在去宿舍換，你在這等我一下。」

而且，她穿這種衣服在周京澤面前挺不好意思的，也不自在。一解釋完，許隨就想跑，在她跟隻兔子一樣拔腿就要溜時，周京澤站在後面，一抬手，輕而易舉地揪住她的馬尾，他發出輕微的哂笑聲，用很輕的氣音開口：「跑什麼？」

許隨渾身僵住，不敢動彈，周京澤鬆開手，走到她面前，脫了身上的外套遞給她，眉眼透著漫不經心：「穿上這個再跑。」

許隨下意識地搖頭拒絕，可對上周京澤不容拒絕的眼神，她無奈地解釋：「可是我穿了，你也很冷啊。」

周京澤失笑，語氣吊兒郎當地說：「周爺叫妳穿上就穿上，哪這麼多話！」

許隨最後只能穿上，卻像偷穿了大人衣服的小孩，她匆匆說了句「謝謝」就跑開了。許隨跑出大廳，風呼呼地吹過來，她下意識地把臉縮在衣領裡，然後聞到了領口淡淡的菸味。

周京澤的外套還帶著餘溫，許隨穿在身上，感覺全身猶如帶電般，火燒火燎，熱氣從腰腹那裡一路竄到脖子。

許隨跑在風中，一點也不覺得冷，她加快了步伐跑回宿舍，潛意識裡不想讓周京澤等太久。

許隨氣喘吁吁地跑回寢室，門被推開時，她兩隻手撐在膝蓋上喘氣，瓷白的臉上蒙了一層細細的汗。

「隨隨，妳回來啦？妳剛才在舞臺上太漂亮了，臺下不知道多少男生蠢蠢欲動呢。」梁爽坐在椅子上聽見聲響回頭。

平復好呼吸後，許隨直起腰，露出清淡的笑容：「是嗎？」她不怎麼關心這個，繼續開口：「我回來換個衣服。」

許隨換好衣服後，重新找了個牛皮紙袋，將外套小心地摺好裝進去，急忙往外走，門打開，梁爽關切的聲音被捲進風裡：「妳是不是發燒啦？臉這麼紅。」

許隨再一次急匆匆出門，遠遠地一眼就看到了周京澤。他換了件外套，正站在路燈下低頭玩手機。

許隨一路小跑到周京澤面前，把裝有外套的袋子遞給他，再次開口：「謝謝。」

周京澤剛好把手機放回口袋裡，他側頭咬著拉鍊，聞言掀眸看了她一眼，語氣意味不明：「許隨。」

「嗯？」

「妳非得跟我這麼客氣嗎？」周京澤似笑非笑地看著她。

「我不是——」許隨想了一下又不知道該怎麼說。她明明嘴不笨，且說話有邏輯，怎麼一到他面前就什麼也說不出來呢？

周京澤把外套拉鍊拉到頂端，將將遮住冷峻的下頷，開口：「我們走到前面去攔車。」

「好。」許隨應道。

他們站在學校的側門外面，打算朝東南面的一條小巷子走過去。東南面屬於老校區這一側，路燈常年失修，一顆黃色的燈泡外早已結了一層網。

寒冷將冬青色的樹葉吹得嘩嘩作響，周京澤走在前面，右側傳來一陣爭執聲，他虛虛地往巷口覷了一眼，發現不對勁，偏頭對許隨說話：「站那別動。」

許隨停下腳步，雖然不明白為什麼，還是乖乖地點了頭：「哦。」

按理說，周京澤不是多管閒事的人，可是熟悉的聲音傳來，他再次看過去，等看清對方之後，不得不停下腳步。

許隨也看到了這一幕，不免有些擔心柏榆月，扯了扯周京澤的袖子。

「放開我。」柏榆月被幾個男生圍著，語氣明顯不耐煩。

那幾個男生是對面大專的，經常喝酒打架，天天沒個正經。為首的一個黃毛向前一步，興味盎然：「喲，怎麼還有脾氣了？」

「小姐，就交個朋友嘛。」有人換了副語氣說話。

柏榆月的白眼快翻到天上去了，她的語氣傲慢且抑揚頓挫：「就你們，也配？」

柏大小姐話語裡透出的輕視和高姿態明顯激怒了他們，對方臉色一變，手掌一揚，正要給她點顏色瞧瞧時，一道凜冽且有質感的聲音傳來——

「柏榆月。」

眾人看過去，周京澤雙手插著口袋，叼著一根菸，步調不疾不徐地走向他們。為首的黃毛在看清來人時，不自覺地放下了手。

「周京澤？」黃毛摸了摸鼻子，問道：「你們一起的？」

「嗯。」周京澤語氣不冷不淡。

一旁的柏榆月眼睛裡透著驚喜，她立刻上前挽住周京澤的手臂，語氣親暱：「對，我們就是一起的，他是我男朋友。」

周京澤插著褲子口袋的手動了動，要推開柏瑜月，不料她攥得更緊。

黃毛見對方是周京澤，鬆口：「行，周京澤，你在高中還挺有名的，有時間我們玩兩局撞球啊。」

「行。」周京澤把菸從嘴裡拿下來，吐了一口煙。

許隨站在不遠處看到了這一幕，柏榆月親暱地挽著周京澤的手臂，那些人走後，她仍沒有鬆開，踮起腳尖，露出嬌俏的笑容，不知道和他說了什麼。

周京澤兩指指尖的火光明明滅滅，為了遷就女生的身高，他略微俯身聽她說話，以至於頭頸後的棘突明顯，冷淡又勾人。

許隨的手插在外套口袋裡，拇指的指甲陷進食指的皮肉裡，痛感傳來，地面上兩人的影子疊在一起，她垂下眼看著那一抹影子，盯到眼睛發酸發脹，卻不敢眨一下眼。

那群混混走後，周京澤將視線落在柏榆月緊扣著他的手臂上，挑了挑眉：「還不鬆手？」

柏榆月只得鬆手，不過見周京澤來幫自己還是很開心，周京澤看著那幾個男生離去的方向，開口：「妳怎麼會跟那幾個無賴扯到一起？」

「還不是因為我長得太美，」柏榆月語氣傲嬌又自得地開玩笑，「怪你不珍惜囉，錯過我。」

「是，」周京澤失笑，順手掐滅菸，開口，「有事，走了。」

眼看周京澤要走，柏榆月急忙喊住他，「哎──」只是想跟他多說幾句話。周京澤只好停下腳步。

「恭喜你啊，拿了第一，爽不爽？」

「還好。」

「我有在臺下為你加油，你有看到嗎？」

「沒。」

剛開始周京澤還耐得住性子回答她的問題，到了後面，柏榆月扯東扯西，不想讓他走，他心底就有些煩躁。

而且許隨還在那裡等他。

「我得走了，有人在等我。」周京澤的聲音冷淡。

許隨起先怕自己難受，只好一直盯著他們的影子看，到後來她乾脆背過身去，在路燈下數著腳下的方磚跳格子來轉移自己的注意力。

後來許隨越跳越入神，沒注意到迎面走來一個人，稍不留神撞了上去。對方正好接住她，許隨連聲道歉。

一道戲謔的聲音在頭頂響起：「同學，不用向我行那麼大的禮吧？」

許隨抬眼撞上一張陌生的臉，秦景在看清來人時，心上一喜，他不動聲色地自我介紹：「我是京航的，叫秦景，我剛才看見妳表演了，很不錯。」

「謝謝，許隨。」許隨回以笑意。

「同學，我們真是有緣分，你們臨時組的那支樂隊除了另一個女生我不認識，其他的全是我同學。」秦景主動拉近與她的距離。

許隨嘴角弧度上揚，臉頰浮現兩個梨窩，秦景看著心像是被撓了一下，他裝得跟個正經人一樣，繼續說：「妳是他們的朋友，就是我朋友，學妹，要不然妳留個聯絡方式給我，以後有什麼事可以找我幫忙。」

許隨覺得有點好笑，他們不是同屆嗎，她什麼時候成他的學妹了？正要開口時，一道沒有溫度的聲音傳來，許隨看過去。

周京澤雙手插口袋站在不遠處，瞇了瞇眼，聲音低低沉沉——

「許隨，過來。」

第七章 衣櫃裡藏著樂園

「生日快樂，許隨，要天天開心。」

柏榆月不知道什麼時候走了，周京澤一叫她，許隨就反射般地走了過去。秦景是個死皮賴臉的人，她一抬腳，他就跟了過去。

周京澤的表情說不出的冷淡，掀起眼皮睨了秦景一眼：「有事？」

「哎，盛南洲邀請我去你們的慶功宴，剛好遇到，我就跟你們一起走唄。」秦景伸手搭住他的肩膀。

周京澤撥開他的手臂，點了點頭：「行，你先跑去前面攔個車等我們。」

秦景：「……」

還是周爺厲害，在女生面前，秦景不得不殷勤點，他一邊跑一邊悄悄地朝周京澤比了個豎中指的手勢，表示他不得不服。

周京澤從口袋裡拿壓片糖時瞥見他的動作，發出輕微的哂笑聲：「傻子。」

「什麼？」許隨抬起臉問他。

周京澤偏頭看她，晃了晃手裡的壓片糖，顧左右而言他：「吃嗎？」

「要。」

許隨伸出白皙的手掌，周京澤傾身過來，陰影一下子落了下來，他身上淡淡的羅勒味道傳來，她的呼吸屏住，與此同時，綠色的薄荷糖嘩嘩落到掌心。

周京澤將盒子重新放回口袋裡，對秦景離去的方向抬了抬下巴——

「妳離那小子遠點，不是什麼好東西。」

秦景這個人當朋友還可以，但他在感情上渣得很，腳踏兩條船、陪女友去醫院做人工流產手術這種事一樣不缺。

許隨倏地抬起頭，問道：「那你呢？」

周京澤愣住，他正有一搭沒一搭地嚼著薄荷糖，隨即似笑非笑道：「當然，我也不是好人。」

臨上車時，周京澤似乎想到了什麼，他的聲音有點啞：「忘了說，妳今晚的表演很出色。」

三人最終一起坐計程車來到紅鶴會所，周京澤打開車門，長腿一伸，側著身子下了車，車門在身後發出「嘭」的關門聲。

打著標準紅色領結的服務生迎上前來，周京澤輕聲熟路地說了包廂號。服務生領著他們過去，周京澤一推開門，裡面坐了大大小小十幾個人。

盛南洲看清他們三個人後，立刻罵道：「你們三個也太慢了，不會偷偷私奔去了吧。」眾人發出哄笑聲，明明是見怪不怪的玩笑，許隨站在那裡，有一絲緊張和不自然。

周京澤一點都沒受影響，慢悠悠地走過去，趁盛南洲笑得正得意時，直接踹了他椅腳一下。

椅子受到衝擊往後倒，盛南洲就跟個不倒翁似的往後仰，眼看就要倒地，他大喊：「周爺？爹，爹，我錯了。」

周京澤勾了勾唇角，這才放過他，抬手扶著椅背又把人推了回去，在眾人的笑罵聲中，胡茜西坐在餐桌的另一邊對許隨招手：「寶貝，過來，我幫妳留了個位子。」

許隨坐過去沒多久，秦景也坐了下來。他坐在旁邊，對許隨噓寒問暖，不是幫她倒水，就是關心她能不能夾到菜，態度十分殷勤。

許隨始終有禮「有距」，一直低聲說謝謝。周京澤坐在她對面，距離有些遠，許隨聽旁人說話時假裝不經意地看過去。

他外套搭在椅子上，穿著一件黑色的毛衣，懶洋洋地坐在那裡，拿著一瓶啤酒，漫不經心地聽別人講話，中間不知道有誰開了黃腔，他抬起眼皮，笑得肆意。

周京澤除了最初簡短地提醒她離秦景遠點，再無後文，他坐在那裡，再沒分一點注意力過來。

許隨收回視線，垂下眼默默地吃飯。

吃完後，一行人收拾東西由服務生領著上紅鶴頂樓的ＶＩＰ包廂。許隨和胡茜西在一起，半路她電話響了，她慢了一步，走到走廊的盡頭接電話。

許母打來電話，再一次祝她生日快樂，還特地問道：『今天出去吃好的沒有？』

「有，和我室友一起，」許隨回，她想起了什麼，說，「好多人呢。」

許母蓋著毛毯坐在客廳的沙發上，反覆叮囑：『我看了京北的天氣預報，這幾天又降溫了。妳手腳涼，又怕冷，記得多穿點，出門隨身帶個暖暖包。』

許隨握著電話聽媽媽的關心，她看了窗外的樹一眼，笑道：「我知道，媽媽，妳放心，我今天穿得很厚。」

她掛了電話後，一路乘著電梯上了頂樓的ＶＩＰ包廂，一進門，鬧哄哄的，他們有的在玩遊戲，有的在唱歌。

她發現全都是她不認識的人，周京澤、秦景他們不在，胡茜西也不在。

只有盛南洲長腿張開地坐在沙發上，渾身上下寫滿了「不爽」二字。許隨走過去，坐在他旁邊問道：「西西去哪了？」

盛南洲冷笑一聲：「不知道被哪冒出來的野男人拐跑了。」

「啊？」許隨下意識地感到驚訝。

十分鐘後，胡茜西風風火火地走進來，許隨第一次看她臉這麼紅。胡茜西一屁股坐在兩人中間，不停地用手搧風，說道：「好熱，有沒有冰水？」

「這種天氣還是喝溫水吧，我幫妳倒。」許隨俯身倒了一杯水遞給她，問道：「妳去哪了，這麼熱？」

胡茜西捧著水杯咕嚕咕嚕一連喝了好幾口水，順了氣，眼底亮晶晶地說：「隨隨，我剛剛遇到了一眼就讓我心動的人。妳聽我跟妳說……」

剛才許隨打電話時，胡茜西先上了樓，沒有進包廂，看到轉角的自助小超市，直接進去買了瓶雪碧。

胡茜西付了錢出來，她喜歡在喝飲料前搖一搖它，然後聽氣泡發出「砰」的聲音。她走在走廊上，一邊低頭回訊息，一邊開飲料。

她看訊息太專注，一不留神，迎面撞上一個硬實的胸膛，與此同時，飲料搖晃太久，在開瓶的那一刻，「砰」的一聲，瓶蓋直射而出，氣泡水悉數噴在對方的白襯衫上。

「對不起、對不起。」胡茜西連忙道歉。

她在匆忙中抬頭，撞上一雙狹長漆黑的眸子，對方臉色蒼白，穿著服務生的制服，背脊挺直，紅色的領結打得端正，氣質卻冷如青松。

那一刻，胡茜西心跳如擂鼓。

而那個彈開的綠色瓶蓋正好砸中了他的臉，冷峻的臉上立刻留下一個清晰的硬幣大小的紅印，莫名有點滑稽。

胡茜西噗哧笑出聲，路聞白一個眼刀橫了過來，胡茜西自覺不對，眼底透著光：「真的抱歉，要不然我賠你一件衣服吧。」

沒人理她，胡茜西又嬉皮笑臉地問：「你叫什麼名字？」

路聞白看著她，渾身散發著冰冷的氣息，殷紅的嘴唇吐出一個字：「滾。」

「然後呢？」許隨聽著想知道後續。

胡茜西回答：「然後我就走了唄，再貼上去就討人厭了。」

「但是呀——我知道他的名字，名牌上有，」胡茜西臉上沒有一點受挫折的意思，她笑得張揚，「他逃不掉的，哈哈哈。」

胡茜西正繪聲繪色地描繪她遇到路聞白的場景，絲毫沒有注意到旁邊盛南洲的眼神一點點黯淡下去。

周京澤在洗手間時遇見了秦景，他洗完手後抽了一張紙巾走出去，兩人一碰上，乾脆在走廊的風口處抽了兩根菸。

周京澤把擦完手的紙巾扔在垃圾桶裡，從菸盒裡摸出一根菸，手指捻著菸習慣性地在菸盒旁邊磕了磕，然後咬在嘴裡。

他一低頭，秦景按著打火機，攏著火遞了過來。周京澤側著頭，往前一湊，菸點燃，薄唇裡呼出一陣白煙。

秦景也點了一根菸，隨意地開口：「許隨那女生挺有意思的，剛才吃飯我在她面前殷勤了一晚，看起來挺乖挺純的女生，可那雙黑眼珠喲，又清又冷，哎，把這種妹好難。」

周京澤抽菸的動作停了下來，菸灰燃了一截，輕輕一彈，散落在地面上。周京澤重新把菸放回嘴裡，轉身扔下一句話：「你沒戲。」

兩人一前一後地折回包廂，一推門，裡面鬧哄哄的，大劉明顯喝多了，蹲在桌子上拿著麥克風唱歌。

大劉一見周京澤進來，跟主場明星一樣衝過去跟他互動。大劉摟著周京澤，自帶的3D立體環繞音在包廂裡迴盪：「我說嘿。」

大劉拿著麥克風對著周京澤，一臉諂媚，希望這位粉絲能跟他互動一下。周京澤面無表情地看著他，眼底的冷意明顯。

空氣一陣靜默。

大劉訕訕地收回手，自己接梗：「你說嘿嘿。」

「……他喝了多少？」周京澤轉頭看向盛南洲。

盛南洲指了指地上依次排開的酒瓶，說道：「這一打都是他喝的。」

周京澤撥開大劉的手來到盛南洲旁邊坐下，他一進場，場內女生們的眼睛就跟自動黏合劑一樣黏在他身上。

甚至還有好幾個女生想坐到他旁邊，但盛南洲今晚心情不爽，他一不爽就拉著周京澤喝酒，其他女生一點機會都沒有。

除了一個跟他們有點熟的女生，是英語系的，她個子高挑，長相靚麗，坐在周京澤左手邊。

她托著臉，說話在暗暗宣示主權：「哎，你少喝點，等等回宿舍看你怎麼辦。」

周京澤拿著酒杯，抬起眼皮，似笑非笑地看了她一眼。女生被看得心悸，不敢再輕易說話了，反倒是盛南洲大手一揮：「妳放心，我們醉不了。」

中途，不知道誰切了一首英文歌，有人大喊：「誰的歌，還唱不唱了？！」

盛南洲抬眼一看是首輕緩的英文歌，他推了推周京澤的肩膀：「哎，你上去唱唱唄，反正是你拿手的。」

「是啊，我也想聽，肯定好聽。」那女生附和道。

這裡的人除了盛南洲，幾乎沒人聽過周京澤唱歌，他們一群人聽後也跟著慫恿，讓周京澤唱歌。

大冷天的，周京澤窩在沙發上用叉子慢悠悠叉了一塊冰草莓送進嘴裡，拒絕道：「不唱。」

「你不行啊？」

「可能周爺怕唱得太難聽，嚇到我們，哈哈哈。」

一群男生紛紛取笑周京澤，那女生臉上的失望之色明顯。本尊也不在意他們怎麼笑他，吃了幾口冰草莓後，挑了挑眉：「還挺甜。」

許隨坐在這個場子裡有些不適應，盡量讓自己不去看周京澤如何在聲色犬馬中遊刃有餘，她只能低頭玩手機，後來秦景看她無聊，拿了一盒飛行棋給她玩。

玩了幾下，趣味上來了，許隨扔骰子看線路圖看得專注，心底的煩悶也逐漸消散了一點。

中途，周京澤放在桌上的手機螢幕亮了，他撈過來一看，偏頭對盛南洲開口：「走了，有個局。」

許隨背對著周京澤在和人下飛行棋，他的聲音落在她頭頂，語氣漫不經心的，許隨拿著骰子的手一頓，垂下眼睫在走神。

「快扔啊，妹妹。」秦景催促她。

許隨思緒回籠，重新把心思投入棋盤中。周遭吵吵嚷嚷，暗紅的燈光晃來晃去，可有關周京澤，她的感官像被無限放大一樣，她餘光瞥見周京澤俯身，露出一截骨節分明的手腕，把酒杯放在桌子上，起身時黑色的衣服發出輕微摩擦的聲音。

胡茜西攔住他，語氣霸道：「不行，你不能走！」

周京澤覺得有些好笑，似乎在用氣音說話：「為什麼不能？」

「因為……因為今天是平安夜！」胡茜西想了半天想出這個理由。

胡茜西這句話倒是提醒了場內的一群人，他們尖叫一聲，紛紛掐著對方的脖子喊：「平安夜我的禮物呢？」中間，不知道誰切了聖誕快樂歌，氣氛更熱鬧了。

「而且……」胡茜西湊上前去，她的聲音在一片喧囂中隱了下去。

周京澤的視線朝某個方向投去，竟然又老實地坐回沙發上。許隨背對著他們，不知道發生了什麼，她的棋子在這一刻順利登島，表情有一刻的開心：「我贏了。」

話音剛落，「啪」的一聲，像是電閘斷開一樣，許隨眼前一片黑暗，伸手不見五指。周圍出奇的安靜，好像有人陸續離開，許隨心裡沒多想，眼前的黑暗讓她心底有一絲焦灼和擔心。

上次電梯出故障，周京澤幽閉恐懼症發作的場景還歷歷在目，她急忙從沙發縫裡找到自己的手機，轉身亮起手電筒，溫聲喊道：「周京澤？」

她舉著光源四處看，忽然對上一雙漆黑狹長的眼睛，他懶洋洋地應答：「我在。」

許隨挪到他旁邊，舉著光，語氣急切：「你沒事吧？」

周京澤坐在那裡，一低頭便對上一雙清凌凌的眼睛，眼底寫滿了擔心，她舉著手機，樣子有點呆，卻將他心底某個堅硬的地方輕輕撞了一下。

「我沒事。」周京澤看著她。

許隨長舒一口氣，正要再次開口時聽到一聲嬌俏又清脆的「噹噹噹」，她聞聲扭頭，胡茜西端著一個蛋糕走進來，一群人站在她旁邊，跟著一起唱：「祝妳生日快樂，祝妳生日快樂！」

同時，彩帶、羽毛和金片一併紛紛揚揚掉落，胡茜西端著蛋糕走到她面前，笑道：「生日快樂呀，我的隨隨寶貝。」

盛南洲開了一瓶香檳，「砰」的一聲，周圍的人紛紛發出尖叫，笑著祝她生日快樂，許隨發現胡茜西不僅叫來了梁爽，還把她在班上關係好的同學都叫過來了。

許隨眼底有些熱，一時不知道說什麼好，只會說：「西西，謝謝。」

背景歌是〈生日快樂〉，胡茜西在蛋糕上插上了蠟燭，在燭火的掩映下，許隨雙手合十，許完願後把蠟燭吹滅了。

一群人舉杯，反正年輕人為了喝酒，什麼理由都扯得出來，啤酒在玻璃杯的碰撞中綻開一朵朵花——

「為了樂隊的第一名！」

「慶祝今晚！」

「生日快樂！」

「平安夜萬歲！」

在一片嘈雜嬉笑的聲音中，忽然傳來一道獨特的低沉有質感的聲音，眾人轉頭看過去，聲音一響，周圍奇蹟般安靜下來，許隨是最後一個抬眼看過去的。

周京澤坐在高腳凳上，背略微弓著，長腿隨意地踩在地上，他單手拿著麥克風，唱的是一首粵語歌，另一隻手還鬆垮地拎著外套，側臉線條稜角分明，舒緩動聽的音調從他的喉嚨裡冒出來。

他的聲音有些冷淡，又透著低啞的性感。

他在唱歌。

一首粵語歌唱完，眾人先吸了一口氣，接著場內的尖叫和鼓掌聲一浪高過一浪。秦景最先回神：「你這嗓音真的好聽！」

「厲害，好聽死了，周京澤，還有什麼是你不會的？」

「怎麼樣，我沒吹牛吧，我周爺唱歌是不是好聽？」

一首歌唱完，眾人意猶未盡，別的歌曲播放，有人上前接麥克風，開玩笑：「周爺，我也點首歌唄。」

「去你的。」周京澤把麥克風遞給他時，笑罵道。

包廂內的燈光很暗，紅色的燈光偶爾打過來，曖昧又繾綣。許隨整個人都是怔怔的，她看著周京澤一步步朝她走來，心跳很快，手心已經出了汗。

周京澤笑著對她說：「生日快樂，許隨，要天天開心。」

許隨走在回宿舍的路上，人都是暈乎乎的，她感覺腳步虛浮，整個人都飄到外太空去了，好不容易撐到了寢室，她雙腿一軟，整個人跌坐在椅子上。

1017 躲在桌子底下的小窩裡，一見許隨回來，喵喵對她叫著。許隨趴在桌子上，一抬眼，發現兩位室友都送了禮物給她。

許隨拆開包裝盒一看，梁爽送了一套保養品給她，胡茜西則送了一條精緻的玫瑰金項鍊給她。

她拿出手機，傳訊息給還沒有回來的室友，再次表達了她的開心和感謝。為了平復這一晚的起起落落，許隨決定去洗個澡來緩和一下她的心跳。

洗完澡出來後，許隨用手貼自己的臉發現還是燙的，她把熱水袋充好電，一隻手拿著手機憑藉記憶搜尋晚上周京澤唱給她聽的粵語歌。

原來叫〈黃色大門〉。

許隨搜到這首歌後，戴上白色耳機，趴在桌子上靜靜地聽了一遍，很好聽，她倏地想起什麼，拿起一旁的手機，翻開相簿。

其中一張照片是蛋糕剛點好蠟燭時拍的，她那時拿出手機對著蛋糕拍，其實在拍周京澤。

他站在旁邊，只拍到了一個模糊的側臉，而且只在相片的邊角上。

不仔細看的話，根本沒人發現，這是屬於她的祕密。許隨從相薄裡挑出這張照片，然後發了一則動態。

許隨發完動態後把手機螢幕關上，回憶今天一天發生的事情，腦海裡像播放電影鏡頭一樣，一幕幕晃過。

這一天的心情真的起起落落。許隨趴在桌子上拿出日記本想記錄點什麼，包括今天他們一起登臺，還有周京澤誇她表演亮眼的事。

周京澤送給她的生日禮物是一首歌，最重要的是，他祝她生日快樂，要天天開心。許隨大概知道他給這句祝福的原因，是夾娃娃那次他偶然知曉了她的難過吧。

這麼一想，他真的是一個很溫柔的人，並非表面上所展現出來的浪蕩不羈。

這大半年來，許隨真的感覺跟做夢一樣。從前，高中時的周京澤眾星捧月，是天之驕子，而她自卑、敏感，始終游離在人群之外。他們沒有任何交集，兩人像隔了一條銀河。

而現在，周京澤在初雪時說「重新認識」，他們還成了朋友。不管周京澤今晚給她祝福，是因為她在臺上的表演被他看到，還是出於禮貌，她總算透過自己的努力被他看到了。

許隨忽然想起了一首自己常聽的歌，她在日記本上寫上一句話——

情願不怕臉紅，頑強地進攻，爭取你認同。

許隨撐著腦袋望著日記本發呆，「嘭」的一聲，寢室門被推開，冷風灌進來，許隨被凍得激靈了一下，匆忙把日記本塞進抽屜裡。

「外面真的好冷，早知道不去超市了。」梁爽抱怨道。

胡茜西伸出她閃得不行的指甲撥了一下頭髮，哭訴：「我想念我家樓下的山姆超市。」

「醒醒。」梁爽拍了一下她的腦袋。

許隨把手機扔到上鋪，轉頭對她們說話：「剛才妳們可以叫我下去幫忙提。」

「不行，今天妳是壽星，你最大。」

室友們洗澡的洗澡，護膚的護膚，許隨早早地躺在了床上，耳機裡還循環播放著一首男聲的〈黃色大門〉。

許隨睡前照例看了一下明天的課表，然後登上通訊軟體，個人頁面裡顯示一個紅點點，她點進一看，都是好友對她生日的祝福。

許隨看了一圈，沒有看到想看的名字，盯著她發的照片發呆。

白色奶油蛋糕周邊鋪了一圈紅草莓，她拍到了幫忙點蠟燭的胡茜西，同時，最左邊，有一個黑色的高大身影被定格。

側臉輪廓模糊，如果仔細看的話，會發現男生的手被拍得挺清晰的，骨節分明，淡青色的血管一路上延，虎口正中間有一顆黑色的痣。

許隨垂下黑漆漆的眼睫，正準備退出通訊軟體，倏忽，一個紅色的加號彈出來。

她有些緊張，點開一看，ZJZ按了她的動態一個讚。許隨看到他的名字，呼吸都急促了些。

其實許隨發的配文是周京澤今晚唱的那首歌——

衣櫃裡面藏著樂園。

歌詞原本是「花園」，她怕別人看出來所以改成了「樂園」，而歌的下一句是——

心儀男孩長駐於身邊。

看到周京澤的頭貼，許隨不自覺地嘴角上翹，心底跟刷了一層蜜一樣，連空氣都好像稀薄了一些。

周京澤不過順手按了一個讚，對她來說卻不同。如果這是她的自以為，那今晚就是她短暫的幻想好了。

就當作他給她頑強進攻的回應吧。

次日，許隨跟往常一樣洗漱，收拾好東西去教學大樓上課，她沒想到的是一路上引來了眾人的側目，有議論聲，甚至還有人對著她拍照。

大家過分關注的目光讓許隨不自覺地加快了去上課的腳步，這樣很奇怪。

到了班上，許隨剛放下課本，梁爽跟章魚一樣撲了上來，笑嘻嘻道：「女神來啦！」

「哈？」

見許隨一臉疑惑不解，梁爽拿出手機找出論壇頁面給她看，語氣激動：「全校恐怕就妳一人不知道自己上了兩校的論壇首頁，昨晚妳打鼓的表演太出色了，現在大家都在談論妳呢，喜歡妳喜歡得不行。」

許隨接過手機，拇指按著手機螢幕快速向下滑，都是關於她昨晚表演的照片和討論。

A：『這誰？一分鐘內我要知道她的姓名，所在的系，以及聘禮多少。』

B：『這位小姐姐也太好看了吧，她的眼睛乾淨又靈動。』

C：『這女生長得一看就是乖乖女那種，但打起鼓來又有種韌勁，我的菜。』

D：『別打鼓了吧，打我。我連和她一起埋在哪都想好了。』

梁爽湊過來，擠了擠她的肩膀：「哎，寶貝，要不然妳趁機談個戀愛吧，妳喜歡什麼類型的？姐幫妳篩選。」

許隨搖了搖頭，梁爽見她一臉純情的樣子，遲疑地問道：「妳以前談過……戀愛嗎？」

「沒。」許隨拿出課本、筆準備上課。

「那妳還在等什麼？抓緊時間談戀愛啊。」梁爽看著學霸的表情一臉恨鐵不成鋼。

許隨不知道該如何說出自己的這份單戀，偏偏梁爽又等著她，幸好上課鈴響了，她鬆了一口氣，藉機岔開話題：「上課了。」

下課後，許隨不太想吃飯的時候也被旁人議論，所以去學生餐廳匆匆外帶了一份飯回寢室。

許隨一推門，胡茜西恰好在擼貓，她調侃道：「隨女神回來啦？」

許隨淡定地點了點頭，把飯放到桌上，胡茜西正背對著她，拿著逗貓棒在和 1017 玩，許隨趁西西公主一個不注意，直接把手伸到她後頸上，笑道：「沒完了是吧？」

許隨剛從外面的大冷風裡回來，加上她手腳本來就涼，這一弄冰得胡茜西直接尖叫出聲，胡茜西立刻扭過身來搔她癢。

許隨怕癢，被搔得咯咯直笑。兩人扭纏在一起，打鬧起來，鬧了好久，最後一不留神兩人雙雙摔在床鋪上。

胡茜西躺在她旁邊，忽然想起一件事：「隨隨，我有個猜想，昨晚就想跟妳說了。」

「嗯？」許隨仰躺在床上，輕微地喘著氣。

「我怎麼感覺我舅舅喜歡妳？」胡茜西倏地冒出一句話。

這一句沒來由、不著邊際的話讓許隨的心怦怦地跳了起來，她還沒有平復氣息，胸脯仍微微地上下起伏著。

「大家都知道他中意風情萬種的女生。」許隨笑著回，她盡量讓自己的語氣聽起來隨意輕鬆。

「可是昨晚，大家讓他唱歌，他都沒有唱，結果一說是妳生日，他就主動唱歌了，」胡茜西回憶昨晚的場景，說道：「這可是史無前例。」

「據我對我舅舅的了解，沒人能逼他做他不喜歡做的事，他就是那種性格不羈、行事灑脫的人，他從來不會讓自己陷入被動局面，一旦陷入了，他會直接摧毀，」胡茜西揪著連衣帽上的一根繩子玩，繼續回憶，「他一直這樣……」

高中時，周京澤有一陣子迷上了改裝賽車，他一直想要一輛刻有自己名字的改裝賽車。他對外公說了這個願望，外公對這個外孫從小疼愛有加，加上周京澤在校成績優異，人也沒走歪路，對於他這個生日願望，外公自然一口答應。

十七歲生日時，周京澤收到了外公送來的禮物，結果周正岩扣下了車鑰匙，和他談條件：「你給我去參加這次的化學競賽，拿第一名回來。」

周京澤垂下眼，聲音淡淡地說：「我不想去。」

他也不是討厭化學，只是對它的興趣一般，而且周京澤做事有自己的計畫，如果忽然強行準備化學競賽，只會打亂他的節奏。

況且周正岩一般不管他，此刻忽然要求他拿化學競賽第一名，不是為了他的合作，就是為了面子。

周正岩冷笑一聲：「做不到，你就去垃圾回收站裡找你的車。」

氣氛僵持，周京澤沉默了很久，最後抬起頭倏地笑了，點了點頭：「行，我一定讓你有面子。」

最後周京澤確實讓周正岩有面子，不是以第一名的形式，而是在競賽中交了白卷。很快，他被請了家長，最後被記了過，還收到學校上級的警告。

聽胡茜西說完後，許隨終於知道當初鬧得沸沸揚揚的周京澤交白卷事件的原因了。

「那也不代表什麼。」許隨說。

「我的直覺通常出不了錯，這段時間我多給你們兩個人製造在一起的機會，妳趁機觀察他是不是對妳比較特別。」胡茜西轉過身來對她眨了眨眼睛。

說者無心，聽者有意，因為胡茜西無意間投下的一枚小石子，讓許隨心底蕩起了一圈圈漣漪。許隨做作業的時候常走神。

周京澤會不會真的有一點點喜歡她？

週五，許隨在實驗室待了一整天，熬得昏天黑地。結束後，許隨拿出手機，發現胡茜西傳了訊息讓她晚上六點半去第二學生餐廳吃飯。

許隨看了時間一眼，脫了實驗袍，收拾好東西往外走，等她出來時，天都暗了。

一路冷風陣陣，路邊昏黃的路燈靜靜立在那裡，東北角偶爾傳來拍動籃球以及男生歡呼的聲音。

許隨不自覺地把臉埋進衣領裡，匆忙朝學生餐廳的方向走去。走到第二學生餐廳門口，許隨不見胡茜西的人影，仰頭卻看見了周京澤。

周京澤站在臺階上，穿著黑色的外套，正和別人漫不經心地聊天，偶爾抬起拇指習慣性地按脖頸。

他站在樹下，後面的路燈斜斜地打過來，將他的影子拉得很長。

許隨呆住，旁人和周京澤道別，他轉身恰好看見了她，抬了抬手讓她上來。

「怎麼是你？」許隨走上臺階來到他面前，語氣驚訝，「西西呢？」

周京澤聞言抬起眼皮相當驚訝地看了她一眼，怎麼，他們是第一次見面嗎？

儘管如此，周京澤還是撥了胡茜西的電話。他側對著她，聽筒裡傳來嘟嘟的聲音讓許隨的眼皮突突地跳了起來。

她心裡有了不好的預感。

果然，周京澤打完電話回頭說：「她說肚子痛，讓我們去吃。」

許隨愣在原地，薑黃色的圍巾把她白皙的臉龐遮住，露出一雙漆黑的眼珠，看不清表情。

周京澤見她一直沒動彈，挑了挑眉：「怎麼，不願意？」

「啊，不是，願意，我請你吃飯。」許隨慌亂地從口袋裡找飯卡。

「走吧，等等再找。」一道懶散的哼笑聲落在頭頂，周京澤手插著口袋率先邁上一級臺階，許隨亦步亦趨地跟在後面，路燈下的塵埃似雪花飛舞，月色在他們背後漸漸隱去。

兩人來到二樓麵食區，許隨拿著飯卡站在窗口前說：「阿姨，要兩份鮮蝦麵，其中一份不要蔥和香菜。」

「是兩份不要蔥和香菜，」周京澤出聲糾正，他彎下腰，對窗口的阿姨點頭，「麻煩您了。」

周京澤重新直起腰，偏頭看她，眼梢溢出散漫的笑意：「這麼巧，妳也不吃香菜？」

聽見這話，許隨黑漆漆的眼睫毛顫了顫，最後她用力點了點頭：「對的。」

周京澤和許隨面對面坐著，麵很快端上來，許隨喝了一口湯，很鮮也很燙，緊接著四肢百骸暖了起來。

兩人吃到一半，陸續有兩三個男生過來要許隨的電話號碼。儘管對方再三表示只是想和她做個朋友，許隨還是以學業為重禮貌地拒絕了他們。

人走後，她鬆了一口氣。一回頭，周京澤好整以暇地看著她，深色的眼眸夾雜著幾分笑意：「最近挺受歡迎啊？」

許隨覺得自己不管變成什麼樣，有多受歡迎，在周京澤面前，只要她在他這獲得了一點關注，她就會緊張得無處遁形。

在周京澤的注視下，她有些不自在，臉上的紅暈像花瓣一樣在周邊蔓延開來，她半晌憋出一句話來：「你別笑我了。」

周京澤狹長的眼眸透著幾分說不明的情緒，他的語氣慢悠悠的，像在開玩笑，又像在斟酌著什麼：「現在追妳得排隊嗎？」

第八章　他不喜歡妳是事實

「你的貓？」

「對，我的。」

「我的。」

「別爭了，那就是你們的貓嘛。」

周京澤這句不帶主語的問話，容易讓人誤會，許隨的心怦怦直跳，大腦一片空白，整個人怔怔的：「啊？」

周京澤看到許隨耳根泛紅，以為她不好意思了，挑了挑眉梢：「確實挺受歡迎。」

原來主語不是他，只是一句普通的問話，許隨心裡鬆一口氣，同時湧起一陣失落。許隨重新打起精神，小聲道：「真沒有。」

晚上許隨回到寢室，門一打開，胡茜西比1017還先撲上來，搖著她的手臂，問道：「怎麼樣？」

許隨撥開她的手，先喝了幾口水，在胡茜西急切眼神的關注下，慢悠悠地開口：「不怎麼樣，只是很平常地吃了頓飯，妳舅舅當我是朋友。」

胡茜西臉上湧起失望：「我的直覺一向很準，這次真的錯了嗎？」

許隨沒有回應她，拉開椅子，一邊瀏覽書本內容，一邊寫作業，卻無法集中注意力。胡茜西趴在被子上，忽然開口，試探性地問了句：「那妳……是不是喜歡周京澤？」

許隨聽到這句話，紅色筆尖在白色的頁面上畫上重重的一道，她穩了穩心神：「妳怎麼知道？」

「眼神啊，妳看他的眼神，還有隨隨，我發現妳看起來挺乖，骨子裡是有點冷的，但在他面前很容易臉紅。」胡茜西說。

許隨以為自己藏得夠好，沒想到還是被看出來了。

喜歡一個人哪裡藏得住？

胡茜西是她為數不多的朋友，而且……有一個可以傾聽的人，她竟覺得鬆了一口氣，畢竟暗戀一個人太辛苦了。最後許隨點點頭：「是，那妳——」

「放心，我一定保密。」胡茜西做了一個拉出膠帶封嘴的動作。

兩人正聊著天，梁爽風風火火地拎著宵夜回來，她朝許隨晃了晃手裡的餐盒：「隨寶，剛去學生餐廳買宵夜的時候，看見有妳愛吃的香菜餡餃子，幫妳買了一份。」

「哇，謝謝。」許隨一臉開心地接過盒子。

雖說許隨暗戀周京澤的事被知曉，可並沒發生什麼變化，因為這個學期即將結束，大家都在馬不停蹄地複習準備考試。

在醫科大，無論許隨起多早，圖書館的位子永遠都被占著，她甚至懷疑這些人是不是住在圖書館。許隨偶爾撿漏，還勉強只能坐到靠著走廊的位子。可走廊的風迅猛又冰涼，許隨坐一次就扛不住了。

胡茜西看著許隨被凍得臉色慘白地回來，一臉心疼：「別去了，我們去校外找個咖啡廳複習吧，我知道有家貓咖，環境舒服，還有好多可愛的貓。」

「好。」許隨點頭。

一提到貓，1017趴在胡茜西腿上，跟黏毛球一樣黏在她身上，頗為不滿地瞇眼：

「喵——」

「喲，」胡茜西蹲下去捏了一下1017的臉，抬頭對許隨說：「要不然我們帶牠去吧，牠也悶壞了吧。」

許隨還沒開口，1017立刻從胡茜西身上滾了下來，像一顆圓滾滾的柳丁，拱到她腳邊，明顯是個看風使舵的主。

「也行。」許隨鬆口。

她蹲下來把胖橘抱在懷裡，寒假她要回家，她媽媽又對貓毛過敏，這可如何是好？

兩人出門時，天空又紛紛揚揚地下起了雪，很輕，像透明的羽毛，目光所及之處銀裝素裹，像進入銀河世界。

她們來到胡茜西說的貓咪咖啡店，推開門，裡面幾乎坐滿了大學生。

大家坐在一起，點杯咖啡，能複習一下午，複習累了還能跟吧檯上的貓玩一下。

幸好還有幾桌空餘的位子，胡茜西去前臺點咖啡，許隨坐在角落的位子，把 1017 從書包裡抱出來。

她以為 1017 要去玩，沒想到許隨剛打開電腦，小貓就順著桌腳跳了上來，胖乎乎的腳掌跟放口袋一樣搭在兩邊，找了個舒服的位置，竟瞇眼打起瞌睡。怎麼會有這麼懶的貓？許隨失笑。

一切都弄好後，許隨全身心投入複習當中，不知不覺中，手邊的咖啡已消失大半。三個小時就這樣過去，許隨伏案久了有些疲倦，她抬手揉了揉僵直的脖子，眼睛不經意地往旁邊一掃，心口猛地一跳，貓呢？

許隨的手撐著桌子往桌底一看，沒有 1017 的影子，往四周看也沒有。許隨語氣焦急：「西西，貓不見了？」

「啊？」胡茜西下意識地往四周看，安撫她，「妳別急，應該還在貓咖裡，我們兩個分頭找。」

許隨點了點頭，貓丟了，她也顧不上臉皮薄的問題了，彎著腰小聲叫著 1017 的名字。許隨在找貓時，還不小心碰倒了鄰桌一個女生的東西，書和筆嘩嘩落地。

許隨將書本和筆撿起，連聲道歉：「不好意思，我在找一隻橘貓，妳有看見嗎？」

女生接過書本，回答：「我剛才看到過，牠好像往靠窗的位置走了。」

許隨道謝完，往西南靠窗的方向走，一邊彎著腰，一邊小聲地「喵——」想引牠出來，最後她看見1017正坐在一個男生的腿上，肚皮翻過來，別提有多愜意。

「喵——1017，快過來。」許隨貓著腰，小聲地喊道。

結果一抬眼，許隨撞上一雙漆黑幽深的眼睛，視線往上移，男生面容英俊，一隻手攬著貓，另一隻手臂撐在桌子上，正有一搭沒一搭地轉著筆。

此時，他正似笑非笑地看著她。

這個人不是周京澤還能是誰？

他正擼著貓，就聽見一聲軟糯的「喵」叫聲，低頭瞇眼看她，多了點俯視的意味，許隨穿著白色毛衣，綁著丸子頭，一雙乾淨的眼睛仰頭看著他，蹲在地上，像匍匐在他腳底下，讓人喉嚨發癢。

周京澤挑了挑眉：「妳的貓？」

「對，我的。」許隨站起來。

周京澤舌尖頂了一下左臉頰，語氣懶散又痞裡痞氣：「我的。」

此刻，1017見勢往周京澤身上拱，他順勢攬住牠，骨節分明的手輕輕地撫摸著她的貓。許隨看著看著忽然羡慕起貓了，同時也在心底罵了句白眼貓。

「你的？」許隨眼神疑惑，頓了頓，態度堅定，「可牠是我的貓。」

坐在對面複習的盛南洲看不慣周京澤這樣逗一個小女生，開口解釋：「這貓是『喂』，京澤三個月前弄丟的那隻。」

許隨一時沒轉過彎來，意思是，她撿的這隻貓是周京澤弄丟的那隻？後面趕過來的胡茜西恰好聽到了這個對話，意有所指道：「別爭了，那就是你們的貓嘛。」

聽到「你們」這個詞，許隨的睫毛顫了顫，沒有說話。胡茜西拉開椅子坐下來，繼續說話：「你們也來這複習啊？」

「對啊，圖書館人太多了，」盛南洲答，「不過來這裡，周大少也太招女生喜歡了，他往這一坐，來了好幾個正點的女生要他通訊軟體的好友。」

「嘖，」胡茜西感嘆一句，指著貓，「不過，舅舅，我沒想到牠就是『喂』。」

「嗯。」周京澤懶懶地應著，抬眸看向許隨：「妳把牠養得挺好的，胖了不少。」

剛撿到牠時，這橘貓還很瘦小，沒想到三個月不見，許隨把牠養得胖得跟球一樣。周京澤聲音低沉又夾著一絲溺人的笑：「放心，妳說了算。」

許隨鬆一口氣，她看周京澤抱著貓，鼓起勇氣開口：「我寒假不能把牠帶回家，你能不能幫忙養一下？」

周京澤正要開口，一個面容靚麗、身材高挑的女生走了過來，她走過來時，長捲髮的髮尾還無意間掃了許隨的臉一下。

許隨在溺死人的香氣中聽見女生大方地開口：「你好，能認識一下嗎？我家裡也有隻貓，純種的，波拉米貓，牠們可以一起玩。」

女生大大方方地站在周京澤面前，許隨坐在一旁垂下眼睫，裝作輕鬆的樣子在摺紙鶴，明明是摺過無數次的紙，此刻卻怎麼也摺不好，她垂下黑漆漆的眼睫，像是較勁般，把它拆開，沿著摺痕重新摺。

周京澤背靠椅子，一條長腿撐地，視線在女生身上停留不到一秒又收回，語氣吊兒郎當又囂張：「不了吧，我家貓比較野，會咬人。」

拒絕之意明明白白，女生失落，聳了聳肩膀，只得離去。許隨感覺自己一顆心從高空中重重落地。

一月底，期末考試順利結束。離校那天，許隨收拾好東西，拉著一個行李箱，帶著貓出現在周京澤家門口。

奎大人一看見許隨就興奮地叫，還搖著尾巴圍著她轉來轉去。前段時間在周京澤家排練，許隨經常會帶牛肉乾、玩具過來，還會陪牠玩。奎大人會有這樣的表現也不奇怪。

周京澤看牠諂媚的樣子直接虛踹了一腳，用手指著牠：「不要忘了誰天天跟在你後面撿屎。」

奎大人「嗷嗚」一聲，戀戀不捨地放下搖著的尾巴，不敢再獻媚。

周京澤把視線移到許隨身上，看到她連貓窩都帶過來了，覺得好笑：「許隨，我以前養過牠，那些東西還沒扔。」

言外之意，她過於擔心了，許隨有些不好意思，周京澤讓她進來，還特地燒了一壺水，自己則從冰箱裡拿出一瓶冰水來喝。

「1017有些嬌氣，牠對花粉過敏，你……多擔待。」許隨叮囑道。

「行。」周京澤答應道。

他仰頭喝了一口冰水，有水順著他的唇角流下來，流到喉結上，弧線分明，看起來冷淡又性感。許隨不好意思再看下去，只好低頭和貓玩。

「今天回去？」周京澤看到她腳邊的行李箱，「妳家在哪？」

許隨笑著答：「江南，一個叫黎映的古鎮，那裡很美，有機會你可以過來玩。」

周京澤點了點頭，擰緊瓶蓋把水放到桌上，漫不經心地道：「在南方啊，離京北挺遠的，怎麼想到跑這麼遠來讀大學？」

當然是因為你啊。

許隨看著他，這句話差點脫口而出，最後她改口：「因為高中就轉學過來了，習慣了，而且，我喜歡下雪天。」

兩人聊了一下，許隨叮囑周京澤照顧1017的注意事項，最後一看時間嚇一跳：「麻煩你照顧好1017，我得趕去高鐵站了。」

許隨急忙起身，拉著行李箱往外走。忽地，一道低沉的聲音喊住她。許隨回頭，發現周京澤不知道什麼時候換好了衣服，黑色衝鋒衣、軍靴，痞氣又透著灑脫的野性。

抬頭，他修長的指尖勾著一串鑰匙：「我送妳。」

「謝謝。」

又是下雪天，周京澤開著車送許隨去高鐵站。車內暖氣開得足，許隨坐在副駕駛座上，白皙的臉頰被蒸出兩朵雲霞。

她看向窗外白色的雪，問道：「你放假通常都會幹什麼？」

周京澤開著車，語氣夾著無所顧忌的意味：「滑雪、高空彈跳、賽車，什麼刺激玩什麼。」

「可這些不是很危險嗎？」

「因為我無所謂，無人牽掛，只能揮霍光陰，想想有天死在一條日落大道上算值得了。」周京澤這話說得半真半假，語調輕鬆。

他是真的認為人活在這世上，獨自來，獨自死，甚至不被人記得，是一件很正常的事。畢竟他媽媽就是這樣的。

周京澤開著車，骨節清晰的手搭在方向盤上，身旁忽然傳來許隨的說話聲：「日出也不比日落差，再等等。」

周京澤怔住，聞言慢慢地笑了：「好。」

「畢竟，你在一名準醫生面前說這些話犯了大忌。」許隨開玩笑道。

車開了近一個小時，他們終於抵達高鐵站。高鐵站來來往往很多人，大廳裡顯示螢幕上的紅色字體顯示許隨乘坐的那趟高鐵即將檢票進站。

臨別，想起有一整個寒假見不到周京澤，許隨心裡空落落的，她抬起眼睫，語氣小心翼翼：「寒假的時候我能看看……貓嗎？」

「行啊，我到時傳照片和影片給妳。」周京澤的語氣散漫。

大廳裡響起工作人員讓乘客檢票進站的甜美聲音，許隨對他揮了揮手，轉身走向進站口。

「許隨。」周京澤喊她。

許隨站在人流裡回頭，周京澤離她有一段距離，他穿著黑色的外套，肩頭還沾著雪花，背後匆匆而過的人群被自動虛化。

一個是神色散漫、氣質出挑的男生，一個是眼底懵懂的女生，兩人的視線在半空中撞上，像自動定焦的照片。

周京澤單手抽著菸，語氣懶洋洋的，薄唇上挑，帶了點弧度：「小許老師，明年見。」

許隨笑了，看著周京澤，慢慢地，唇角的笑容越擴越大。

好啊，明年見。

許隨坐了半天高鐵，又轉了一趟車才到達黎映鎮。回到家時，天色已經昏暗，家門口的燈籠映著暖暖的光，電視裡家庭倫理劇的聲音以兩倍的音量從窗戶的縫隙漏出來。

許隨一邊推著行李進門，一邊對屋子裡笑著喊人：「媽媽，奶奶，我回來啦。」

下一秒，奶奶戴著老花眼鏡駝著背出來，笑咪咪地開口：「一一回來了，快讓奶奶看看。」

許隨放下行李，撲到老人懷裡，使勁嗅了嗅奶奶身上獨有的香味，一種木香，淡淡的，很好聞。

「奶奶，妳身上好香，今晚我要和妳睡。」許隨撒嬌道。

「好好，」奶奶笑笑，拉開她，上下打量自己的親孫女，皺眉，「怎麼變瘦了？」

「您就是太久沒看見我，我在學校吃得可多了，胖了一公斤。」許隨撒了個小謊。怕老人家起疑心，許隨急忙岔開話題：「欸，都六點了，我媽呢？」

「大概留校改作業了吧，得晚半個小時回來。」

許母提前知道許隨會回家，下班時特地去菜市場買了麵皮、韭菜，打算做女兒愛吃的餃子。

回到家，許母洗完手就鑽進廚房裡忙了，沒多久，許隨也進來幫忙了。許隨洗乾淨手拿起麵皮，許母趕她：「去陪妳奶奶看電視。」

「沒事，這點事還累不到我。」許隨開始包餃子。

許母長相溫婉，穿著素色的衣服站在燈光下，臉上始終掛著淡淡的微笑，過了一下，她問：「課業怎麼樣？」

「還可以，這個學期拿了兩個獎。」許隨回答。

許母知道女兒口中的「還可以」是相當不錯的意思，她露出欣慰的笑容：「妳從小就沒怎麼讓媽媽操心。」

許隨低頭包餃子，聞言機械地扯了一下嘴角。

「在學校結交的朋友都還好吧，沒有跟『惡劣分子』來往吧？」許母始終帶著微笑，語氣又帶著試探。

許隨腦海裡出現一張玩世不恭且浪蕩的臉，她心口一跳，搖了搖頭：「沒。」

回到家的日子愜意又舒適，周京澤偶爾傳來一兩張1017趴在沙發上睡覺的照片，許隨心底雀躍，會趁此機會多問幾句胖橘的事。

其實只是為了跟他多聊幾句。

年前，許隨正在家裡幫忙大掃除，把花搬到太陽底下曬，收到了周京澤傳來的訊息：

『1017生病了，渾身過敏，還把自己抓傷了。』

緊接著，周京澤傳來一張1017的照片，許隨點開一看，畫面觸目驚心，貓耳朵上全是血紅的傷口，半乾的血液沾在貓毛上。

許隨眼底露出慌亂，上網查了一下這種症狀，一連傳了好幾則訊息過去——

『牠這種情況持續多久了？』

『麻煩你盡量多看著牠，我怕牠再把自己抓得渾身是傷。』

『你帶牠去寵物醫院了嗎？要不然我現在過去，不對，我在說什麼……』

兩分鐘後，周京澤傳來一句話：『別急。』

明明只是簡短的兩個字，許隨的心卻莫名靜了下來。此時她別的事都顧不上，搬了個小板凳坐在太陽底下，等著周京澤回訊息。

她正盯著手機，螢幕忽然彈出「對方邀你分享位置」的字眼，她眼皮重重一跳，才反應過來周京澤是怕她擔心而分享位置。

許隨點了「接受」，看著他的頭貼在地圖上移動，心底湧起奇怪的感覺。

ZJZ：『早上起來發現的，我現在帶牠去醫院。』

許隨：『好。』

接下來每到一個時間點，周京澤都會傳一句話過來，雖然他的話語很短，語氣冷淡，卻讓人感到安心。

早上十一點，『上車了。』

早上十一點四十，『到了。』周京澤還附了一張寵物醫院大門的照片。

早上十一點五十五，『全身清理。』

中午十二點二十，『在打點滴。』周京澤錄了一段1017趴在病床上閉著眼打點滴的影片，從畫面看，橘貓狂躁暴怒的情緒已經鎮定下來。

許隨看著影片，忽然看到1017把胖乎乎的腳掌搭在他手腕上，周京澤沒有出鏡，但她仍能辨認出那是他的手，根根修長又乾淨，淡青色的血管充滿著禁欲感。

然後鏡頭一晃，又回到了貓身上。

下午一點半，『打完點滴了，醫生說連續來打三天點滴就沒事了。』

許隨在對話方塊裡打字：『謝謝你，你是不是還沒有吃飯，要不然我幫你點外送？』

思來想去，許隨垂下眼，指尖在螢幕上點擊刪除，重新打了一則：『謝謝，好像到吃飯時間了，你是不是還沒吃飯？快去吃飯吧。』

『嗯。』周京澤隔了半個小時才回她訊息。

1017 在周京澤的照顧下，逐漸康復。不過年前一段時間周京澤好像處於忙碌的狀態，一直沒怎麼和許隨聯絡。

許隨有點擔心 1017，又想親眼看看牠，晚上猶豫了一陣，看了時間一眼，九點半，還早，傳了訊息給周京澤：『1017 現在怎麼樣，我能看看牠嗎？』

訊息傳送出去後石沉大海，許隨看了一下，把手機放在桌子上，書桌的燈亮起，她坐在床頭看一本推理小說。

十點半，桌邊的手機響起，許隨撈過來一看，是周京澤打過來的視訊電話，她攥著手機的指尖微微發抖，眼睛眨也不眨地盯著上面的視訊請求，心口慌亂起來。

許隨點了接聽，手機鏡頭切入的畫面是兩道很瘦的鎖骨，像兩道連字號，胸口敞開，隱隱可見男人緊實的肌肉線條向下無限延伸……

她看得臉頰發熱，想再多看一眼時，鏡頭一晃，1017 瞪著眼睛一副暗中觀察的模樣，畫面外傳來周京澤的聲音，他好像翻了個身，聲音是帶了點倦意的嘶啞：『妳看，我繼續睡。』

周京澤的床單是灰色的，1017 在他床上仰著肚皮翻來翻去，一下消失在鏡頭外，一下又出現在鏡頭裡。

他把手機放在一旁，許隨其實還是能從螢幕的邊角看到他。周京澤穿著銀色的浴袍，黑且短硬的頭髮略微凌亂，垂下的眼睫毛濃密纖長，下頷線俐落凌厲。

也就是周京澤睡著了，許隨才敢放心大膽地看他。醒著的周京澤永遠是一副痞裡痞氣的模樣，他是危險的，有攻擊性的，一雙眼睛裡又常常充斥著戲謔。

許隨正撐著下巴看著周京澤發呆，忽地，周京澤很輕地哼了一下，好像在說夢話，他的語氣是從未有過的溫柔眷戀：『我也想妳。』

她的眉心重重一跳，並且很清楚地意識到這句話絕對不可能是對她說的，害怕再聽到什麼字眼，「啪」的一聲，許隨把視訊掛斷了。

掛完電話的許隨眼睛乾澀，垂下眼匆匆去了洗手間洗漱。

次日，周京澤頭疼欲裂地醒來，一放假，約的飯局就越來越多，在聲色犬馬的場所待多了，竟也覺得膩了。

昨晚被人灌多了酒，他匆匆找了個藉口回家睡覺，睡眠斷斷續續，還夢到了他媽，但記憶中，他好像和許隨打了視訊電話讓她看貓。

周京澤按了按眉骨，撈起旁邊的手機一看，竟然和許隨視訊了半個小時。

怕自己說出什麼混帳話，他傳了一則訊息過去：『昨晚我有沒有說什麼？』

許隨收到這則訊息時，很想回：有，你想念的那個人是誰？是哪個女生嗎？

可她怕真得到周京澤親口承認，又承受不住。

最後她什麼也沒回。

大年三十這天，天氣特別冷。許隨和一大家子親戚一起過年，小孩的歡聲笑語令飯桌上的氣氛越發熱鬧。

飯後，許隨坐在沙發上陪奶奶看春節節目，被幾個小孩拉著下樓去放煙火。許隨帶他們點了兩個鞭炮，臉頰被凍得通紅，最後跑上了樓。

許隨披著一身寒氣回來，奶奶看了沒多久電視就去打牌了，大姨和媽媽她們則在次廳裡打牌。

許隨拿著手機登進通訊軟體，收到了幾位朋友的祝福，她都一一表示感謝。許隨拇指滑著螢幕往下拉，停留在備註為ZJZ的頭貼上，點進去，編輯了「新年快樂」的字樣。又退出。

許隨把從別人那裡收到的祝福範本複製貼上到對話欄裡，在一長串看起來像是群發的祝福語中夾雜了她的私心：『儘管新年祝福已經把您的手機塞滿，儘管這四個字不足以表達我激動的心情，儘管這類樸實的字眼司空見慣，但我還是忍不住送上祝福：新年快樂，希望你每一天都能看見日落^_^。』

其實她真正的祝福是——

新年快樂，希望你每一天都能看見日落大道。

沒多久，ZJZ回覆：『許隨，這語言樸實得像第一次飆網啊。』

許隨：『我這叫修辭。』

她還順勢傳了一個米老鼠插口袋的貼圖過去。

許隨坐在暖氣十足的客廳裡打字，她想起胡茜西說周京澤和家裡鬧得很僵，想關心他今年在哪過年，問道：『你現在在哪，吃年夜飯了嗎？』

ＺＪＺ：『吃了，在外公家。』

隨後他又傳了一則訊息：『忽然想看煙火，但這裡好安靜。』

許隨看到這則訊息時，樓下的小孩在院子裡玩得不亦樂乎，嬉笑打鬧聲時不時傳出院子。她腦子裡靈光一閃，意識先於理智跑下去。

為了喜歡的人，她能做任何事。

許隨快步跑下去，迎著寒風向周京澤傳送視訊請求。視訊很快接通，黎映的天空非常美，頭頂布著滿天星，十分漂亮。

院子裡槐樹的黃葉像一彎月亮掛在上面，南方冬天的風濕冷而刺骨，煙火探出牆頭，許隨站在原地有些發抖，把手機轉向天空，聲音溫軟：「新年快樂。」

周京澤原本拿著一罐冰啤酒懶散地靠著欄杆吹冷風，忽地，眼前綻放出一簇又一簇絢爛的煙火，還有小孩的笑聲傳過來。

許隨出現在畫面裡，穿著紅色的棉襖，唇紅齒白，鼻尖被凍得發紅，頭髮披在肩頭，煙火在天空綻放，化作流星拖著長長的尾巴消失在她玻璃珠般的眼眸裡。

一閃一閃，亮晶晶的。

周京澤慢慢站直身體，緩緩開口：『值了。』

許隨在新年到來之際送他一場煙火，讓周京澤忽然覺得，這個無聊、落寞的新年有點意思，是值得去展望的。

新年一來，許隨就迎來了一個「好彩頭」——上廁所時手機不慎掉進馬桶裡，徹底報廢了。

許隨苦惱沒多久就釋懷了，舊的不去，新的不來，更何況這個年她玩得有些忘形了，老師安排的作業和該背的醫學知識一點都沒背，沒了手機更能靜下心念書。要是有什麼事要聯絡的話，她用奶奶的手機就好了。

人一旦脫離網路和社交軟體，做什麼都事半功倍，一天下來，許隨發現自己念書的效率極高。

只是到了晚上時，許隨坐在書桌邊會走神，那天視訊裡周京澤無意識的呢喃，那句「想妳」始終像根軟刺一樣扎在她心上。

一想起就會胸口發悶，透不過氣。

如果有了喜歡的人，為什麼要對她這麼好？會不經意間熱牛奶給她，一向不輕易開口的人卻能在她生日時唱歌給她聽，親自送她去高鐵站，還花心思照顧她的貓，還是說他對每一個女生都這麼好，處處留情。

偏偏放浪不羈、漫不經心的人一旦對妳特別一點，妳就會輕易繳械投降。周京澤的好甚至讓許隨懷疑，他是不是也有一點點喜歡她？

可他隨便一句話又能把人打入地獄。

如果是這樣，許隨很想問他，能不能不要對她這麼好？給她希望又落空，那她情願站在遠處喜歡他。

這個想法常常縈繞在許隨心頭，一旦產生了，怎麼樣也揮之不去。許隨忍不住想去問一問周京澤。

她猶豫好幾天，最終決定問一下。

因為許隨感覺喜歡他的心要藏不住了。

年初十那天，許隨背了一天的書，「周京澤」三個字時不時擠在一堆醫學公式裡。

下午四點，冬日的陽光從窗臺的一角傾斜下來，細碎的光斑落在書桌上。許隨手機壞了，只好拿奶奶的手機傳訊息給周京澤。

她實在過於緊張，指尖微微顫抖，長呼幾口氣後在手機上打了一大段話，最後又覺得矯情，她全部刪除，自暴自棄地傳了一則訊息過去：『你能不能不要對我這麼好？』

這次周京澤的語氣是她沒見過的溫柔：『不是妳對我比較好嗎？』

許隨看到這則訊息時心口一窒，難道他一直都知道她的心思？她垂下眼，繼續打字：『也沒有……』

五分鐘後，周京澤帶著一股縱容回道：『行了，上次妳要的東西我託人幫妳買了。在外面照顧好自己，妳那邊挺晚了吧，早點休息，晚安。』

許隨看到這一則訊息，大腦一片空白，意識混亂起來，直接問他：『你在說什麼？我這裡沒時差啊。』

三分鐘後，許隨收到他的回覆，隔著螢幕都能感覺到他冰冷和不耐煩的語氣：『妳誰？』

周京澤從來沒有用這種語氣跟她說過話，許隨看到這兩個字，人都愣了，急忙解釋：『我是許隨，我記得我跟你說過我的手機前幾天壞了。』

也怪她，剛才太緊張，用奶奶的手機傳訊息給周京澤，忘了先說一句她是許隨，周京澤剛剛好像把她當成別人了。

周京澤回得很快，充滿戾氣與冷漠，壓著幾分明顯的火氣：『妳不是賽寧？她最近一直拿室友的手機跟我聯絡，所以妳現在告訴我，情緒用錯了對象？』

周京澤每一個字都充斥著不耐煩和隱隱的火氣，一個烏龍，她用了未知的號碼傳訊息給周京澤，他以為許隨是賽寧，所以一直用溫柔的語氣回她。

「妳誰」、「她」、「用錯」，每一個字眼，以及他口中蹦出那個好聽的女生名字賽寧，都在明晃晃地提醒她——

他之前對妳好只是客套而已。

妳對他來說最多算勉強排得上號的甲乙丙丁。

他不喜歡妳是事實。

這個訊息烏龍，讓許隨覺得自己很可笑，她眼睛直直地盯著螢幕直到眼睛發酸，一滴晶瑩的眼淚砸在螢幕上，迅速模糊了視線，她快速用手指擦了擦螢幕上的水珠，傳送訊息：『對不起。』

像是自我防備，怕再受到傷害般，許隨傳完訊息後就把周京澤的電話號碼封鎖了。

元宵節一過，大學生陸續返校，許隨離開黎映鎮那天，媽媽和奶奶用特產塞滿了她的行李箱。

許隨哭笑不得：「媽，我吃不了那麼多。」

許隨說著就要去把行李箱裡一些特產拿出來，許母拍開她的手，重新拉好拉鍊，語氣嗔怪：「誰說是給妳吃的？分些給妳室友，讓她們對我女兒好點。」

「我室友都很好，但還是謝謝媽媽。」許隨笑著說。

許母送許隨去高鐵站的路上，說的無非是讓她注意身體、按時吃飯、有事就打電話之類的話。

許隨站在高鐵站門口，語氣嚴肅：「我現在就有事。」

許母神色擔憂，拉著她：「哪裡不舒服，要不要現在去醫院看看？怎麼了？」

「耳朵起繭子了。」許隨接過自己的行李說道。

「妳這孩子。」許母輕輕地擰了她手臂一下，猶豫一下，還是說出口，「一一，回到學校要記得好好念書，記住媽媽對妳的期望，妳現階段最重要的是學業，戀愛可以等畢業後再談。」

這句話許母藏在心裡很久了，當媽的最了解自己的孩子，她早察覺出許隨的反常了。明明過年前她還心情雀躍，時不時盯著手機，現在卻失魂落魄，經常神遊。

這個年紀的煩惱，除了學業，無非與感情有關，許母一向對自己的小孩嚴厲，她還是希望許隨能把心思放在學業上。

提到戀愛，許隨想到了某個名字，眼睛一瞬間黯淡下來：「知道了，媽媽。」

回到學校後，許隨拖著行李箱進寢室，一打開門，梁爽正在陽臺上澆花，而胡茜西照例戴著一副黑框墨鏡指揮著幫忙搬行李的男生。

一切都那麼熟悉。

「我回來了！」許隨笑著進來。

「寶貝，想我了嗎？」胡茜西摘了墨鏡撲過來。

「嗯——」許隨溫軟的聲音拖長，語氣一轉，「其實還好。」

胡茜西立刻搔她胳肢窩，許隨笑著躲開，兩個人鬧作一團。

她們休息半天，然後各自去班上上晚自習。

發了課表、領了新書後，許隨發現大一下學期的學業明顯更重了一些。許隨暗自下定決心忘記那個人，打算逃離「周京澤」這三個字的魔咒。

新學期開學以後，許隨每天把自己的時間安排得很滿，不是上課，就是躲在圖書館、天臺念書，忙到讓自己沒有時間去想他。

她依然沒有買手機，有什麼事她會用筆電登QQ，反正班裡說事不是在QQ上，就是寄郵件。

許隨不知道自己在躲避什麼，有時候登QQ，她會看到周京澤的頭貼亮著，但都是忙碌的狀態，應該是去打遊戲了。自她高中偷偷加他QQ起，他的頭貼大部分時間是灰色的，極少會有亮的時候。這就像他人生大部分時間與她不相關，出現在她世界裡的彩色只是短暫的。

她甚至懷疑，周京澤根本不知道她高中的時候偷偷加過他。對他而言，她只是躺在聯絡列表裡的一個陌生人而已。

室友也發現了許隨的變化，梁爽被她弄得感覺自己特別不務正業，加上背書的艱難，她不得不天天跟著許隨去圖書館，回寢室背書。

梁爽坐在床上塗指甲油時，想起什麼，問道：「隨隨，今天上課老師抽背人體器官圖，只有妳一個人背出來了，背書對我來說好難啊，可妳看起來很輕鬆，有沒有什麼招教教我？」

「有啊，妳下來。」許隨坐在書桌前說道。

梁爽立刻爬下床，許隨坐在椅子上，翻開書，從筆袋裡抽出一支紅色記號筆，溫聲說道：「比如妳看人體圖解，我們可以先過一遍，然後用思維導圖，細分到骨頭的形態標誌，神經導向……」

梁爽聽著聽著走了神，從她這個角度看，許隨用一根鉛筆隨意地綰起蓬鬆的長髮，散亂的幾縷頭髮貼在白皙的臉上，嘴唇像櫻桃，又紅又水潤。

「梁爽，妳有在聽嗎？」許隨好脾氣地問道。

梁爽回神，立刻道歉：「哎呀，隨寶，妳太好看了，剛才有一點走神，妳重新說。」

許隨只好重新跟她講，說到脈管走向時，胡茜西一臉失魂落魄地進來。梁爽順嘴問了一句：「怎麼了？」

「路聞白也太難搞了，我說我要追他。」

「嗯，然後呢？」

「他讓我做夢！」胡茜西氣憤地道。

「別傷心了，臭男人什麼也不是。」梁爽安慰他。

「說得對，給妳按讚！」

胡茜西的情緒來得快，去得也快，她坐在椅子上玩著手機，忽然轉頭對許隨開口：「隨隨，他們說等等出去吃飯，妳去嗎？周京澤也在。」

許隨正用記號筆在書上記著筆記，聞言手肘一偏，紅色的記號筆在人體圖解上畫出長長的一道，直指心臟的器官圖解。

她垂下眼：「不去了，晚上我還有事。」

起初許隨還能用這樣的藉口搪塞胡茜西，久了，胡茜西覺得不對勁，問她：「你們怎麼了？是不是我舅舅欺負妳了？我去揍他。」

「不是，鬧了個小烏龍，西西，妳別管啦，」許隨笑道，她岔開話題，「這學期課業比較多，真的好忙，我都想轉動物醫學系了。」

「唉，我們也很苦的好嗎！天天在校區裡抓野貓治病，牠們一見我們就逃。」胡茜西吐槽道。

「欸，說起野貓，1017還在我舅舅那嗎？」胡茜西問道。

許隨點點頭，開學以來，她也沒去周京澤那要回 1017，反正那原本就是他的貓。她再沒參加過他們的活動，「周京澤」這三個字被她藏到了心底某個隱匿的角落。許隨經常去圖書館，倒是沒想到在那多次遇到師越傑，一來二往，兩人熟稔起來，關係到了可以一起去學生餐廳吃飯的程度。

週五下課後，許隨忽然想吃校外小攤販的關東煮，她抱著書本一個人急匆匆地走出校門。三月中旬，春風料峭，唯一不同的是校外的柳樹開了花，風一吹，紛揚的柳絮落在肩頭。許隨外帶了一份關東煮，付完錢後，她轉身不經意地抬眼，周京澤站在不遠處的人群中，許隨一眼就看到了他。

周京澤穿著一件黑色的薄外套，頭髮更短了，貼著頭皮，襯得眉眼更為漆黑凌厲。他咬著一根菸，站在人群中間，不知道和人談到什麼，露出一個輕佻又散漫的笑容。

有風吹過，他指尖的菸灰簌簌地落下來。

一旁的盛南洲顯然也看到了許隨，還推了推周京澤的肩膀。周京澤低下頭，旁邊有人遞火過來，他攏著手擋風，又點了一根菸。

猩紅色的火花躥起，他的眉眼懶散，聞言極快地挑了眉梢，菸點好後，他重新與人談笑風生，全程沒有分一個眼神給許隨。

近一個月沒見，許隨覺得，沒有她，他的生活沒有發生任何改變，依然光芒萬丈。

許隨從他身上收回視線，垂下眼，提著一份關東煮匆匆朝校門口的方向走去。風直直吹來，弄得她眼眶發澀，睜不開眼。

暗戀是為你翻山越嶺，你卻與我無數次擦肩。

你是我從未得到的風景。

第九章　他說——我們一一

「我們一一是打算不理我了嗎？」

「你怎麼知道我的小名？」

「妳名字還挺好聽。」

自從上次在校外意外遇見周京澤後，許隨為了不讓自己再遇到他，減少了往外跑的次數。

可是有些人，妳越逃離，越能看見他。

四月中旬，學校與京北醫科大學第一附屬醫院有一個合作專案，是一個志工活動，向大一新生徵集醫務社工，對醫院的特殊人群進行服務、救助等工作，時間為一週。

許隨看了一下報名條件就報名了。第一天，她險些遲到，穿好衣服，拿了一塊麵包就匆匆出門了。

她一路乘公車到市醫院，一下車，看見不遠處烏壓壓的人群，慌張地跑過去，喘著氣說：

「不好意思，來遲了。」

人群中央站著一個男生，穿著白襯衫，背脊很直，背對著許隨，拿著資料夾正在點名。許隨看背影覺得有點熟悉，對方一轉身，她就傻眼了。

師越傑拿著藍色資料夾佯裝敲了她一下，動作溫柔，笑著說：「還不快站到隊伍裡。」

點完名報數時，師越傑站在正前方，早上的陽光有些刺眼，他瞇著眼看向眼前的隊伍，許隨站在最旁邊，穿著蘋果綠的休閒衣、淺藍色的牛仔褲，黑髮綁在腦後有些淩亂，她不停地用手搧風，白皙的臉頰鼓起來，像小金魚。

點完名後，師越傑發了分組名單給他們，他們各自乘坐交通工具去需要的地方服務，有的去醫院，有的去養老院，而許隨要去的是孤兒院，幫患病的孤兒做心理輔導。

許隨在孤兒院待了一天，了解到一個患有先天心臟病的小孩因為成長環境，心理陷入憂鬱狀態，她在地上畫畫，畫的城堡是封閉的，一扇門都沒有。

「這座城堡為什麼沒有門？」許隨摸了摸她的頭，溫柔地問道。

小女孩回答：「因為壞人把門關上了。」

許隨拿出樹枝幫城堡畫了一扇門，唇角翹起：「看，有門了。」

「壞人把門關上了的話，我們可以幫自己創造一扇門。」許隨說完這句話怔住，似乎想起了什麼，陷入沉思。

一天的醫務社工服務結束後，許隨乘坐公車回了學校，沒想到一下車就碰上了同樣結束志工服務活動的師越傑。

兩人相視一笑。

師越傑走過去，遞了一盒牛奶給她。許隨接過，把吸管插進銀色的薄膜口裡，開口：「謝謝。」

兩人並肩走在校園的走道上，師越傑關心道：「感覺怎麼樣？今天累嗎？」

「感覺挺不錯的，」許隨點頭，想了一下，「一點點累。」

「那就好。」

隨後師越傑和她分享了自己一天的服務經歷，困難的地方輕描淡寫揭過，講了幾件有趣的事。許隨聽得專注，時不時露出笑容。

許隨咬著牛奶吸管，乾淨的眼睛裡透著疑問：「我沒想到你是這次活動的負責人，學長，大三了，你不忙嗎？還是說職位越高，負責的就越多？」

「忙，我本來想拒絕，」師越傑看著她，語速很緩，「但我在名單上看到了妳的名字，就決定來了。」

許隨怔住，她正喝著牛奶，嗆了一下，喉嚨一時沒順過來，劇烈地咳嗽起來，咳得眼眶裡蓄滿了眼淚。

師越傑下意識地抬手，手掌在與她距離只有兩公分時停住了，最後輕輕拍她的背，溫和地笑笑：「我嚇到妳了嗎？這件事妳不要有負擔。」

周京澤剛結束訓練趕到他們學校，就碰見了這一幕。正值四月，學校的玉蘭花大片大片地競相開放，他們兩人站在樹下，姿態親暱，帶著濕氣的風吹來，將甜膩的香氣送到他面前。

他瞇了眼冷笑一聲——看起來還挺配。

許隨好不容易順過氣來，感到一道灼熱的視線落在自己身上，一抬眼便看到了不遠處的周京澤。

他穿著灰綠色的訓練服，單手抽著菸，下頜線弧度俐落，目光筆直地看向她，眼底翻湧著情緒。

直接的、漠然的、充斥著欲望的。

許隨的心尖一顫，視線交會間，她匆匆移開眼，不敢再去看他。

顯然，師越傑也看到了周京澤。他今天跟許隨坦白自己的心意絕非偶然。

那次許隨被誣陷作弊，他幫忙調查還了她一個公道。那件事看起來是他贏了，可不知道周京澤用了什麼方法，竟然能讓那女生直接跟許隨道歉，師越傑就知道自己輸了，他比不過周京澤。周京澤就是這種人，比起公正的方式，他更喜歡用自己的處理方法，告訴師越傑，我就是比你行。

可這段時間，師越傑看到許隨身邊沒有周京澤，她也沒有經常往外跑了。他打算抓住這次機會，坦誠自己的心意。畢竟喜歡一個人，沒什麼齷齪和可恥可言。

師越傑主動走到周京澤面前，語氣溫和：「京澤，找我什麼事？」

周京澤把嘴裡的菸拿下來，聽後嗤笑一聲，聲音冰涼：「誰說是來找你的？」

兩人對視，有一種劍拔弩張的暗流在他們之間湧動。許隨站在師越傑身後，逼自己不去看向那個人。

因為她一看到他就難過。

就在兩人間氣氛緊張無法鬆動時，許隨捏緊牛奶盒的一角低頭匆匆從周京澤身邊經過。晚風吹拂頭髮，一縷髮絲不經意蹭到周京澤的鼻尖，很淡的山茶花香味，又一帶而過。

周京澤回頭，盯住跑得比兔子還快的背影，瞇了瞇眼：「許隨。」

許隨的腳步一頓，又抬腳頭也不回地離開了。

周京澤才知道，這女孩生氣了，並且比他想像得嚴重。

這個學期許隨一直在幫盛言加小朋友上課，只不過她把時間調到了週五，是為了避免遇到周京澤。

結果週五下午，盛言加神祕兮兮地傳了訊息給她，讓許隨早點到。許隨不疑有他，來到盛家幫盛言加上了兩節數學課，安排兩個作業後，照例摸了摸小鬼的頭：「老師走了。」

「哎，小許老師，今晚在我家吃飯吧。」盛言加拉住她。

「飯就不吃啦，老師最近在減肥。」許隨撒了一個謊來搪塞盛言加。

小捲毛立刻趴在桌子上，神色懨懨地說道：「可今天是我生日。」

「你生日——你怎麼不提前說？我什麼也沒準備。」許隨大為吃驚。

這時，盛母推門而入，她今天特地打扮了一下，水煙盤釦旗袍，兩個翠綠的耳墜襯得膚如凝脂，大方又有風情。盛母的熱情洋溢在臉上，忙說：「小許老師，妳就留下來吃飯吧，什麼也不用準備，妳要是不留下來，這小子該怨我了。」

許隨對上小鬼祈求的大眼珠，只好妥協，盛情難卻，最後點了點頭。盛言加立刻從椅子上跳起來，邀請她：「老師，下樓玩唄，我請了很多同學，還有我哥，京澤哥他們也在。」

聽到某個名字，許隨眉心一跳，她開口：「你先下樓玩，老師想休息一下，我能玩一下遊戲機嗎？」

「當然可以，小許老師，我先下去啦。」盛言加說道。

他們下樓後，許隨坐在房間的軟地毯上，沒多久，聽見樓下傳來嘈雜的聲音，有說話聲和哄笑聲。

其中一道接近金屬質地的聲音，夾雜著散漫的語氣，她一下子就辨認出來了。

許隨斂了斂心神，握著遊戲手把，將注意力集中在遊戲上。她很久沒玩遊戲了，一碰上這種競技求生類的遊戲，骨子裡就隱隱透著興奮感，她一路通關，做任務。

胡茜西推門進來時，看見的就是這一幕，許隨頂著一張乖軟的臉，眼睛一眨不眨地殺兵拿血，瓷白的臉上掛著淡定。

「這操作好凶殘，寶貝，大家就是被妳的長相騙了才覺得妳乖的。」胡茜西拍了拍她的腦袋，「隨寶，下樓吃飯啦。」

許隨盤腿坐在地上，黑眼珠盯著大螢幕未動彈，十分專注，聲音含糊：「妳先去，我打完這一把。」

太久沒玩了，有點上癮。

胡茜西下樓後，許隨這一局打得有些久，她拿下敵人的最後一滴血後，不經意地抬眼看了時間，心底一驚，急忙下樓。

許隨下樓時，發現人已經坐得差不多了，只有一個座位了，正好是那人旁邊的空位。那人背對著她，穿著黑色的短袖，懶散地背靠椅子，正在拆桌面上的糖，後頸的棘突顯得冷淡又勾人。

盛言加被幾個小朋友圍在中間笑得開心，他看見許隨，生怕她聽不到一樣，扯著嗓門喊：「小許老師，快過來。」

許隨只好硬著頭皮走過去，坐在了周京澤旁邊。從落座開始，許隨就跟著大家鼓掌微笑，努力不讓自己去看旁邊的人。

周京澤一臉輕鬆，懶散地坐在那裡，笑得肆無忌憚，還有興趣去逗盛言加，差點把他氣哭。

兩人靠得近，偶爾手肘不經意地碰到，他的手肘骨節清晰分明，又硬得有些硌人，只是一瞬，感覺卻很明顯。

許隨心底一陣顫慄，急忙挪開。

許隨坐在他旁邊，他身上的薄荷味飄來，一點一點，沁到跟前，躲不掉，她只好專注於眼前的食物。

京北人吃得比較偏甜口，許隨嗜辣，一桌菜轉下來，只有一盤麻婆豆腐比較合她的口味。在場的小朋友更是挑食鬼，總玩餐桌轉盤，她想夾這道菜時，這菜就咻地從她面前飛過去了。

眼看菜就要轉到許隨面前了，下一秒，轉盤動了起來，她在心底嘆了一口氣，把筷子縮了回去。

周京澤坐在一旁，正漫不經心地和旁人聊著天，後腦勺跟長了眼睛一樣，他的右手臂弓起，手臂線條流暢又好看，手掌直接撐在玻璃轉盤上，盛言加怎麼扯都扯不動。

盛言加總感覺周京澤喜歡跟他作對，感到十分委屈：「哥，你幹嘛？」

周京澤抬起薄薄的眼皮睨了他一眼，慢悠悠地發問：「夾菜不行啊？」

盛言加怕死他哥這樣看人，眼神平靜，他卻感覺有事後要被揍的意味。小捲毛果斷鬆手，狗腿地說：「沒事，您夾，我再也不敢亂轉了。」

周京澤隨意地夾了麻婆豆腐旁邊的一道菜，許隨也順利地吃到了她想吃的菜。

飯到半席，許隨吃得有點嗆，正要找水時，一隻修長、皮膚冷白的手端著一杯水，手背淡青色的血管明顯，虎口黑色的痣明晃晃地出現在眼前，一杯水出現在她旁邊。所以他剛才那樣做是為了她？

許隨不敢抬頭直視他的眼睛，輕聲說了句：「謝謝。」

頭頂響起一道意味不明而散漫的輕笑聲，尾音長又低沉，許隨感覺脖頸在發癢，熱熱的。

吃完飯後，是切蛋糕許願的環節，盛言加在大家熱鬧的祝福中，成功地吹滅了十一根蠟燭。

周京澤出手大方，直接送了他一套成人高的限量版漫威人物模型。大家紛紛送上自己的禮物，許隨空著手有些不好意思：「老師下次補上，生日快樂，盛言加小朋友。」

「那妳不能忘了哦。」

「一定。」

等盛言加生日過得差不多了，許隨偷瞄時間一眼，快十點了，胡茜西也過來找她：「我們是不是該回去了？現在回去都快到宿舍門禁時間了。」

「嗯，妳先等我一下，我的東西還在樓上。」許隨點頭。

說完後，許隨匆匆跑到樓上盛言加的房間收拾自己的東西，把筆、書、鏡子之類的東西一股腦兒裝進包裡。

許隨邊收拾東西邊發呆，她抱著書包一轉身，猝不及防地撞上一個堅硬的胸膛，仰頭，對上一雙漆黑不見底的眼睛。

他眼底霸道又充斥著莫名的情緒，像一頭野獸，隨時能把她吞下。

許隨心口一緊，抱緊了胸口的書包，側著身子往另一邊走，周京澤拎著紅白相間的外套，臉上掛著紈褲的笑，也懶散地跟著抬腳，堵住她，不讓許隨走。

許隨抿緊嘴唇，她往左，周京澤跟著往左，她往右，他也跟著往右。

他的表情始終是吊兒郎當的，臉上還掛著笑，一副逗貓的架勢。

周京澤側著身子堵在許隨面前，眼睛緊鎖著她，開口：「談談。」

許隨不想把那件事重新剝開來，又去面對那時周京澤對她的冰冷、不耐煩，她只想著逃避：「我還有事。」

她說完趁著周京澤不注意，就往旁邊走了。周京澤反應很快，向後退兩步，直接堵在了門口。

許隨要走，周京澤抬手攥住了她的手腕，用力收緊，垂眸看她，不滿地瞇了瞇眼：「躲哪？」

他的手攥住她的手腕，溫熱的皮膚貼上來，許隨想掙脫，他卻攥得更緊，不自覺用了一點力。

周京澤倚在門框上，慢慢貼過來，頭頸低下來，兩人離得很近，他的語氣遊刃有餘，聲音透著霸道和強勢：「我不想讓妳走，妳能走？」

許隨別過臉，沒有說話，周京澤以為她會就此妥協，正要好好跟她談話時，一滴晶瑩又滾燙的眼淚落在他手背上。

莫名燙了他心口一下。

周京澤低頭一看，發現他攥得太用力，許隨白皙的手腕起了一圈紅印。周京澤立刻鬆開手，發現她的眼睛發紅，他心底起了一種類似於慌亂的情緒。

許隨得到自由後，抱著書包匆匆向前，周京澤忽然開口，聲音低沉且認真：「對不起。」

聽到這話後，許隨跑著的腳步一頓，停了下來，沒多久她還是跑開了。

周京澤這幾天無論是上課還是集訓，腦海裡總是出現那天許隨哭的模樣，眼睛、鼻尖都是紅紅的，沾著淚，乾淨的眼眸裡寫滿了委屈。

每次想起這雙眼睛，周京澤都覺得自己特別不是人。

週三下午，陽光大好，一群年輕的未來飛行員穿著灰綠色的常服正在操場上整齊劃一地進行體能訓練，像一大片奔湧的綠色海浪。

盛南洲剛做完五十個來回的懸梯訓練，趴在操場單槓上喘得跟狗一樣。周京澤嘴裡咬著一根狗尾巴草，雙手插著口袋，抬腳踹了盛南洲一腳，聲音有些含糊不清：「問你件事。」

盛南洲翻了個身，爽快地道：「問吧，你洲哥知無不言，言無不盡。」

周京澤斟酌了一下措辭，猶豫道：「如果你做了一件錯事，要怎麼跟人道歉？」

「很簡單啊，請人吃飯，」盛南洲打了一個響指，得意地道：「如果一頓不行，那就兩頓。」

周京澤看向盛南洲的眼神冰涼，他收回在這傻子身上的視線，徑直離開了。

「這事我最有經驗了，別人不說，就說西西吧，哪次她生氣不是把我的口袋吃得比臉還乾淨……」

盛南洲還在那侃侃而談，他講了半天發現沒人理，一回頭發現人早就走了！

「你這人什麼態度！」盛南洲不滿地道。

許隨這幾天發現胡茜西跟以前比有了點變化，變得比以前更愛打扮了，拿個飯盒去學生餐廳打飯都不忘把自己打扮得光彩照人。

傍晚兩人在學生餐廳吃完飯，走在校園的道路上。涼風習習，天邊橘紅的火燒雲壓得很低，夏天好像總是很快來到。

「隨隨，週末妳有空嗎？」胡茜西問道。

「怎麼了？」許隨問她。

「陪我去看個籃球賽唄，京航的校籃球比賽。」胡茜西說道。

許隨眉眼驚訝，覺得有點不對勁：「妳怎麼有興致去京航看比賽了，為了幫盛南洲加油？」

「我吃飽了撐的嗎？」胡茜西當場「呸」了一下，隨即想起什麼，又不好意思起來，「是我打聽到路聞白會在那兼職啦，應該是籃球比賽的冠名贊助商請的兼職生。不懂他為什麼四處做兼職……哎，而且一個破籃球比賽還要什麼門票，還是內部發放的，我去哪要票？」胡茜西神色苦惱。

許隨明白了胡茜西的目的，有意逗弄她，笑得眼睛彎彎：「原來妳這是空手套白狼啊，那我得查看一下我的行程了。」

「嗯——可能沒時間。」

「要死啊妳。」胡茜西惱羞成怒，開始當眾搔她癢，許隨笑著側開身子躲，還是沒躲開她的魔掌。胡茜西問道：「還敢不敢開我玩笑了？」

「不敢了，我錯了。」許隨立刻求饒。

胡茜西鬆手後，許隨立刻向前跑了，發出清脆的笑聲：「我下次還敢！」

傍晚，梔子花的清香流連在兩個女孩追逐打鬧的身影上，一長串嬉笑聲迴盪在校園上空。

週四，許隨在寢室裡念書，一個隔壁寢室的人進來找胡茜西拿東西，胡茜西搬了小板凳去搆櫃子，在裡面翻找。

女生在等待的間隙和她們聊八卦，語氣震驚：「我的天，京航飛院的周京澤居然在我們宿舍底下等人，我剛路過瞄了一眼，也太正了。」

「我小舅啊？」胡茜西嗤笑一聲，語氣尋常，「還好吧。」

話一說完，梁爽拿完快遞風風火火地闖進門，聲音激動：「周京澤居然在樓下，我靠，他也太招搖了，人往那一站，就有好幾個女的去要他好友了。」

「不過他來我們宿舍樓下幹嘛，不會又看上了哪個女生吧？還是來找妳的，西西？」梁爽話鋒一轉。

胡茜西「嘁」了一聲，然後從板凳上跳下來，下意識的話脫口而出：「找我，他要使喚我不是一通電話的事？他就是——」

「過來找哪個女的」這後半句話，胡茜西朝右手邊的人看了一眼，憋回去，改口：「有可能，他閒得慌的時候會這樣幹。」

許隨長長的睫毛顫了顫，全程沒有說過一句話，繼續看書。

話剛說完，胡茜西的手機鈴聲響了，她看了來電顯示一眼，神色狐疑地走到陽臺上接聽電話。

沒過多久，胡茜西折回寢室，喊她：「隨隨。」

「嗯？」

「周京澤在下面等妳。」胡茜西朝她晃了晃手機上面的通話紀錄。

胡茜西話一說完，寢室其他女生的吸氣聲此起彼伏，隔壁寢室的女生一臉驚嘆：「周京澤欸，他來找妳！」

「隨隨，我靠，周京澤是不是看上妳了啊？」梁爽立刻反應過來。

明知道周京澤來找她是因為那件事，可是聽到梁爽的玩笑話，許隨的心還是不可避免地狂跳了一下。

「不是。」許隨還是出聲否認。

隨即她看向胡茜西，正要說「我不想去」，胡茜西一看她的眼神，立刻接話：「他說妳要是不去，他就等到妳下去為止。」厲害了，這確實是周京澤的作風，不達目的不甘休。

許隨只好下樓，她跑下去時一眼就看到了不遠處站在宿舍大門口的周京澤，一副懶散的模樣，低頭按著手機，漆黑的眉眼壓著幾分戾氣。

來往經過的女生都忍不住偷看周京澤一眼，然後紅著臉和同伴小聲討論。

許隨一路小跑到周京澤面前，光潔的額頭上沁了一層亮晶晶的汗，她不喜歡被太多人圍觀，下意識地扯著周京澤的衣袖走到宿舍門外的榆樹下。

風一吹，樹葉嘩嘩作響，抖落一地細碎的金暉。周京澤雙手插著口袋，站在影影綽綽的樹蔭下，他的肩頭落下一片陰影。

周京澤脖頸低下來，挑了挑眉，似笑非笑地看向她的手，纖白的手指正抓著他的衣袖，許隨臉莫名一燙，立刻鬆手，平復氣息後問道：「你找我什麼事？」

這句話提醒了周京澤，他微微斂起了笑意，語氣吊兒郎當地說：「沒事就不能找妳了嗎？」

許隨抿了抿嘴唇沒有接話，周京澤繼續開口，咬了咬後槽牙：「我打過電話給妳，也傳了訊息。」

但均無回覆，周大少生平第一次被晾在一邊。

「過年的時候我不是跟你說過嗎？傳錯訊息這件事是因為我手機壞了。」許隨不願意提起那件事，但還是說了出來，解釋道：「回到學校還沒買新手機。」

說完這句話後，兩個人都沉默了，周京澤更是想起了自己之前幹的混帳事。許隨的腳尖向外移，說道：「沒什麼事我先走了。」許隨站在他面前，眉眼低垂。

對上這張乖得不行的臉，周京澤感覺自己點了個啞炮，還顯得自己特別渾。

忽地，周京澤瞥見她髮頂沾了一瓣蒲公英，手指垂在褲管邊，喉嚨一陣發癢，指尖動了動後又插回褲子口袋裡。

「行，那妳回去記得看訊息。」

「嗯。」

許隨回去之後還是沒有去買新手機，不過她打算週末去看新手機，因為她要是再不買新手機，媽媽和奶奶聯絡不上她，該擔心了。但一直有個問題縈繞在許隨心中，周京澤是什麼意思，打算和好嗎？

隔天晚上，許隨剛從洗手間洗完澡出來，一邊側著頭一邊用白毛巾擦著滴答往下滴水的頭髮。

胡茜西把手機遞給她，對她擠眉弄眼：「喏，周京澤電話。」

許隨心一緊，從書桌上抽了一張紙巾擦乾淨手再去接電話。她走出寢室，站在陽臺上打電話。

五月的風涼涼的，天空中的幾顆星發出熒熒微光，往樓下一看，晚歸的女生趿拉著拖鞋，白藕似的手臂挎著一個白色塑膠袋，裡面裝著幾根雪糕，一樓水池裡的水開得很大，她們嘻嘻哈哈地從水池面前經過。

『是我。』周京澤低啞的聲音透過聽筒傳來。

許隨把手機貼在耳朵上，同時用毛巾擦了擦頭髮，應道：「在。」

『報數嗎妳？』周京澤發出輕微的哂笑聲，接著他好像點了一根菸，聽筒裡傳來打火機清脆的哢嚓聲。

周京澤吐了一口氣，聲音帶著顆粒感：『妳不是想來看比賽嗎？明天妳出來，我留了兩張票給妳。』

比賽？籃球比賽？許隨心生疑惑，她什麼時候說過想看籃球比賽了，除了西西，一想起她，許隨頓時就明白了怎麼回事。

「我沒有想去，是西西——」

下一秒，周京澤低沉又沙啞的聲音透過不平穩的電波傳來，鑽進許隨的耳朵裡，發癢且撩人：『妳就當是我想妳來。』

許隨穿著白色的棉質吊帶連身裙，裸露出兩條纖細的手臂，她的頭髮被風吹得半乾蓬鬆起來。

晚風吹來，她應該要感覺冷，可是此刻，許隨感覺自己整張臉都在發燙，脖頸處突突地跳著，血管很熱，人也是燥熱的，以至於她稀里糊塗掛了電話，回到寢室把手機還給胡茜西時忘了找對方算帳。

他總是喜歡這樣，隨便一句話就能擾亂她的心弦。

週六下午五點，許隨按照周京澤說的，準時出現在學校不遠處的噴泉廣場上。

許隨穿著一件水藍色的裙子站在噴泉處，有幾滴水濺到她小腿上，她往前走了幾步，下意識地四處張望，但沒等到來人。

許隨左等右等，等得小腿都有點發酸，這時噴泉恰好停了，她坐在花壇上，感到有點無聊。許隨決定再等十五分鐘，如果人還沒來，她就直接走了。

她正發著呆，倏地，眼前出現一個小女孩，穿著白色的及膝襪，留著一頭漂亮的捲髮，眼珠是棕色的，問她：「妳是許隨姐姐嗎？」

「我是，怎麼了？」許隨笑著回答。

小女孩正背著手，聞言變出一個綠色的捲心菜娃娃，她遞給許隨。許隨神色詫異，用手指了指自己，問道：「給我的？」

小女孩點了點頭，奶聲奶氣地開口：「剛才有個哥哥叫我給妳的，他還有話讓我問妳，但……我想不起來了。」

小女孩說完後把捲心菜娃娃塞到許隨懷裡，然後一溜煙跑開了。廣場上人來人往，許隨抱著捲心菜娃娃，盯著它的笑臉，眼睛有點酸。

原來他一直記得。

被人記得的感覺是不同的。

許隨從小記得，父親因為那個意外去世之後，媽媽不想讓那些人戳脊梁骨，對她的教育非常嚴格，大部分時間，她不是在做作業就是在看書。和朋友去KTV是學壞，出去玩念書會分心，假期想要去玩對她來說是冒險的溜冰，許母不會責備她，而是以一種非常疲憊的語氣說：「以後再去，現在最重要的是念書。」

因為搬家，捲心菜娃娃被丟了以後，許隨曾經提出想買一個新的，媽媽說等她考到年級前三，就買一個給她。最後許隨努力考到了年級前三，許母也如應允的那般，在飯桌上遞禮物給她。許隨滿心歡喜地拆開，笑意僵在臉上。

沒有她心心念念的捲心菜娃娃，而是一臺學習機。許母一臉欣慰，語氣溫柔：「一一，喜歡嗎？」

許隨本想說「我想要的只是個娃娃」，可是一抬眼看見媽媽鬢角的白髮，話又嚥了回去，她笑道：「嗯，喜歡的，謝謝媽媽。」

到現在她讀大學，能拿獎學金，有能力做家教賺錢了，卻再沒想過去買那個捲心菜娃娃，總感覺她還是弄丟了那個娃娃。

但現在，周京澤又把她曾經的陪伴送到她面前了。

許隨正走神想著事，一道懶洋洋且壓低的嗓音傳來：「他是想問，妳能不能原諒那個渾蛋？」

許隨一抬眼，撞上一雙漆黑凌厲的眼睛，周京澤穿著黑色的T恤，手裡拿著一瓶冰水站在她面前。

周京澤坐在她旁邊，擰開瓶蓋喝了一口水，語氣很緩：「寒假那事是我做得不對，是我情緒過激了，我當時以為和我傳訊息的是一個在國外的朋友，所以無所顧忌地聊。」

「我知道認錯了人後，其實很慌，我只是……怕我另一個陰暗面被妳知道。」周京澤自嘲地笑笑，語氣坦誠，「等我能正視自己了，有機會跟妳說。」

「我跟妳道歉，是我犯渾了。」

原來是這樣，許隨在內心鬆了一口氣，他不是討厭她就好。發生那件事後，許隨難過，甚至不喜歡自己，所以一直逃避和害怕見他。

不是他喜歡的人就好。

事情解釋清楚後，許隨的心情跟放晴了一樣，她手裡抓著捲心菜娃娃擋在面前，對他晃了晃腦袋：「那沒事啦，你以後不要再凶我就好。」

「不會。」周京澤抬起眼看她。

最後兩人冰釋前嫌，還一起吃了一頓飯，周京澤把她送到學校門口就回去了。人走後，許隨感到放鬆又自在，還打電話讓胡茜西陪她去買手機。

許隨最後挑了一部白色的手機，將原來的電話卡塞了進去。晚上回到寢室後，許隨正打算把平時重要的聯絡人一個一個存起來，一開機，手機螢幕上湧現好幾個未接來電的提醒。

許隨躺在床上，點開一看，愣住了，全是周京澤的未接來電，都是這個期間的。其實，他一直在放下身段主動找她。

她忽然想起周京澤在宿舍樓下說的話，趕緊登入通訊軟體。周京澤不是個話多的人，一共傳了兩則訊息給她。

第一則訊息顯示時間是寒假發生認錯人事件的那個晚上，周京澤當時傳了個「對不起」。

第二則訊息傳送的時間則是周京澤在學校撞見她和師越傑在一起，許隨從他身邊逃開的那一天。

許隨看到這則訊息後，臉頰開始燒紅發燙，呼吸變得不自然，她甚至能想像周京澤以一種漫不經心卻莫名勾人的語調說出這話。他說——

『我們一一是打算不理我了嗎？』

一一是她的小名，除了她的家人，沒有人知道她的小名，他是怎麼知道的？許隨的心跳持續加快，她在對話欄裡打字道：『你怎麼知道我的小名？』

過了五分鐘，ZJZ回覆，依然是散漫的語調：『捨得用手機了？』

許隨不知道回什麼，回了個貓咪捏臉的貼圖。這一次，周京澤很久都沒有回覆，許隨以為他太忙了沒看見，或是他根本懶得回答這個問題。

直到睡覺前，許隨放在枕邊的手機亮了，周京澤傳了一則語音訊息過來，她找到耳機插上，點了播放，他似用氣音說話，帶著懶散的笑意：『被封鎖後，我換了個號碼打給妳，是妳奶奶接的電話。』

許隨明白過來，沒等她反應過來，周京澤傳來一則訊息：『妳名字還挺好聽。』

隔著螢幕，許隨不知道周京澤傳的這則訊息是認真的，還是漫不經心的誇讚。

她還是很開心。

週日，京航校籃球聯賽，胡茜西起了個大早，打開衣櫃，拿出一件件裙子在試衣鏡面前試衣服。

許隨起床站在洗手臺前刷牙，她含了一口水又吐掉，正低頭刷著牙，胡茜西跑過來拽著裙擺，問道：「寶貝，這件怎麼樣？」

許隨嘴裡含著薄荷味的泡沫，發出含糊不清的聲音：「還可以。」

胡茜西將這句話自動理解為「還不夠漂亮」，只好又跑回衣櫃前試衣服。許隨擰開水龍頭，在洗漱口杯，忽然，下腹隱隱傳來一陣痛感，她不由得弓下腰，按住腹部，外面傳來胡茜西喊她的聲音。

許隨緩了好一陣，應道：「來了。」

一出去，胡茜西穿了一件小黑裙，戴著一頂貝雷帽，洋氣又漂亮。許隨由衷地誇讚：「好看。」

許隨則穿得很簡單，米色刺繡襯衫，下擺紮進淺藍色牛仔褲裡，她正對著鏡子梳頭髮。胡茜西上下打量了她一眼，說道：「寶貝，妳不穿裙子打扮一下嗎？」

「嗯？」許隨正盤著自己的頭髮，打算綁個丸子頭。

「我小舅啊，他不是也在嗎？」胡茜西對她眨了眨眼。

許隨反應過來，立刻伸手去搔她癢，佯裝生氣：「妳還說，是誰跟妳舅舅說我想看籃球賽的？明明是妳。」

「我錯了我錯了，我的好隨隨，我這不是弄不到票嗎？」胡茜西立刻求饒。

許隨這才放開她，重新低頭綁頭髮時看向鏡子裡的自己，黑眼珠，秀挺的鼻子上一顆小痣，巴掌臉，整體穿得乾淨清爽。

還是不打扮了吧，這樣太刻意了。

許隨和胡茜西一起去學生餐廳吃了早餐，之後陪她一起進了京航的操場。她們從北門憑票進去。

一進門，就看到操場中央停著一架殲－5系列的戰鬥機，機身龐大，上面有兩條橫槓，中間有一個小小的紅色五角星，旁邊標著數字70768。

白色的機身有些陳舊，脫了漆，上面還有彈殼的印記，展開的一對機翼像機甲，氣勢磅礴，像振翅欲飛的雄鷹。

即使是週末，也有人穿著灰綠色的訓練服在操場上堅持做體能訓練，許隨正看著那群人，結果被胡茜西一把拽走。

「別看啦，我們快去那邊的籃球場找座位，等等就要清場了。」胡茜西語氣激動。

她們提前十五分鐘到，剛在座位坐下，胡茜西就按捺不住，四處找路聞白的身影。許隨坐在旁邊看著手機，周京澤忽然傳訊息給她：『來了嗎？』

許隨正打字回覆，忽然後排座位走來幾個女生不停地喊著「借過、借過」，其中一個女生不小心重重地撞了她的手肘一下。

許隨握著的手機飛了出去，她彎腰去撿手機，女生跟她道歉：「對不起，妳沒事吧？」

「沒關係。」許隨搖了搖頭。

這時，籃球比賽各隊選手陸續進場，許隨順勢抬眼看過去，在一群人高馬大的男生中，愣是沒找到周京澤的身影。

許隨重新回訊息給周京澤：『來了，和西西一起，不過我怎麼沒看見你？』

訊息傳出去後的兩分鐘，許隨的手機發出「叮」一聲，她點開螢幕，ＺＪＺ傳來訊息：『抬頭。』

許隨順勢抬頭，同時觀眾席發出一陣騷動，耳邊響起一陣尖叫聲和鼓掌聲，周圍的女生激動地議論：「哇，周京澤出來了。」

「真的好帥啊，不枉我大老遠趕過來。」

許隨在一片議論聲中看向不遠處，周京澤和幾個男生一起出場，他一出來，周圍的歡呼和吸氣聲明顯更高了。

在一群男生中，周京澤極為出挑，比他們高出一截，一身紅白的球衣，手插著口袋不疾不徐地走過來，手上的紅色護腕明顯。

周京澤往那一站，對面那隊男生的眼睛帶著針對情緒看過來。比賽還沒開始，硝煙氣息明顯。可惜周京澤根本沒將他們放在眼裡，薄薄的眼皮半撩不撩，囂張氣息明顯。

倏地，周京澤低頭拎起黑色外套，直直地朝對面走，在經過對面六七個穿著綠白球衣的男生時，其中一個正在說話的男生下意識地後退了一步，抬眼看著他，眼底警惕明顯。

周京澤的薄唇往上挑，拍了拍他的肩膀：「別緊張。」

周京澤走後，身後的男生開始內訌，有人罵他：「你不？」

「不過這小子也太狂了，等等虐虐他。」

許隨坐在觀眾席上，目光一直追隨著籃球場上的周京澤，身邊的胡茜西早已不見蹤影，大概是看見路聞白，去找他了。

場內有啦啦隊拉起橫幅，裁判吹哨子的聲音與廣播檢錄的聲音交織在一起，十分嘈雜。許隨的目光一直追隨著籃球場上的周京澤，他低頭拿著手機回了一下訊息又放回口袋裡，手裡握著打火機和菸轉身去了體育器材室。

許隨無聊地望著臺下的人，看見周京澤折回，忽然，他抬起眼皮看向觀眾席，目光掠過一群人，兩人的視線在半空中相撞，許隨的眼神被捉住，有一瞬間的驚慌，他笑了一下，單手插著口袋，另一隻手拎著外套朝她們走來。

身邊的騷動聲起，許隨也不由得緊張起來。

「啊啊啊，他是在看我？」

「他過來了，救命，寶貝，妳看看我的口紅有沒有花？」

眾目睽睽下，周京澤徑直走上觀眾席的臺階，來到第三排，在女生們殷切期待的眼神下，步調慢悠悠地越過層層精心打扮的漂亮女生，站在許隨面前。

「西西呢？」周京澤嚼著薄荷糖，漫不經心地問道。

一道身影垂在她面前，空氣更為悶熱，許隨不由得繃緊身子，眼睛不看他，有些慌亂地移向別處：「去找別人了，等等回來。」

「嗯。」周京澤點點頭，把外套、手機以及壓片糖、打火機遞給許隨，對她抬了抬下巴，「幫我拿一下。」

許隨一下子感覺自己身上的視線明顯多了起來，如芒在背，她猶疑地道：「啊？」

周京澤眼睫半垂，散漫溢出來，似笑非笑地看著她：「怎麼，吃我這麼多，拿個衣服都不肯啊？」

他這話一出，夾著若有若無的親暱感，許隨感覺落在自己身上的視線更多了，她不得不投降，接過他的衣服：「沒有。」

周京澤走後，許隨一下子鬆了一口氣，她坐在座位上抱著他的衣服，上面還有淡淡的菸草味，心跳依然很快。

周圍討論的聲音開始加大，如雜訊一般鑽進她的耳膜裡。

「周京澤不會看上她了吧，長得挺普通的啊。」

「不會吧，我一個外語學院的人都知道，周京澤萬年只喜歡一款，胸大腰細的大美女，這位不可能吧。」

「對，長相挺素淡的。」

一聲聲議論無形中揪住了許隨的心，她正欲說話時，一隻手搭在她的肩膀上，回頭一看，是胡茜西。

胡茜西摟著她，轉頭看向身後的一群八婆，紅唇一張一合，像機關槍掃射一樣：「普通？妳長成她這麼一般試試？知道妳們為什麼坐後排嗎？因為長得……嗯，我就不說了。不巧，我們能坐在這呢，就是周京澤給的票。」

「等等我們還要送水給他，嘻嘻，嫉妒吧，嫉妒得腳底板起火也沒用。」

後面幾個女生的神色各異，一時被噎住：「妳——」

胡茜西懶得再和那群八婆說下去，轉而和許隨說話，因為要說的內容，她語氣彆扭起來：「隨隨，妳陪我下去唄，等等發水發毛巾什麼的給籃球隊。我求了路聞白好久，他才同意讓我幫忙。」

「而且那裡位置好，還能近距離觀戰！」胡茜西挽著她的手臂。

許隨站起來，點頭答應：「好。」

兩人拉著手走下觀眾席，朝不遠處的紅色帳篷走去。路聞白穿著一件漿洗得發白的襯衫，正彎著腰，一箱一箱的來回搬水。

他的表情冷漠，後背被一點汗打濕，弓下腰時，露出一截精瘦的腰線，沉默且英俊。

胡茜西熱情地走過去，笑咪咪地說道：「我們過來幫你忙啦。」

路聞白停下來，他臉色蒼白，掀起濃密的眼睫看向她以及身後的許隨，聲線冷淡：「妳們站那發水就好。」

「收到！」胡茜西比了「OK」的手勢。

其實許隨和胡茜西不用做什麼，紅色帳篷裡有一張桌子和兩個紅色的椅子，許隨坐在那裡，安靜地看著他們比賽。

隨著裁判一聲清脆的哨聲響起，籃球比賽正式開始，兩隊的啦啦隊發出了此起彼伏的加油聲。

周京澤所在的隊是紅隊，對方運球一路向前，眼看就要投進籃框時，周京澤飛躍騰起，長臂一伸，紅色的護腕在空中劃出一個漂亮的弧度，輕鬆截住了對方的球。

然後在眾人緊張的注視下，他拿著籃球站在三分線外騰空飛起，投進了一顆三分球！全場喝彩，紛紛發出鼓掌聲。

許隨坐在不遠處，也跟著不由自主地笑起來。

接下來的十五分鐘裡，周京澤一路帶領隊員，攔截，進攻，不斷進球，打得對方措手不及，其中一個身形瘦長的男生，被周京澤奪球蓋火鍋好幾次，心底怒火生起。

周京澤攔在對方面前，正欲截下球，瘦長男一路帶著球怒氣衝衝地撞向他的肩膀，周京澤猛地向後退了兩步。全場一半的人發出噓聲，一半的人拍手叫好。叫好的人原因無他，周京澤太狂了，特別是同性，對於比自己厲害的人，通常都是不服，希望他落敗。

裁判吹響哨聲，一拳向上緊握，做出犯規停止計時的動作。

綠隊犯規，紅隊獲得罰球機會。周京澤站在罰球線後的半圓內，陽光下，他轉動著手裡的球，表情無比散漫。

本以為周京澤投進這一分球是意料內的事，可他單手托著球，手肘就跟故意偏了一樣，籃球砸向籃框，又彈向外側。

球沒進。

籃球砸在地上，慢悠悠地滾到瘦長男腳下。

周京澤掀起眼皮睨他一眼，夾著點輕視的意味，說出來的話輕狂又欠揍：「送你了。」

這是明顯的放水加看不起。

說完他轉身重新運球，再沒分給對方一個眼神。瘦長男站在原地，臉漲得通紅。

第一節，周京澤帶領隊員以三十二比二十的分數，取得了壓倒性的勝利。全程掌聲雷動，女生花癡的尖叫聲更是迴盪在籃球場上方。

中場休息，男生們邊伸手抹汗邊走過來，領了水大口灌起來。周京澤站在籃球架的陰影處，日光將他的影子拉得很長。

哨聲停後，女生們蜂擁而上，紛紛遞毛巾送水給周京澤，許隨在不遠處看著，心底嘆了一口氣。

周京澤後背的球衣被一點汗浸透，他拎起腳邊一瓶冰水，擰開瓶蓋直往頭頂倒，水珠順著凌厲分明的下頜淌下來，滴在地板上，明明是痞裡痞氣的動作，卻透著欲感。

綠隊隊員連水都來不及喝，迅速圍在一起想對策。瘦長男身高一百八十公分，是隊長，叫高陽，也是周京澤隔壁班的同學，成績、飛行技術都挺優秀，是一個非常努力的人。

「下一節不能再輸了。」高陽語氣堅決。

「那小子狂得很，怎麼打？」旁邊一個大高個說道。

高陽拿出張濕紙巾擦了擦脖子上的汗，看著不遠處的周京澤開口：「周京澤的打法有很強的個人風格，輕狂，我行我素，是他們隊裡的領頭狼，但飛行技術知識考核裡有個英文單字叫collaboration，他沒有團隊合作意識，這是他的優點，也是他的缺點。」

隊友很快反應過來，接話道：「所以我們只要防守好，突破他們的後方，就能贏了。」

「可以啊，老高，學霸就是不同，打個籃球還能運用學術分析。」有人誇獎道。

高陽笑笑沒有說話，但從他的表情來看，這句誇讚明顯很受用，他拍了拍隊友的肩膀：「散了，去喝水，休息好。」

許隨站在小山高的礦泉水箱前，彎腰把水遞給他們，又時不時遞濕毛巾，十分忙碌，而胡茜西早已被男色誘惑，跟著路聞白不知道跑去哪裡了。

「一瓶水。」高陽走過去說道。

許隨彎腰背對著他，拿了一瓶水回頭遞給他：「給。」

高陽接過水，在看清許隨的臉後，眼底的驚豔一閃而過，他試探性地問道：「妳是我們學校的？」

許隨搖搖頭，聲音溫和：「不是，我是隔壁醫——」

「醫科大」三個字還沒有完整地說出來，她看見不遠處的周京澤信步走過來，手插著褲子口袋，紅色的護腕貼在黑色的褲縫上，他在高陽後面停下來，喊她：「許隨。」

「嗯？」

一行人回頭，包括高陽，周京澤在眾人注視下一臉淡定地開口，眼睫半睨，表情看似吊兒郎當，說出來的話卻夾著若有若無的狎昵：「我的衣服是不是還在妳那？」

第十章　疾風繞旗正少年

Crush不是害羞的熱烈的短暫的喜歡，而是害羞的熱烈的長久的喜歡，是持續性的動詞。

周京澤說完這句話，高陽站在那眼神都變了，許隨以為他是真的要衣服，忙回頭找，他的外套搭在椅子上，壓片糖和打火機之類的都放在衣服口袋裡。

許隨把東西遞給他，周京澤接過菸和打火機，對她抬了抬下巴：「衣服先放妳那。」

「哦，好。」許隨重新把外套順好搭在椅子上。

「吃不吃糖？」周京澤挑了挑眉，許隨立刻點頭，他輕笑一聲，嗓音有點啞，「伸手。」綠色的薄荷糖嘩嘩落入掌心中，許隨笑得眉眼彎彎地和他說話。高陽站在那，覺得自己相當多餘，沒多久便走了。

周京澤和許隨說著話，餘光瞥見高陽離開的背影，很輕地冷笑一聲。

沒多久，比賽開始，哨聲一響，兩邊又恢復到對峙的狀態。第二場，周京澤依然主攻，綠隊卻跟被點了穴一樣，死死防守。

即便如此，開局周京澤還是拿下了五分。

時間流逝，綠隊在嚴防的同時，攻破紅隊的一個投手，直接截了球。高陽攔下球後，往回運球，然後把球投給了隊友，隊友找準時機突破防守投籃，進球。團隊配合得相當默契。

這一進球無疑鼓舞了綠隊的士氣，接下來的比賽中，綠隊將紅隊逐個擊潰，周京澤向來單打獨鬥，這時少了隊友配合，也進球困難。

場內為紅隊加油的聲音更烈，大部分是衝著周京澤來的，許隨站在不遠處也看得緊張，一顆心在無形中焦急起來。

後半段，紅隊軍心渙散，單靠周京澤一人，通常是他搶球、運球、投籃，於是隊友們也紛紛效仿，都是這種風格，卻沒有他的勢頭。

最終紅隊以二十三比二十八的比分輸給了綠隊。

一贏一輸，平局。

第三節是關鍵。

場內一片噓聲，皆是對周京澤喝的倒彩。對方球員昂著脖頸，對周京澤比了個中指。周京澤懶散地倚靠在臺階前，額前的黑髮有點濕，抬起眼掃了他們一眼，唇角微揚回以一個無比欠揍的譏笑。

他看起來一點也不在意，抬手招來隊員，話語簡短：「你們每個人的優勢，說出來，分工。」

「我比較擅長截球投籃，」周京澤掀起球衣一角擦了擦眼角的汗，語氣一貫地狂妄，「當然，其他的我也擅長。」

隊員們紛紛報出自己擅長的技術，周京澤垂下眼睫略微思索了一下，直接說出一條線路。第三節正式開賽，許隨望著不遠處運球奔跑的周京澤，在心裡默默說了句「加油」。

哨聲一響，出乎大家意料，特別是綠隊，他們以為周京澤會第一個衝過來搶球，結果他站在原地防守，其他隊員進攻。

綠隊一下子慌了，完全不知道周京澤出什麼招。紅隊隊員攔球，投籃實力雖不如他，但一直穩步得分。

兩隊分數漸漸持平，後半場，周京澤給了隊友一個眼神，開始發力，他單手在胯下運球，一個箭步衝了上去，像健碩的獵豹一樣憑空騰飛，抓著籃框用力灌了一個籃！

全場靜默一秒，接著爆發出山呼海嘯的歡呼聲，女生更是由衷地感嘆，一直喊：「他剛才那個動作，也太帥了吧！全場最佳！」

「嗚嗚嗚，看得我好激動，我也好想找個飛行員當男朋友。」有人激動地道。

同伴毫不留情地揭穿她：「得了吧，妳直接說妳想找周京澤這樣的男朋友，身高一百八十五公分，會打遊戲，大提琴一流，打籃球厲害，將來又是開飛機的，還是個大帥哥，這要燒多少高香才能求得這樣的男朋友？」

「嗚嗚嗚，好羨慕他未來的女朋友。」

許隨看得緊張，日頭熱烈，她拿起桌邊的宣傳單一邊幫自己搧風，一邊手遮住陽光認真看比賽。

周圍的吶喊聲激烈，許隨看得心潮澎湃，也不由得跟著喊出聲：「周京澤，加油！」

「周京澤，加油！」

喊著喊著，許隨發覺下腹傳來一陣劇烈的疼痛，絞著她的五臟六腑，她停了下來，坐在椅子上，雙腳踩在椅子橫桿上，弓著腰，用手捂著腹部，希望能讓自己的痛感減輕點。

可許隨反而覺得肚子的痛感越來越強，像有無數根細針在腹內翻滾著，額頭上豆大的汗珠滴下來，她不由得蜷縮起身體。

周圍人山人海，全是尖叫聲和吶喊聲，眼前有一個火紅的身影在籃球場奔跑著，白球鞋閃閃發光，他的身姿挺拔，手臂肌肉線條流暢，比誰都迅猛。

他絕對是許隨在球場上見過最好看的選手，讓人忍不住多看幾眼的好看。

許隨捂著肚子，因為疼痛，眼睫濕漉漉的，視線變模糊。痛感過於劇烈，許隨渾身都在抖，她再也支撐不住，一個踉蹌摔了下來。

同時，周京澤帶著球往對方陣地跑，陽光直直地打下來有些刺眼，他習慣性地瞇眼，抓著球正要跳起來時，眼睛一掃，發現許隨不知道什麼時候暈倒在地上，旁邊已經圍了好幾個人。

周京澤抓著球的手指緊了一下，目光頓住，旁邊是激動的吶喊聲，看戲的男生嘲笑道：「你行不行啊？」

不到一秒，周京澤把球一扔，徑直離開了球場，身後紛紛傳來疑問和質疑聲，他頭也不回地往前走，一路小跑到許隨面前。

周京澤從女生手裡接過她，一把將人橫抱在懷裡，一路跑著離開了現場。身後全是對他的謾罵和惋惜聲。

周京澤退賽後，換了替補上來，紅隊痛失將領，成了一盤散沙，高陽帶領綠隊一路乘勝追擊，拿下分數，最終贏得勝利。

隊員紛紛歡呼，雙手握拳在操場上來回奔跑，最後又把高陽拋在空中，誇道：「感謝隊長！」

「高陽，你確實厲害，也只有你能和周京澤比了。」

高陽平靜的臉頰泛起微笑，他正享受著勝利的喜悅。觀眾席的人卻陸續離場，有女生把應援橫幅扔在地上，抱怨道：「搞什麼啊，本來是周京澤贏的。」

三兩個男生則議論道：「雖然不服，但還是周京澤更強，這一場可惜了。」

「一開局我就押了一百塊錢賭周京澤贏，結果他居然中途退賽，厲害的人都這麼有個性嗎？」

聽到這些議論聲，高陽的笑容僵在臉上。憑什麼，明明是他贏了，大家卻認為周京澤才是贏的那個人？

旁邊的隊友李森把手搭在高陽肩上，看著不遠處的兩人瞇眼回憶：「我怎麼覺得那女的好眼熟？」

「你認識？」高陽問道。

李森一拍腦袋，驚道：「我想起來了！那女的是我高中同學，但只同班了半年，高一下學期轉走了。」

「嘖嘖，她現在漂亮很多啊，沒想到。」李森若有所思。

高陽看著不遠處周京澤奔跑的身影，問道：「怎麼說？」

「哈，你是不知道，那女的高一的時候……」李森露出一個譏諷的笑容，語氣意味深長。

周京澤抱著許隨一路奔跑，許隨雖然意識模糊，但勉強能辨認出眼前的人是周京澤。他跑得很快，許隨揪著他胸前衣服的一角，因為顛簸，整個人時不時地撞向他的胸膛，很硬，又滾燙。

周遭撲面而來全是他的氣息，凜冽又強烈，許隨感覺自己皮膚血管都要爆炸了，尤其是他這樣的風雲人物抱著她在操場跑，一路上她受的注目禮，讓她更不好意思了。

許隨縮在他寬闊的胸膛上動了動，聲音很小：「你放我下來。」

周京澤垂下眼睫睨了她一眼，她唇色蒼白，臉上沒有一絲血色，他答非所問，沉聲道：「馬上就到了。」

「你先放我下來，我可以自己走。」許隨的語氣有些扭捏。

許隨掙扎了好幾下，無果，抬眸撞上他那雙漆黑的眼睛，沒有情緒，十分冰涼。周京澤抱著她往上顛了顛，他下頜線俐落且冷硬，沉默半晌，叫她全名：「許隨，妳現在不要說話。」

他好像有點生氣，許隨也就不敢說話了。

籃球比賽開始沒多久，胡茜西的眼睛就轉向路聞白那了，或者說，從一開始，她的心思就沒在比賽上。

見路聞白搬完水，胡茜西立刻轉身跟了上去，他的身影瘦且高，背脊像一把弓，繃得很緊。

路聞白向前走了一段距離後，往左邊一轉，來到器材室後面的那一排水龍頭前。見胡茜西跟上來，路聞白眉眼間是止不住的戾氣，聲音很涼：「跟著我幹什麼？」

「我來洗手呀。」胡茜西聲音嬌俏。

建築物擋在前面，後方有一絲陰涼，路聞白剛搬完東西，頭髮有一點濕，見他鬢角流出一點汗，胡茜西立刻把濕紙巾遞了上去。

路聞白面無表情地瞥了她一眼，直接擰開水龍頭，涼水嘩嘩流出，他毫不猶豫地把腦袋伸了過去，直接在水龍頭底下沖頭。

兩分鐘後，一隻冷白、布滿灰青血管的手扣在生了紅鏽的水龍頭上，水聲停止，路聞白慢慢直起腰。他側著臉抬手弄了一下頭髮上的水，細碎的水珠不經意甩到胡茜西手上，她感覺整個手臂都是麻的。

路聞白面無表情地向前走，他往左，胡茜西也跟著往左，他往右，胡茜西也往右，像一塊甩不掉的牛皮糖。

「喂，你喜歡什麼樣的女生？」

「喂。」

「路聞白！」

胡茜西見路聞白不理她，被徹底忽視，大小姐脾氣上來了，立刻拔腿上去想找他說清楚。

不料，路聞白忽然停下來，眼睛怔怔地看向前方。胡茜西第一次在路聞白萬年不變的冰凍臉上看到了別樣的情緒。

她順著路聞白的視線看過去，不遠處有個女生挽著一個男生，那女生穿著黑色吊帶衣，短褲下面是兩條筆直的長腿，類似龍一樣的刺青附在瑩潤的小腿上，烏髮紅唇，美豔又有氣質。

胡茜西從來沒見過這樣的女生，美得驚心動魄，也妖。

路聞白冷峻的臉漸漸變得陰沉，垂下眼睫，像一尊沒有表情、沒有任何生命力的石膏像，垂在褲縫邊的手緊握成拳，青筋暴起。

「你沒事吧？」胡茜西問他。

路聞白猛然回頭，兩人距離很近，他低下頭俯視胡茜西，薄薄的唇角勾起嘲諷的角度：「不是問我喜歡什麼樣的嗎？我喜歡長得瘦的，所以不要白費功夫了，妳不在我的選擇範圍內。」

「一而再，再而三地跟著別人，真的很惹人煩。」路聞白從她身上收回視線，頭也不回地離開。

胡茜西整個人怔在原地，一直沒有回過神。從小到大，她接受的都是鮮花和誇讚，受到的教育是面對喜歡的東西要敢於去爭取。她是不是做錯了？

原來路聞白是真的嫌她煩啊。她很胖嗎？

想到這，胡茜西再也忍不住，豆大的眼淚從臉頰上落下來，眼眶紅紅的，罵道：「王八蛋，人渣，刻薄鬼。」

胡茜西躲在體育器材室外面的走道上哭了一場，哭完以後用冷水濕敷了紅腫的眼睛。然後胡茜西腫著一雙眼睛一臉失落地回到籃球場，發現早已散場，四周空蕩蕩的，只剩下一兩個男生在收拾籃球，打掃衛生。

「人呢？」胡茜西走過去問道。

一個男生蹲下來把籃球一顆接一顆地裝進網袋裡，接話道：「比賽早結束了。」

「那在公關部幫忙的女生呢，齊肩髮，臉很小，皮膚白白的，她去哪了？」胡茜西因為哭過，聲音還有點沙啞。

男生裝籃球的動作停下來，努力回想道：「哦，妳說那女生啊，比賽到一半時忽然暈倒了，被周京澤抱去醫務室了……」男生還在努力回想，結果一抬頭發現人已經不見了。

胡茜西一路小跑著跑到醫務室門口停下，拍了拍心口，努力平復雜亂的心跳頻率。

胡茜西往裡看了一圈，粉色的床簾拉開，許隨躺在病床上正在打點滴。她緊閉著雙眼，臉色發白，漆黑的長眼睫下是掩不住的疲憊。胡茜西正要抬腳進去，卻一不小心撞上周京澤的目光。

周京澤懶散地靠在牆邊，一條長腿屈著，一隻手正有一搭沒一搭地玩著打火機，撩起薄薄的眼皮看了胡茜西一眼，沒什麼情緒的一眼。

胡茜西卻不敢動了，她被周京澤看得心裡發怵，舔了舔嘴唇，乾巴巴地問道：「舅舅，隨隨還好嗎？」

「妳覺得呢？」周京澤慢悠悠地反問她，嘴角還帶著點笑意。

胡茜西正想接話，周京澤倏地冷下臉，臉上吊兒郎當的表情斂得乾乾淨淨，看著她：「妳怎麼看人的？」

周京澤很少生氣，就算生氣了也不會給多餘的表情，連話都懶得撂，轉身就走了。而且從小到大，他還挺寵這個外甥女，事事罩著她，基本沒對她發過火。

這一次，胡茜西意識到他生氣了，連道歉的聲音都弱了幾分：「對不起。」

許隨躺在病床上，處在睡夢中，被一陣嘈雜聲吵醒，睜開雙眼，看到周京澤正在凶胡茜西。

「西西，妳進來，」許隨朝她笑笑，「我沒事。」

胡茜西倒是想進來，下意識地看了她舅舅一眼。

周京澤看向胡茜西，發現她的臉色蒼白，呼吸還是不穩，眉頭蹙起：「跑過來的？下次不准跑了。」

「進來。」他鬆口，「妳們聊，我去外面買包菸。」周京澤站直了身子，把打火機放在口袋裡。

周京澤走後，胡茜西緊繃的神經終於鬆懈下來，吐槽道：「他發起火來真的好嚇人。」

「隨隨，妳沒事吧？」胡茜西苦著一張臉說道：「對不起，我讓妳幫忙，自己跑去追人了。」

許隨搖搖頭：「就是急性腸胃炎，打完這瓶點滴就好了。妳知道比賽結果嗎？」許隨忽然想起什麼，問道。

「哦，那個啊，我剛才去籃球場的時候問了一下，好像是舅舅他們這隊輸了……」

周京澤回來時，胡茜西已經走了，他說出去買菸，手裡卻拎著一份白粥。

「等等把這個喝了。」周京澤指了指桌上的粥。

「好，謝謝。」許隨溫聲道。

周京澤長腿勾了一把椅子，在許隨床前坐下，倒了一杯水給許隨。

許隨握著水杯，猶豫半天：「對不起啊。」

周京澤正低著頭玩手機，拇指還停留在遊戲畫面上，愣了一下笑道：「幹嘛忽然道歉？」

「就是因為我忽然暈倒嘛，你才沒辦法比賽的，你……當時應該不用管我的……」

起初許隨說話聲音還挺正常的，後來周京澤卻聽出了哭腔。

周京澤這下連正在玩的遊戲也不管了，直接關上了螢幕，抬起頭，薄薄的唇角挑起：「贏太多次了，想體會一下輸的感覺。」

「不是因為妳。」周京澤安慰道。

周京澤這樣安慰，許隨更想哭了，她紅著一雙眼睛看著眼前的人：「你是不是以為我是弱智？」

周京澤挑了挑眉，輕嘆了一口氣，安慰也不是，拿這女生沒辦法，只好轉移她的注意力。

周京澤站起來抬手調了一下點滴的速度，眼睛掃了一下她的手：「伸手。」

「啊？」許隨正哭著，語氣有點慌亂。

許隨這個反應成功讓周京澤似笑非笑地看著她，那種散漫肆意的姿態又來了。

許隨臉一燙，低下頭匆忙擦了眼淚。一道哂笑聲落在頭頂，聽得人喉嚨發癢：「好了，不逗妳了。」

與此同時，許隨感覺眼前一道陰影落下來，周京澤俯下身，他身上凜冽的薄荷和羅勒味沁在鼻尖，滾燙的呼吸拂在脖頸處，她僵著身子，感覺脖子又癢又麻，心跳快得無法控制。

周京澤自然地拉過她的手，他的手掌寬大、冰涼，貼著許隨細膩的手背，只是很輕一晃的接觸，低聲說：「握著。」

同時，他另一隻手從褲子口袋裡拿出一個東西遞給她，許隨低頭一看，周京澤不知道什麼時候出去買了個小貓圖案的暖暖包回來。原來他早就注意到了她因打點滴而青紫的血管。

許隨說了句「謝謝」，周京澤笑著挑了一下眉梢，沒有應聲。還有半瓶點滴沒打完，周京澤重新坐回椅子上，守在旁邊低頭玩著手機。

周京澤守著守著坐在椅子上睡著了，許隨坐在那裡覺得無聊，想起之前她在包裡放了幾本口袋暗黑童話書，這時終於派上用場了。

許隨抬眼看向還在闔眼小憩的周京澤，不太想吵醒他，於是輕手輕腳地下床，伸手拉開包的拉鍊。因為她的手還打著點滴，軟管不夠長，好不容易拿到書，她腳底一滑，慌亂中她為了維持平衡，單手撐住牆，結果口袋書卻摔了出去。

周京澤被這些動靜吵醒，他稍微坐直了身子，抬手揉了一下脖子：「要什麼我幫妳拿。」

「書。」許隨指了指不遠處躺在地上的口袋書。

粉色的簾子拉開，許隨正打算重新躺回床上，醫務室的門打開，一陣穿堂風吹進來，地上的口袋書被吹得嘩嘩作響。

緊接著，一張藍底的照片被吹了出來。

許隨心一緊，急忙道：「不用，我來。」

周京澤挑了挑眉，腳步慢悠悠的，但並沒有止步，朝門口的方向去。許隨急得不行，跳下床，也不管手背上的針管。

涼風陣陣，將地上的照片吹到半空中，藍底照片打了個轉又輕飄飄地落在地上，恰好是白色背面朝上。

許隨一顆心提到了喉嚨口，眼看她就要撿到照片時，一條長手臂先一步，將照片撿了起來。

周京澤骨節分明的手捏著照片的一角，挑著唇角，朝許隨晃了晃。許隨急得不行，立刻抬手就要去搶。

「想要？不給。」周京澤眉眼透著輕佻。

「你快給我！」許隨的臉漲得通紅。

許隨一時情急，拽著周京澤的手臂往上跳，想搶照片，可周京澤分明是有意逗她。

她每跳一下，周京澤都會往上抬高一下手臂。

許隨拽著他的衣袖，一雙眼睛急得濕漉漉的，卻故作凶巴巴地說：「你快給我，不然我就——」

「就怎樣？」周京澤似乎更有興趣了，語氣散漫。

許隨想來想去，乾巴巴地憋出一道軟糯的聲音：「就……咬你！」

周京澤愣住，旋即大笑，笑得前俯後仰，氣息都收不住的那種，連胸腔都在愉悅地顫動。

「很重要的人嗎？」周京澤似笑非笑地看著她。

應該很重要吧。

許隨點了點頭，長睫毛發顫：「對，很重要。」

周京澤斂去臉上的笑意，站直了身子，把照片還給她。

周京澤陪許隨打完點滴後，送她回了學校。兩人一前一後地走著，許隨走在前面，周京澤雙手插著褲子口袋，始終不緊不慢地跟在後面。

許隨低頭一看，垂在地上的兩個影子一前一後地貼著，像是親密的糾纏。

距離宿舍還有一段距離，許隨停下來，畢竟身邊站了個周京澤，一路上已經夠引人注目了，再送她到女生宿舍的話，恐怕就不是注視這麼簡單了。

「到這裡就好了。」許隨抬頭看他。

「嗯。」周京澤點了點頭。

他正轉身要走時，許隨叫住他，聲音有一瞬間的遲疑：「今天真的謝謝你，你有沒有什麼想要的？」

周京澤低頭失笑，他這個人物欲極低，並沒有什麼想要的。他正要跟許隨說不用時，抬起眼皮不經意地往她身後一看，一身筆挺白襯衫的師越傑正要過來。

周京澤惡劣心起，脖頸低下貼了過來，臉上掛著玩世不恭的笑容，壓低嗓音：「我啊，要妳——」

「要妳」二字意味深長，正好不偏不倚地落在師越傑耳邊，他果然停了下來。

周京澤的聲音低沉且夾著幾絲曖昧繾綣的氣息落在許隨耳邊，左耳又麻又癢，她的心跳漏了一拍，問道：「什麼？」

一雙烏黑的眼睛仰頭看著他，眼神乾淨又透著緊張，周京澤怔了怔，在心底嘆了一口氣。

「別哭就好。」周京澤抬手摸了摸她的頭，眼底溢出一點無奈。

周京澤走後，許隨還待在原地，整個人是愣的，他寬大的掌心揉她腦袋那種很輕的觸感還在，溫度停留在頭頂上方。所以，剛才周京澤是摸了她的頭嗎？

許隨正發著愣，一道聲音拉回了她的思緒。師越傑站在她前面，微皺著眉：「許學妹。」

「啊，學長，有什麼事嗎？」許隨回神。

師越傑面容清俊，眼底掛著擔心：「我聽說妳上午在京航的籃球比賽場暈倒了，怕妳出事。」

「怕妳出事」四個字直白又赤裸，許隨下意識後退了一步，將兩人的距離拉開，搖搖頭：「我沒事，謝謝學長。」

退避的動作清楚地落在師越傑眼裡，他垂下眼睫將眼裡低落的情緒掩飾好，語氣依舊溫柔：「那妳這幾天要吃得清淡點，多注意休息。」

隔天下午上通識英語課，許隨去的時候發現少了一小部分人，來上課的英語老師看到這種狀況，也沒有說什麼。

誰知道上課上到一半，英語老師推了一下眼鏡：「現在點名回答問題，人沒來的扣學分。」

誰能想到，萬年寬容的英語老師會忽然來這一招，臺下立刻跟炸了鍋一樣，甚至還有人用手機在抽屜裡傳訊息，大概是「萬一老師也點到我，誰幫你點名」之類的話。

許隨沒有要幫忙點名的人，她坐在窗邊拿著筆發呆，陽光傾瀉下來落在課桌上，窗外傳來操場上籃球拍響地板的聲音，以及男生歡呼鼓掌的聲音。

她想起了昨天在籃球場上，周京澤身姿矯健得像隻豹，迅猛又漂亮，以及他中途放棄比賽衝過來一把抱起暈倒的她。

其實許隨很想問他為什麼，一顆原本受到冷落而退縮的心，又慢慢活過來了。

周京澤是毒藥，她試過戒掉，卻發現自己更上癮了。

突然，一道略嚴肅的聲音拉回許隨的思緒：「第三排最右靠窗的女生，妳來翻譯一下『crush』的意思。」

上課分心被抓到，許隨不得不起來回答問題，幸好不算太難：「動詞是碾壓，搗碎，名詞是果汁飲料。」

「坐下吧。」英語老師點點頭。

「其實『crush』在英語裡有另外的意思，作為名詞，猛獸隔離區，還可譯作熱烈的、短暫而害羞的暗戀、熱戀。」英語老師補充道。

許隨猛然抬起眼，仔細回味了老師說的「crush」的意思，她本想拿書查閱，結果不經意一瞥，然後頓住。

紙上寫滿了周京澤的名字。

是嗎？熱烈的、害羞的，卻短暫的喜歡嗎？

許隨喝了近一個星期的白粥後，終於慢慢恢復過來，能正常飲食的那一天，許隨發了則動態：『能正常吃飯的感覺實在太好了，無辣不歡的我憋得好慘。』

發了不到五分鐘，大劉第一個趕來留言：『沒有許妹妹的飯局，總覺得差了點味道。』

許隨回了個磕頭的貼圖，正要退出通訊軟體時，個人頁面多了個紅色的「+1」，小圖裡的頭貼是熟悉的奎大人。

她眼皮一跳，點開來，看到ZJZ留言：『過來，請妳吃飯。』

周京澤一向愛開玩笑，許隨辨不出真假，回道：『確定？』

ZJZ回覆道：『嗯，不騙妳。』

許隨看到這則訊息後，從圖書館跑回寢室，換了件衣服匆忙跑去京航找周京澤。

許隨走進京航大門，朝右手邊的小道走去，她匆匆踏上臺階時不小心撞到一個人，她出聲道歉：「不好意思。」

「沒事。」對方脾氣看起來還算好。

許隨順著聲音抬頭，發現對方也穿著飛行學院特有的訓練服，面容熟悉，忽地，她腦子裡靈光一閃，這不是上週周京澤籃球比賽的對手嗎，叫什麼高陽。

許隨點了點頭，繞過他們，三兩步跨上臺階，不料，高陽旁邊一個高個子的男生拉起她的手臂，語氣戲謔：「喲，這不是許隨嗎？」

這聲音許隨再熟悉不過，是記憶裡反感的人之一，她抬眸看過去，竟然是李森，她在黎映讀高一時的同學。

許隨和李森並不熟，讀書時他就愛巴結人以此充老大，性情惡劣，還經常欺負班裡弱小的同學。

沒想到他竟然考到這了。

許隨並不想與李森這類人產生過多的交集，她沒什麼情緒地點了點頭，想要掙脫他的束縛，哪知李森攥得更緊了。

許隨今天穿了淺紫色的短款針織衫和藍色牛仔褲，若有若無地露出一截平坦的小腹，柔順的齊肩髮掩在白皙圓潤的耳廓後面，巴掌大小的臉，整個人看起來軟糯又乖巧。

李森上下打量許隨一下，挑眉吹了一個口哨，說話流裡流氣的：「老同學，變漂亮了啊，留個電話唄，以後敘敘舊。」

無論是李森說話的語氣，還是此刻的行為，都讓許隨非常不舒服，趁李森一個不注意，許隨一腳踩了上去，前者吃痛立刻放開了手。

許隨立刻向前走，同時扔下一句話：「跟你不熟。」

高陽聞言看向李森，李森被這句話弄得面紅耳赤。他怎麼也想不到許隨乖巧的外表下藏了一根軟刺，讓他在高陽面前出了醜。李森氣得不行，朝著許隨的背影喊：「瞧見沒？這姿態，人家爸爸可不一般。」

果然，這話一出，許隨停下腳步，下午的暖陽穿過樹葉的縫隙斜斜地打了下來，她的背影看起來有些哀傷。

就在李森以為自己能拿捏到她時，許隨回頭，眼神冰冷，不緊不慢地反嗆：「確實，比暴發戶的兒子好點。」

「暴發戶」精準戳到李森的痛點，他三步併作兩步跨上臺階，一把揪住許隨的衣領，惡狠狠地道：「妳說什麼？」

李森無禮地提起她爸時，許隨的好脾氣和善良消耗殆盡，她自上而下地看了李森一眼，正要重複這句話。

倏忽，一罐氣泡飲料從不遠處直直地砸向李森的後腦勺，「嘭」的一聲，與此同時，深咖色的液體悉數倒在他後背，衣服立刻變得濕答答的。

李森昂了昂頭，垂著的手慢慢緊握成拳：「誰幹的？」

「你爹。」一道囂張的聲音懶洋洋地傳來。

眾人順著聲音的方向轉過去，李森回頭。周京澤站在低他們十階的臺階下面，旁邊站著幾個朋友，他穿了黑T恤、束口工裝褲，正有一搭沒一搭地把玩著銀質的打火機，他抬起眼皮看著李森，眼睛漆黑發亮，且看不清情緒，猩紅的火焰時不時地躥出虎口。

明明他是抬頭看著他們，卻憑空生出一種俯視的意味。周京澤眼神平靜地看著李森，後者心裡開始害怕，原先的火氣消了一大半。

李森不知道周京澤會幹什麼。

高陽站在一旁，主動打了招呼。周京澤雙手插口袋，步調緩慢閒散地踏上臺階，幾個男生跟在後面，一下子生出強大的氣場。

李森下意識地後退一步，但仍不甘示弱地瞪著他，周京澤走到許隨面前，虛攬著她的肩膀道：「走。」全程沒有分給李森半個眼神。

服了，他憑什麼這麼狂？李森盯著他們離去的背影喊，聲音帶著譏笑：「周京澤，你知不知道許隨以前長什麼樣子啊？哈哈，我以前跟她是同學，麻子臉，又腫又醜，我還有照片，你要不要看看？」言外之意，你周京澤的眼光也不過如此。

周京澤明顯感覺手臂下虛攬著的小女生在抖，他停了下來，收回手轉身，挑了挑眉，一副饒有興趣的樣子：「是嗎？我看看。」

李森上前兩步，低頭找手機，哪料到周京澤三兩步走過來，直接一拳把他掄在地上，手機被遠遠地甩在一邊。

場面立刻混亂起來，眼看李森要爬起來，周京澤又補了一腳。盛南洲和大劉急忙攔他，卻怎麼樣也攔不住。

周京澤漆黑的眼睛壓著濃重的戾氣，發瘋了一樣要揍他，盛南洲急得大喊：「不能打！再打你該挨處分了，飛院的紀律有多嚴你又不是不知道！」

李森被摔得眼冒金星，捂著心口重重地喘氣，罵道：「我忍你夠久了，為了一個女的，你居然打同學。你就等著挨處分吧。」李森露出得逞的笑容。

李森巴不得周京澤受處分，他早就看這人不爽很久了。

周京澤跨在他身上，直接拎起李森的衣領，眼睛看著他，語速很慢：「給你兩個選擇：一，跟她道歉；二，以後我在的地方你繞著走。」

李森被勒得喘不過氣，朝地上吐了一口唾沫，昂著頭：「你算什麼，我得服你？」

周京澤盯著李森發出一聲嗤笑，那股輕狂勁出來了：「比賽，你挑。」同時，周京澤鬆開緊攥李森衣領的手，李森再一次被摔在地上，後腦勺著地，他罵了句髒話。

關於比賽，李森不說話了，他確實樣樣都不如周京澤。在旁邊一直沒有發言的高陽忽然開口：「我跟你比。」

周京澤撂下兩個字：「隨便。」

「一個月後的飛行技術考核，也就是我們第一次試飛。」高陽說道。

教練們都說周京澤是天才型飛行員，優秀、聰明，為天空而生，高陽倒想看看是不是真的。

「嗯。」

高陽扶著李森起來，李森擦了擦嘴角的血，語氣挑釁：「你贏了，我跟她道歉；你輸了，在京航操場裸奔十圈，並大喊『我是手下敗將』。」

賭注大了，盛南洲他們皆轉頭看周京澤的反應。第一次飛行成功與否，可不是玩笑，影響因素除了實力，還有地理位置、天氣、風向，也就是說，要天時地利人和才會贏。

這個賭注過大了，尤其周京澤是那麼驕傲的人，她想像不出周京澤自尊心被人踐踏的感覺。

站在一旁的許隨著急地拉著周京澤的衣袖，小聲地說：「算了，不要比了，我沒關係的。我們走吧。」

李森乘勝追擊，故意激他：「怎麼樣，你敢嗎？」

周京澤忽地笑了，抬起眼皮看他，語氣閒散且漫不經心：「有什麼不敢？」

人走後，周京澤跟沒事發生一樣，帶許隨去第二學生餐廳樓上的餐廳，盛南洲和大劉因為是周京澤請客而點了雙份的量。

周京澤背靠藍色座椅，正拿著手機玩遊戲，聽見聲響，抬眸看了面前的兩人一眼，發出一聲極輕的嗤笑：「出息。」

「哎，還不是跟著許妹妹沾光？」大劉坐下來說道。

許隨耳根微熱，忙說道：「不是。」

一行人陸續坐下，開始吃飯，聊了沒兩句，他們還是把話題轉到那個賭約上了。大劉一邊把排骨送進嘴裡，一邊說道：「一個月後的飛行技術考核不就是期末嗎？我聽說還有市記者過來做專題，那人可真會挑日子。」

盛南洲一想起那個身材瘦長、平日不愛說話、眼神還有些陰鬱的高陽就厭煩，冷笑一聲：「這個書呆子，平時再怎麼努力還不是追不上你，上次模擬機試飛和英語理論測試你是第一吧，應該是教練到處誇你，讓他記上了。」

周京澤微皺眉，沒有半分記憶：「不記得了。」

「你一說這個，我想起來了，好像無論什麼比賽、考核，他的成績都排在周爺後面，除了這次籃球比賽。」大劉猛地一拍腦袋，又話鋒一轉：「兄弟，有信心嗎？」

周京澤懶得跟大劉唱雙簧，他擰開冰水的瓶蓋喝了一口，目光掠過對面的許隨，發現她面前的食物幾乎沒有動過。

她用筷子戳著米飯，黑漆漆的眼睫垂下來，不知道在想什麼。

「不夠辣？」周京澤挑了挑眉，猜測道。

許隨搖搖頭，她在想賭約，像周京澤這麼驕傲的人，她實在想像不出他跟人認輸的樣子，那不是把他的自尊踩在腳底嗎？

「要不然那個賭約還是算了吧，輸了怎麼辦？」許隨語氣擔心。

周京澤將瓶蓋擰了回去，漫不經心地笑，又帶著一絲張狂：「我不會輸。」

許隨回到學校後，把這件事告訴了胡茜西，大小姐聽後氣得直拍桌子：「那個李森是神經病吧，隨隨，妳有沒有受傷？」

許隨剛好從便利商店買了彩虹糖，遞給胡茜西說道：「我沒事，就是周京澤那個賭——」

「沒事，他有分寸。」胡茜西大手一揮。

她拆開彩虹糖的包裝紙，咬了一口，酸酸甜甜的，再次開口：「不過隨隨，我真的感覺我舅舅有點喜歡妳，不然他為什麼老是對妳特殊照顧？」

許隨心一跳，但還是否認：「因為他人很好。」從高中就這樣了，放浪形骸的外表下正直又善良，尊重每一個人，是一個家教很好、很優秀的男生。

許隨在感情裡的自我否定和敏感讓胡茜西嘆了一口氣，她看著許隨：「要不然試一下吧，跟他告白怎麼樣？妳都說了他很好，這樣默默喜歡要到什麼時候？」

「我不敢。」許隨眼神生出退意。

「要不然賭一次，他贏了就告白怎麼樣？」胡茜西建議道：「試一試，說不定妳就能結束這三年的暗戀了。」

許隨沉默了很久，最後點了點頭：「好。」

晚上洗完澡後，許隨還是擔心白天的事，她傳了一則訊息問道：『飛行考核，你不是有幽閉恐懼症嗎？』

兩分鐘後，螢幕亮起，ZJZ回：『誰跟妳說我有幽閉恐懼症的？』

許隨猶豫了一下，說道：『高中，我聽他們說的。』

似乎隔了很久，ZJZ回：『談不上幽閉恐懼症，輕微的，準確來說，是害怕又黑又密閉的空間，考核在凌晨。』

許隨正要回覆，周京澤又傳了一則訊息過來：『別擔心。』

許隨總算鬆一口氣，她把手機放在一旁，披著半濕未乾的頭髮坐在書桌前，擰開檯燈，從抽屜裡拿出日記本，裡面夾著一封信。

信紙上面有些陳舊的痕跡，許隨捏著信紙的一角看了很久。這封信從她偷偷喜歡上周京澤就在寫了，總幻想有一天能交給他。

可是一次也沒敢遞出去。

一直到現在，許隨偶爾還會在信紙上塗改、寫，儘管在這個年代，寫信告白成了一件老土的事。

怎麼樣，要告白嗎？

要不要賭一次？

約定比賽的日子很快來臨，因為這幾天是京航飛行學院期末考核的日子，所以許隨他們上課時，經常能聽到頭頂轟鳴的聲音，飛機拖著尾巴掠過屋頂，衝上雲霄。

周京澤和高陽比賽這天，轟動了整個學院。京航學風一向開放自由，聽到學生們的賭約後，教官和管制員並不意外。

京航飛機場上站了好幾位老師，還有一名記者、一名攝影師。張教官和管制員相視一笑：「有意思，有我們當年那種年少輕狂的勁頭啊。」

「宋記者，剛好這裡有個比賽，有素材可以寫了。」張教官笑得樂呵呵的，繼而轉頭看向飛機管制員，說道：「老顧，打個賭吧，你押誰贏？」

「自然是押我的學生，周京澤。」飛機管制員說道。

「那我押高陽，這小子也不錯，很努力啊。」

比賽開始前，一行人來到管制室，由於周京澤跟老師提前打了招呼，老顧又疼他，許隨和胡茜西也得到允許，一起進入管制室，全程觀看這場比賽。

畫面裡，周京澤穿著天空藍的飛行服，肩膀上是金線繡製的飛行標誌，黑色帽檐下的一雙眼睛漆黑且銳利，頭頸筆直，一貫冷峻的臉上掛著閒散輕鬆的笑，顯得整個人瀟灑又帥氣。

這是許隨第一次看周京澤穿正式的飛行服，隔著螢幕，她的眼睛眨也不眨，一顆心看得怦怦直跳。

飛行學員和教練一起走進飛機駕駛艙，周京澤在坐下來的那一刻，迅速掃視並檢查駕駛艙內的設備。

「感覺你一點也不緊張啊。」教練笑道。

周京澤咬著一支記號筆，低頭把膝上資料夾綁在右側大腿上，扯了扯嘴角：「裝的。」

教練無語。

起初，周京澤還有點緊張，飛機啟動後，一陣搖晃，繼而緩緩上升，他緊張的心情消散了一點。

螢幕前的教官們，看高陽先起飛。這條試飛航線並不長，從京北城正中央飛至桐光、漠城，再按固定線路返回。

高陽駕駛的是T-789018，周京澤駕駛的是客機G-58017，兩架飛機先後飛上天空。飛機起飛成功且不搖晃後，Autopilot（自動駕駛儀）啟動。

周京澤鬆了一口氣，他開始一邊看儀表板的數據，一邊在膝上的資料夾記錄，一目十行。可惜好景不長，在開到一半時，飛機出現了技術性故障。

儀表板顯示三號引擎滑油溫度過高，顯示器出現警告訊息。嘀嘀響的警告訊息提醒著周京澤，他今天運氣不好，飛機出現了意外故障。

警告字眼十分刺眼，提醒著周京澤必須盡快解決問題。畫面外的教官和管制員也沒想到這麼低的故障機率被周京澤遇到了。

許隨站在那裡，手心出了汗，在心裡暗暗祈禱周京澤一定要順利解決。

畫面切回來，副駕駛座上的教練出聲：「要幫你嗎？」

周京澤搖頭，抬手選擇了關閉發電機，低沉的嗓音透著鎮定：「為了減輕發電機負荷，降低滑油溫度，所以關閉其中一臺發電機。」結果顯示器仍顯示警告訊息。

「現在呢？」副駕駛座上的教練問。

「關閉Engine。」周京澤微捲著舌頭，標準又流利的發音從喉嚨裡滾出來。

他的反應算相當快的。

螢幕前的管制員眼露欣賞，不由自主地喊了句：「漂亮！」站在後方的許隨也不由得露出笑容。

窗外的雲層飄過，教練沒有朝周京澤豎大拇指，而是橫著手臂用拳頭對著他，周京澤愣了一下，隨即薄唇向上挑起弧度，跟教練碰了拳頭。

返航時，飛機穿過雲層，飛在漠城上方，藍天下是無邊無際的沙漠，大塊的紅色和褐色，像是拼接圖，在光線的照耀下成了一條流動的彩虹。

此時正值清晨五點五十九分，周京澤駕駛著飛機，穿越京31航線，越過沙漠，不經意地往外一看，愣住了。

一個橙紅的太陽正徐徐上升，撕破了一個口子，萬千金光灑向大地，霧靄漸漸散去。

由於離太陽比平常近，周京澤彷彿感受到了它的熱度。太陽由橙紅慢慢過渡為金黃，像一個新生的宇宙出現在面前。

萬千光芒，短暫又輝煌。

「老師，您能幫我拍一下機艙外的日出嗎？」周京澤問。

教練往窗外瞥了一眼，轉過頭來打趣道：「怎麼，沒見過日出啊？」

「嗯，第一次見。」周京澤笑。

原來真的像許隨說的那樣——日出也不比日落差，再等等，總會有更好的風景。

這是他第一次開飛機時遇到的日出。

螢幕前，飛機明明還在返航中，管制員卻一副學生已經贏了的樣子，尾巴翹起來：「怎麼樣，老張，要不要棄明投暗？要不然你這兩百塊就保不住囉。」

張教官搖搖頭，一臉固執：「周京澤的表現雖然可圈可點，但飛行中最關鍵的一環——安全著陸，不是還沒到嗎？我看還是高陽贏，他這個人比較平和，內斂可靠，比較穩，周京澤鋒芒太盛，他身上不確定的因素太多了。」

飛行員這個職業，一定要謹慎平和，萬無一失，而周京澤明顯不屬於這類人，他是冒險的，變化的，讓人捉摸不透。

氣氛一陣沉默，管制員繼續開口：「話是這樣說沒錯，可是你剛才也聽見了，他的操作很流暢，在副駕發出通信指令時，我們想的，副駕想的，還沒來得及說，他好像知道我們心裡想的是什麼，給出預判，立刻提出『接入漠城的信號』。」

「這小子發出指令都是憑一種鷹的敏銳和直覺，他是天才飛行員，真正為天空而生的。」

教官沉默半晌，說道：「先往下看吧。」

兩架飛機即將著陸，螢幕前的所有人都睜大眼睛看著。高陽的著陸幾乎是嚴格遵守了老師教的，降落非常合格，整個操作四平八穩。

張教官看得呼了一口氣。

周京澤坐在駕駛艙內，檢查完各種儀器後，對準R1跑道的中心線，與跑道形成一個小夾角，緩速下降。

他的表情非常淡定，甚至還有一種自得，飛機距離地面三十五英尺高時，骨節分明的手握住操縱桿，微微向上拉，使得機頭上抬。

周京澤的狀態始終是遊刃有餘的，他對準跑道中線，飛機緩慢向下降，與地面的夾角越來越小。

在落地的一瞬間，只有輕微的搖晃。

這對一個學員來說，是幾乎不可能完成的操作。管制室的人吸了一口氣，這著陸太漂亮且無可挑剔。

「你贏了。」張教官給出最後結論。

話音剛落，管制室內的年輕人發出一聲驚呼，立刻衝了出去。胡茜西對許隨眨了眨眼，拉著她跑出去。

機場的跑道內，盛南洲他們衝過去狠狠給了周京澤一個擁抱，大劉拍了拍他的肩膀：「哥們，你可真行。」

「我這次真的服你。」盛南洲由衷地替他開心。

跑道線外站著高陽和李森，高陽的表情並不怎麼好看，但還是勉強維持臉上的鎮靜，走過來和周京澤握手，維持著禮貌：「恭喜你。」

周京澤斜睨了對方伸出的手一眼，並沒有回握，而是把眼神移向一旁的李森，聲音有點冷：「記得跟許隨道歉。」

李森臉上的表情已經不能用難看來形容，他不大情願地說：「知道了。」

一位女記者走過來採訪周京澤，問道：「請問你是如何做到完美著陸的呢？」

「直覺。」周京澤給出簡短的兩個字。

但許隨懷疑他根本是懶得說，拋出兩個字來敷衍記者，果然，她猜對了。下一秒，女記者繼續問道：「未來對藍天有什麼期許嗎？」

周京澤正色，朝記者抬手示意她過來一點，記者聽話地向前走了兩步，他臉上露出吊兒郎當的笑：「妳猜。」

說完，記者愣在原地，而周京澤一抬眼看到後面班上男生不懷好意的眼神，立刻向後退。

班上的男生衝過來向周京澤道喜，一班和二班向來不怎麼合得來，這次他可算幫大家出了口惡氣。

男生們將周京澤團團圍住，先是禮貌道喜：「恭喜啊，大神，又讓我們班有面子了。」

「是不是得請個客啊，不然說不過去。」

「請。」

周京澤撂一句轉身就想跑，但寡不敵眾，男生們拽住他的褲管不讓走。周京澤一個踉蹌，差點摔倒，笑罵道：「別拽我褲子啊。」

一眾男生一齊把周京澤高高舉起，來回拋上天空，還喊起了口號——

「一班最棒，周京澤最厲害！」

「衝啊，整個藍天都是我們的。」

周京澤摁著自己的褲子，說話夾著三分痞氣：「行了，在飛機上都沒你們顛，快吐了。」

中間有測繪系的同學路過，笑著調侃：「都說天上飛的是少爺兵，在陸地上可不太行啊。」

「比一比不就知道了嗎？反正你們在地上也是跑。」周京澤挑了挑眉，語氣狂妄。

班上其他男生來了勁頭，說道：「對啊，都是兩條腿獨立行走的動物，怎麼還職業歧視了？」

「這樣，以這條白線為起點，誰先跑到紅旗那誰就勝利，怎麼樣？」

「行啊。」

「一、二、三，跑！」

明明這是男生當中最幼稚的遊戲，他們卻玩得起勁。烈日當頭，有些刺眼，許隨伸手擋住眼睛，看向不遠處。

周京澤不知道什麼時候脫了外套，他像離弦的箭一樣衝向遠方，有風吹來，將他的襯衫鼓起來，像海上揚起的帆。

快到終點時，周京澤反而慢下來，轉過身逆風奔跑，少年意氣風發，還朝他們比了一下中指，露出輕狂肆意的笑容。

紅色的旗幟在他身後迎風飄揚，周京澤身上的氣息凶猛又頑劣，是囂張輕狂的，也是讓人心動的。

疾風繞旗正少年。

許隨看得一顆心快要跳出胸腔，這一次的心跳頻率比任何時候都快。對於周京澤的這份感情，令她不斷在自卑敏感中自我懷疑，她總是自我拉扯，起起伏伏。

可是這一次，她想靠近光一次。

萬一抓住了呢？

暗戀像苔蘚，不起眼，在等待中蜷縮枯萎，風一吹，又生生不息。

Crush 不是害羞的熱烈的短暫的喜歡，而是害羞的熱烈的長久的喜歡，是持續性的動詞。

一群人玩完遊戲後，管制員和老師來到一眾大汗淋漓的男生面前，笑著說道：「你們都要加油。」

男生們敬了個禮，皮得不行：「謹遵長官教誨！」

管制員指了指他們，無奈地笑，隨後拿出一枚徽章和一個紅包給周京澤：「老張讓我給你的，徽章也是你的，刻有你的名字，是這次考核的獎勵。」

周京澤毫不客氣地收下了紅包跟徽章，舌尖抵住下頜，笑道：「謝了啊，老顧。」

老師們走後，周京澤拿著紅包抬了抬手，示意許隨過來。許隨和胡茜西一路小跑到他們面前。

許隨仰頭看著周京澤，眼底有著亮晶晶的光：「恭喜你。」

「還得感謝妳，給，拿去買糖吃。」周京澤漫不經心地笑，把紅包遞給她。

在眾人的注視下，許隨也不知道哪生出來的勇氣，搖了搖頭，眼底透著緊張：「我想要那個徽章。」

這句話一出，眾人發出「哇哦」的聲音，盛南洲看熱鬧不嫌事大，說道：「小許老師，我的測試還沒開始，我也有這個徽章，妳怎麼不要我的？」

到底是臉皮薄心細的女孩子，周京澤沉默很久，細長的眼睛直勾勾地盯著她看，臉上沒有什麼表情。

一顆心被弄得七上八下，許隨打退堂鼓，喉嚨乾澀，她垂下眼正想說「我開玩笑的」時，周京澤忽然俯下身，聲音震在耳邊：「拿著。」

第十一章　美夢成真

「我不喜歡吃甜的。」

「試試吧。」

從今天開始試著吃甜的。

「就是想留個紀念。」許隨臨陣退縮，匆忙解釋。

眾人還在起鬨，胡茜西看許隨這模樣，知道她改變主意了，為了不讓她尷尬，胡茜西擋在盛南洲面前說：「對啊，我們醫學生沒見過世面怎麼了?盛南洲，我想要你的徽章，你最好給我贏。」

盛南洲忽然被點名，還是被胡茜西要徽章，他神色有些不自然，咳嗽一聲：「我當然能贏。」

一枚徽章而已，周京澤看起來並沒有放在心上，他低頭看著手機，頭也不抬：「今天晚上八點紅鶴。」

有男生打了個響指，其他人附和道：「周老闆大方！」

「行了，別廢話了，趕緊滾吧。」周京澤冷笑一聲。

一群人解散之後，胡茜西和許隨挽著手臂走回學校，大小姐臉帶疑惑：「隨啊，剛才正是告白的大好時機，妳怎麼退縮了呢？」

「沒準備好。」許隨搖搖頭。

剛才圍觀群眾這麼多，周京澤離得又近，一和他對視，許隨就有點腿軟，大腦一片空白，況且，她是真的沒有準備好。

「那妳打算——」胡茜西試探地問道。

許隨呼了一口氣，一雙黑眼珠裡寫滿了堅定：「今晚。」

「可以！告白大吉！」胡茜西打了個響指。

許隨笑笑，沒有接話，握緊了掌心裡那枚小小的金色徽章。

暗戀就是還沒得到，就先選擇了承受失去。

傍晚六點，盛夏的晚霞燦爛又短暫，許隨挑了一件白裙子，隨手抓了一下髮尾，整個人顯得乾淨又落落大方。

胡茜西幫她化了個淡妝，畫完以後睜大雙眼，忍不住驚嘆：「哇，隨隨，妳太美了。」

鏡子裡的許隨膚白眸黑，塗上口紅的她多了一絲瀲灩之意，清純又動人。

胡茜西去外面裝水時，許隨趴在書桌上，猶豫半天，最後還是拿出了那封信放進口袋裡。斷斷續續寫了這麼多年的信，總該送出去。

周京澤先回琥珀巷的家洗了個澡，出來時，頭髮濕答答地往地板上滴水，他側身甩了一下水珠，撈起矮櫃上的手機打算傳訊息給外公。

周京澤脖頸上搭著一條白毛巾，他從冰箱裡拿了一罐冰可樂出來，坐在沙發上。骨節分明的手握著罐身，拉環扯開，他喝了一口，嗓子總算舒服多了。奎大人則趴在他腳邊，時不時地咬他褲管。

最近好像有點上火，喉嚨都啞得冒煙了。

周京澤背靠沙發，用拇指揩去手機螢幕上的水霧，把早上在飛機上拍的日出照片傳給了外公。

外公很快回訊息：『試飛結果怎麼樣？』

周京澤在對話欄裡打了「還不錯」三個字正要傳出去時，手機忽然響起一陣急促的鈴聲，來電顯示是師越傑。

周京澤下意識地蹙起眉頭，但還是點了接聽，聲音冷淡：「什麼事？」

師越傑那邊聲音嘈雜，他好像換了個地方打電話，問道：『京澤，你現在在哪？』

周京澤俯身從茶几上的菸盒裡摸出一根菸咬在嘴裡，發出一聲嗤笑：「我在哪？好像不關你什麼事吧，哥、哥。」

周京澤這樣直接帶刺地嗆人，師越傑也沒生氣，他的語氣依舊溫和，但帶了點焦急：『你有時間的話來家裡一趟，爸好像要……把阿姨的牌位遷走。』

「我馬上過去。」周京澤倏地起身，聲音冰冷。

周京澤連頭髮都來不及吹，撈起桌上的手機和菸就跑出門了。周京澤騎上摩托車，猛地一轉油門，連人帶車像離弦的箭般向不遠處衝去，剩下奎大人站在門口，焦急地對著他的背影汪汪叫了幾聲。

路上的風很大，呼呼地吹過來，兩邊的梧桐樹像按了快速鍵一般快速倒退。在去那個家的路上，周京澤想了很多。

比如他媽媽是最優秀的知名大提琴手，選擇婚姻後，依然優雅又善良，傾注了很多關愛和溫柔給周京澤。

媽媽去世後，頭七還沒過，周正岩就把祝玲母子領進家門，扯著周京澤的頭髮逼他叫一個沒血緣關係的陌生人哥哥。

晚風過境，冰冷又迅猛，吹得周京澤的眼睛生疼，他加快了速度，寒著一張臉，不顧門衛的阻攔直接衝進了別墅的庭院。

周京澤把摩托車熄火，徑直走了進去，一到正廳，果然一大幫人站在那裡，祝玲正指揮著他們把牌位拆掉。

祝玲聽見聲響，轉頭看過來，在看清來人時一愣，隨即又極快地露出溫婉的笑容：「京澤，什麼時候來的，吃飯沒有？」

問完之後，祝玲轉頭看工作人員，語氣溫柔：「哎，你們把牌位前的果盤端走吧，我來移，怕你們做不好。」

周京澤眉心一跳，一字一句道：「別、碰、她。」

當周京澤說話很慢且話很短時，意味著他發火了。祝玲的手僵在半空中，一臉尷尬，她以為周京澤只是介意對象是她，便開口說：「那你們來搬吧，小心一點。」

左右兩個穿著黑衣服的男人作勢上前，就要把牌位搬走。周京澤站在那裡，漆黑的眼睛環視了一圈，一眼看到角落裡的棒球棍，垂在褲縫邊的手動了一下，接著大步走過去，抽出棒球棍，眼睛眨也不眨地用力朝一旁的古董花瓶揮了下去。

「砰」的一聲，花瓶四分五裂，碎了一地，祝玲嚇得當場大叫起來。周京澤拎著棒球棍，眼神銳利地盯著他們，聲音冰冷：「你們再碰一下試試。」

場面鬧得太難看，且動靜不小，周正岩聞聲從樓上趕下來看到眼前的一幕，氣得發抖。他不明白，只是在樓上接了通電話，怎麼就鬧成這樣了。

師越傑也循著動靜過來，看到嚇得臉色蒼白的祝玲，走過去摟住她的肩膀，問道：「媽，妳沒事吧？」

「沒事。」祝玲的聲音虛弱。

周正岩為了維護自己的威嚴，指著周京澤：「你又過來發什麼瘋，把你阿姨嚇成什麼樣了！」

聽到這句話，周京澤低下頭慢慢地笑了，他一臉玩世不恭，語調鬆散：「要不是媽的牌位要撤，我還真不愛來您家。」

周正岩一時語塞，他分明不是那個意思，正要開口解釋時，周京澤倏地打斷他，眼神冰冷，透著一股決絕：「您就這麼容不下她嗎？以後您就當沒我這個兒子。」

一句話落地，空氣都靜止了，周正岩勃然大怒，三兩步衝過去狠狠甩了周京澤一巴掌。

周京澤一個踉蹌沒站穩，臉別了過去，一巴掌過來，他感覺耳邊傳來一陣嗡嗡的耳鳴聲。周正岩還在氣頭上，聲音很大：「你說什麼混帳話！我哪裡容不下你媽了？我是要把牌位遷去另一個房間，你忽然跑過來大鬧一通，像什麼話？」

周京澤瞬間明白過來，原來他被耍了。

「誰跟你說我要把你媽的牌位遷走的，啊？」周正岩胸口起伏個不停。

周京澤沒有開口，看向師越傑，後者站了出來，拿出兄長的架勢，開始溫聲解釋：「對不起，爸，是我沒有搞清狀況就跟京澤說了，我以為……我怕他擔心。」

「你看看你，做事永遠這麼衝動，不分青紅皂白地來家裡鬧，你再看看你哥，永遠在為你著想，一直照顧我，你呢？老子白養你這麼多年了！」

周京澤被打的半張臉還火辣辣地疼，他朝垃圾桶吐了一口帶血的唾沫，抬起眼看向在場每一個人，釋然一笑：「既然這樣，我就不打擾你們一家團聚了。哪天你真不要我媽的牌位了，通知我一聲就行，我帶她走。」

周正岩臉上好不容易恢復的血色瞬間消失，臉色青白，呼吸也不順暢起來：「你……你這個逆子！」

師越傑一看周正岩氣得都犯病了，忙拍著他的背幫忙順氣：「爸，我先扶你回房吃藥吧，別氣傷了身體。」

說完，師越傑扶著周正岩出去，祝玲也跟在一旁，一家三口的背影看起來無比和諧。周正岩扶著腦袋唉聲嘆氣：「親兒子還不如身邊的兒子親啊。」

周正岩感嘆的聲音傳過來，周京澤面無表情地聽著，垂在褲縫邊的手慢慢緊握成拳。

周京澤走出家門時，口袋裡的手機發出嗡嗡聲，他拿出來一看，盛南洲來電，於是點了接聽。

「喂。」一開口，周京澤才發現自己的聲音無比嘶啞。

盛南洲處在包廂裡，K歌的聲音震天響，他笑著問：『哥們，你在哪呢？我們等你好久了，你不知道大劉那傢伙，被灌得跟傻子一樣。』

周京澤輕笑一聲：「馬上到。」

掛了電話，周京澤站在路邊沉默地抽了三根菸，最後平復好心情才騎著摩托車往紅鶴會所的方向去。

許隨坐在人多的包廂內，依然感到侷促，包廂裡每進來一個人，她都會下意識地看向門口，結果都不是周京澤。失望寫在她臉上。

許隨看了時間一眼，八點四十五分，已經過去近一個小時了，他還會來嗎？

她俯身拿起桌上的果汁喝了一口，下一秒，有人推門而入。盛南洲在一旁大喊：「你怎麼現在才來？」

許隨順勢抬眼，光影切過來，周京澤穿著黑色的T恤走進包廂，他唇角帶著血紅的傷口，皮膚冷白，臉上的表情晦暗不明，顯得整個人落拓又不羈。

「有點事。」周京澤輕笑一聲。

周京澤虛虛地看了眾人一眼，在對上許隨的目光時也是不冷不淡地點了一下頭，然後走過來坐下。

沙發中間的人自動為他讓出一個位子，大劉坐在旁邊喝得醉醺醺的，看見周京澤臉上的傷口一愣，說話不經大腦：「哥們，你臉上的傷怎麼回事啊？」

眾人噤聲，周京澤把打火機和菸扔在桌上，俯身找了把叉子叉了塊西瓜送進嘴裡，語氣懶洋洋地說：「還能怎樣，路上騎車磕到了唄。」

「哈哈哈哈，你也有今天。」大劉拍著他的肩膀大笑。

今天來的人特別多，周京澤朋友多，加上他們又攜家帶口的，玩遊戲的玩遊戲，K歌的K歌，包廂裡好不熱鬧。

熟悉周京澤的人都知道，他今天心情不大好，氣壓低，所以盛南洲自覺地沒去煩他，這倒給了商務英語系的一個女孩可乘之機。

許隨對她有點印象，長相妖冶，身材還好，叫劉絲錦，上次樂隊贏了比賽的聚會她也在。

周京澤今天心情不爽到了極點，沒有任何表情地窩在沙發上，開了一瓶XO，直接就想對瓶喝。

坐在一旁的劉絲錦伸手攔住，周京澤抬起薄薄的眼皮睨她一眼，女生也不怕，笑吟吟地說：「你想喝死在這裡嗎？用酒杯。」

周京澤鬆了手，任她傾身過來往酒杯裡倒酒。周京澤一杯接一杯地喝酒，側臉線條沉默又冷峻。

許隨坐在角落裡，看著周京澤旁邊坐著一個風情萬種的女生，他在喝酒，劉絲錦朝他勾勾手指。

周京澤俯身傾聽，唇角懶懶的，女生的長捲髮掃到他的手臂，他沒有推開，也沒主動，放浪形骸又曖昧。

許隨暗暗握緊手掌，指甲陷進掌心，傳來的痛感使她麻木，眼眶漸熱，她收回視線，不想自虐地再看這一幕。

她起身，走到點歌機前面，點了一首歌，是薛凱琪的〈奇洛李維斯回信〉。

只要背對著他們，看不到就好了。

紅色的霓虹閃過，許隨握著麥克風正打算唱歌，有人扯了扯她的衣角。

許隨轉身一看，胡茜西拉著她的手，湊到耳邊：「隨隨，妳出來一下。」

她只好把麥克風放回架子上，跳下高腳椅，兩人手拉著手，彎著腰從螢幕前經過，走了出去。

走廊上，胡茜西問她：「隨啊，不是說好要表白的嗎？怎麼沒動靜了？」

許隨垂下眼睫，吸了一口氣：「他……旁邊坐著別人。」

胡茜西瞬間明白過來，拍了拍她的肩膀：「哎，妳不知道我舅舅，要是真的喜歡那女的，他早上手了，他心情不好的話就那個死人樣，誰都能跟他搭上兩句話，下一秒踩到雷的話就不是那麼好說話了。」

「倒是劉絲錦一直貼著我舅舅，妳再不上，那女的都要趴他身上了，跟隻蜘蛛精一樣。」胡茜西語氣憤然。

「不要怕，隨隨，妳不試一下的話永遠不知道答案，萬一呢？」胡茜西鼓勵道。

許隨沉默半晌，最終點頭：「好。」

兩人回去包廂，許隨坐回角落的位置，雙手搭在膝蓋上，還是有點緊張，酒壯人膽，在震天響的包廂中，她默默一口氣豪飲了三杯酒。

那是她第一次喝酒。

網上說什麼酒味很好，讓人上癮，許隨一點也沒體會到。第一口酒入喉，許隨辣得眼淚都快出來了。

盛南洲恰好坐在一邊，注意到了她的反常，關切地問道：「許妹妹，妳沒事吧？」

許隨搖搖頭，伸手將唇角的啤酒泡沫擦去，站起身，把手插進口袋裡捏著信的一角，在曖昧浮動的光線裡走向周京澤。

周京澤正彎腰倒酒，臉上掛著漫不經心的笑容，握著酒杯的手還夾著一根菸。一道纖細身影籠罩下來，擋住他的視線。

「什麼事？」周京澤抬頭，挑了挑唇角。

許隨看著他，聲音有一絲緊張：「你能不能出來一下？」

周京澤愣了一秒，隨即鬆開酒杯，抬手摁滅菸頭就要起身，不料被劉絲錦拽住手臂，她的聲音一如既往地嬌媚但帶著焦急：「有什麼事不能在這說呀？」

劉絲錦早就注意到眼前這個女孩子了，乾淨斯文，乖巧，與這個風月場所格格不入，卻讓她產生了危機感。

她故意喊得很大聲，恰好有人切了一首歌，前奏是漫長的空白，只有一點背景音，所有人都看向這邊，整個包廂不自覺安靜下來。

周京澤臉上的笑意斂去，他心情不好，懶得說話，不代表劉絲錦能以女朋友身分自居，他尊重女生，不代表她可以這樣處事。

他掀起眼皮似笑非笑地看了劉絲錦一眼，眼神藏著警告，劉絲錦心裡發涼，下意識地鬆開了手。

周京澤起身打算跟許隨出去，可許隨兀自下定決心，不想給自己留後路似的，忽然擋在他面前，擋住了他的路。

在十幾個人的見證下，許隨站在昏暗的包廂裡，周京澤足足比她高了一個頭，她需要仰頭，兩人的視線才對得上。

周圍的人察覺到氣氛不對勁，都自覺安靜下來，有機靈的男生尖叫了一聲。許隨一顆心毫無節奏地跳著，緊張得說不出一句話。

剛好輪到許隨點的歌，無人唱，只有薛凱琪唱歌的聲音在包廂裡迴盪，聲音堅定又帶著點澀味——

「天天寫，封封寫滿六百句的我愛你，寫了十年從未覺得太乏味……繼續被動來做普通的大眾，實在沒有用，情願不怕面紅，頑強地進攻爭取那認同，如朝朝代代每個不朽烈士奮勇，明知我們隔著個太空，仍然將愛慕天天入進信封……」

許隨的右手插進口袋裡，裡面的信被她捏得變形，邊角都爛了，明明不敢看他，仍逼自己直視他，她黑漆漆的眼睫顫了顫，嗓音有點抖：「周京澤，我……喜歡你。」

終於說出來了，人群中立刻爆發出一陣尖叫，男男女女大喊：「在一起！在一起！」許隨說完以後迅速移開眼，不敢再看他，把手重新插進口袋裡，胡亂地找那封信。

周京澤錯愕了一下，隨即漫不經心地挑了挑唇角，聲音一如既往地好聽：「不好意思啊，妳太乖了。」

他說得很小聲，應該是照顧到許隨作為女孩子的自尊，周圍人沒聽到周京澤的聲音，還在那起鬨。

周京澤單手插著褲子口袋，掀起薄薄的眼皮看了瞎起鬨的人一眼，周圍人自覺噤聲。

意料之內的答案，許隨鬆開緊握著信的手，垂下眼，只覺得眼睛發酸，還好沒把那封信拿出來。

是啊，她永遠不是周京澤的偏好。

許隨穿著白色吊帶裙，露出白皙的肩膀，即使化了點妝，依然是素淡、清純那一類的。即便喝酒，也是會把自己喝得嗆出眼淚的那種人。

她乖巧、安靜，常常陷於人群中，被淹沒。像一張白紙，安分的同時，又渴望冒險，可許隨做過最大膽的事也只是背著家長打遊戲和堅持學爵士鼓，最大的願望也不過是希望家人身體健康，自己能好好生活。

周京澤，放蕩、反叛且自由，常常做冒險的事，高空彈跳、賽車、在大峽谷跳傘，希望在某一天死去的時候，恰好能看見日落大道。

像是兩個世界的人。

周京澤低頭看著許隨紅著眼又努力不讓自己哭的樣子有一瞬間失神，拒絕別人是常事，可面對她，他有點不知所措，有一種說不出的情緒。

他垂在褲縫邊修長的指尖動了動，想伸手幫她擦淚。

忽然，周京澤不經意地往外一瞥，瞥見包廂門外的某個身影，恨意幾乎是在一瞬間湧上來，他舌尖抵著下頜笑，話鋒一轉：「但是可以試試。」

一句話落地，許隨難以置信地抬起眼，隨即周圍的起鬨聲和尖叫聲一浪蓋過一浪。許隨人還是愣的，這時有人順勢推了她一把。

「砰」的一聲，有人開了一瓶香檳，泡沫噴出來，在歡呼聲中，許隨一個踉蹌跌進周京澤懷裡，臉頰貼著他的胸膛，隔著一層布料，熱源烘得她臉頰發熱。

「哇哦，恭喜周爺脫單！」

「許妹妹把這畜生收了，以後好好管管他！」

「百年好合！」

「送入洞房！」

彩帶和金片落在兩人頭頂，周京澤順勢攬住她的肩膀，笑罵道：「傻子。」

餘光裡那人的身影僵住，然後落寞離開。

周京澤收回視線，攬著許隨的肩膀坐下，他知道許隨臉皮薄，虛踹了旁邊的人一腳，說：「差不多得了。」

他們也不敢鬧得太過分，加上盛南洲安排了一輪遊戲，沒多久，包廂又歸於熱鬧中了。

周京澤收回搭在她肩膀上的手，重新喝酒，一杯又一杯。許隨坐在周京澤身邊，還是感覺不真實。

周京澤的一句話，像坐雲霄飛車般，將她拋向雲端。

包廂的座位有點擠，旁邊的人玩遊戲十分投入，手腳並用地比劃，弄得許隨的腿時不時地碰到他的膝蓋，一下，兩下，像她止不住的心跳。

周京澤的心情依然很差，在沉默地喝酒。許隨感受到他的低氣壓，總想做點什麼。

其實周京澤剛才就是腦子一熱答應了，然後把許隨撂在一旁。周遭是熱鬧的喧囂，酒精讓人迷醉，周京澤喝了兩打啤酒，腦海裡時不時閃過一些畫面。母親在自殺前說很愛他，結果呢，還不是離開了他。還有周正岩說「親兒子不如身邊的兒子親」，在他們眼裡，他確實不算什麼。

周京澤喝得意識不清，想找打火機也只是在茶几上亂摸，心底掀起一陣煩躁，正要發火時，眼前出現一截白藕似的手臂。

他抬起眼皮，許隨握著銀質的打火機遞給他，一雙漆黑的眼睛安靜又乖巧。周京澤一愣，接過來，火氣散了大半。

接下來，無論周京澤下意識地想要什麼，一旁的許隨總能找到給他。她一直待在他旁邊，被冷落也沒有生氣，乖得不像話，最多只是叫他少喝點。

周京澤低頭咬著一根菸，打火機發出「啪」的一聲，薄唇裡滾出煙霧，他臉上掛著散漫的笑：「妳喜歡我什麼，嗯？」

連他自己都不太喜歡自己。

沒有聽到答案，周京澤挑了挑眉梢，也不介意，他抬手撣了撣菸灰，背靠沙發，眼神放空，看著眼前嬉笑玩鬧的場面，沉默且孤獨。

也前所未有地疲憊。

一場聚會在近十一點結束，一群人喝得醉醺醺的，有人喊道：「快點回去，舍監還有半個小時就關門了。」

盛南洲接話：「少裝，你可沒少翻牆。」

一眾人勾肩搭背地走出紅鶴會所大門，盛南洲只喝了一點酒，還算清醒，他幫一大幫人叫車。

許隨扶著醉醺醺的周京澤，想把他交給盛南洲，結果後者強行把她和周京澤塞進同一輛計程車。

「嫂子，照顧好我哥啊，到了學校我把他扛回去。」盛南洲笑道。

許隨一臉茫然。

盛南洲身分適應得比她還快。

計程車開得不算太快，車裡有一絲悶熱，許隨降下車窗，冷風灌進來，涼絲絲的。風將許隨的頭髮揚起，她的側臉安靜又好看。

周京澤喝醉了很安靜，他仰頭靠在座椅上閉目養神，表現得跟正常人無異。要不是許隨親眼見到他喝了酒，她不會相信他醉了。

她偏頭看著周京澤發呆，突然，前方一個急轉彎連帶緊急剎車，許隨由於慣性向左側傾倒，儘管慌亂中用手肘撐在座位上，還是避無可避地一頭栽在了男生大腿上。

死亡性瞬間。

她臉頰貼著對方，是真的感覺到跳動和炙熱，許隨匆忙起身，臉燒得通紅，她偷偷瞥了周京澤一眼，還好，還在睡覺。

許隨重新坐正，看著窗外發呆。過了沒多久，周京澤睡得很沉，腦袋沒有支撐，下意識地磕向玻璃，又重新靠回來。

如此來回，許隨擔心他磕痛額頭，小心翼翼地扯著他的衣袖，將周京澤整個人慢慢移向她的肩頭。因為怕吵醒他，許隨的動作很小心，也緊張。最終，周京澤閉著雙眼倒向她的肩頭，許隨側頭看他。

車窗外暗紅的燈晃過來，周京澤的臉半陷在陰影裡，他的側臉凌厲分明，黑長的睫毛垂下來，挺鼻薄唇，好看得不像話。

他溫熱的呼吸噴灑在許隨的脖頸上，又癢又麻，同時提醒著許隨這不是夢。

三年前在走廊上驚鴻一瞥，至此，高中每個角落裡都是他。許隨不用再隔著人群遙遙地看他在臺上發言，與別的女生談笑風生。

他也不是許隨高中做試卷時，耳機裡唱的「我站在你左側，像隔著一條銀河」默默暗戀的男生了。

是男朋友。

車窗外的景色如電影般快速倒退，一幀又一幀，有個巨大的燈牌寫著一句誇張的廣告詞：用了它，美夢成真。

是美夢成真。

許隨低頭看著靠在她肩頭的周京澤，忽然開口：「很多。」

——「妳喜歡我什麼，嗯？」

——「很多。」

周京澤宿醉一夜，醒來後頭疼欲裂，五點五十分出早操時，一陣慷慨激昂的鈴聲把周京澤震醒了一次。

昨晚他喝得實在太凶，渾身跟散架了一樣，導致根本起不來。盛南洲在出操前整理內務，看到他蒼白的臉色，開口：「你別去了，我幫你請個假。」

周京澤喉嚨乾得冒火，他猛地咳嗽一聲，整個人昏沉沉的，說出來的話無比嘶啞：「嗯，順便幫我帶個咳嗽藥回來。」

「好。」

疲憊感再次襲來，周京澤又躺了回去，他一連做了好幾個光怪陸離的夢，睡到下午兩點。

周京澤起來後，睡眼惺忪，為了讓自己快速恢復清醒的狀態，他直接去洗手間洗了個冷水澡。

洗完澡出來，周京澤上半身什麼也沒穿，單穿著一條褲子，脖子上掛著條白毛巾走出來，一路不停地咳嗽，引起胸腔劇烈的顫動，他坐在桌前，倒了一杯白開水正要喝，腦海裡一張恬靜的臉一晃而過。

記憶中，昨晚他猛灌酒時，有人幫他倒了一杯水。斷片前的記憶全回來了，昨晚從那個家出來之後，他去了包廂，許隨跟他表白。

他是怎麼做的？拒絕了，因為周京澤清楚地知道自己是個什麼樣的人，他這種人，就別禍害人家好女孩了。

可下一秒，周京澤看見了師越傑，還牌位這件事他分明被師越傑耍了。師越傑的目的很簡單，就是想讓周京澤跟那個家徹底割裂，離他們越遠越好。所以在見到師越傑的那一刻，周京澤心底的恨意滋生，腦子一熱就答應了許隨。第二天清醒過來後，他發現是自己衝動了。

周京澤決定跟許隨解釋清楚，道個歉，要殺要剮都隨她。

周京澤背靠椅子，喉嚨疼得難受，他以為盛南洲帶的藥放桌上了，結果翻了個底朝天都沒找到。

他一邊咳嗽一邊打電話給盛南洲，電話接通後，問道：「藥呢？」

盛南洲在電話那邊笑得無比曖昧，甚至還有點娘：『哎呀，你等等就知道了。』

「神經病。」周京澤直接把電話掛了。

窗外天氣很好，甚至還傳來鳥兒清脆的叫聲，周京澤拿起桌上的菸和打火機放進口袋裡，正準備出門，手裡握著的電話響了。

周京澤沒看來電顯示點了接聽，毫無感情地「喂」了一句，電話那邊似乎停頓了一下，接著傳來一道軟糯的聲音：『是我，許隨。』

「嗯，什麼事？」周京澤手虛握成拳抵在唇邊咳嗽了一下，語氣說不出來的冷淡。

許隨不是沒感覺到他語氣變化，心情瞬間低落：『我有東西給你，你要是沒時間的話——』

「我現在出去，剛好有事找妳。」周京澤截住她的話。

『好。』

周京澤匆匆跑下樓梯，結果在宿舍門外見到了許隨，原來她早到了。他三兩步走過去，黑色的影子垂下來。

太陽有點曬，許隨站在樹下的陰影裡，察覺到動靜後轉身，在看見周京澤後，眉梢立刻浮現喜悅，她抱緊懷裡的東西跑到他面前。

「你醒啦？」

「嗯。」

許隨把懷裡緊抱著的兩個保溫瓶遞給他，有風吹過，她將前面的頭髮別到白皙圓潤的耳朵後面，語氣有一絲不自在：「我聽盛南洲說你不舒服，上午剛好有時間，就煮了一點醒酒茶，還有冰糖燉雪梨。」

周京澤神情錯愕，掀起眼皮看她，問：「煮了多久？」

「沒多久。」許隨搖頭，唇角帶著笑。

其實煮這個東西有點費時間，宿舍又不能用高功率電器，她只能用小火慢慢煮，一邊煮還一邊抓緊時間背藥的學名。

念書和燉冰糖雪梨兩不誤，梁爽還調侃這鍋冰糖燉雪梨充滿了藥味。

周京澤看著她，沒有伸手去接，冷不防地開口：「我不喜歡吃甜的。」

「啊，那我拿回去——」許隨的神色有一瞬的黯淡，又極快地調整好神色，把手往回縮。

忽地，一隻骨節分明的冰涼的手攥住她的手，許隨心口一窒，猛然抬眼，周京澤的嗓音有點啞但語氣認真：「試試吧。」

從今天開始試著吃甜的。

許隨把東西交給周京澤後，就匆匆跑回去上課了，一整個下午，她都感覺不真實，如夢似幻。暗戀那麼久，偷偷望了這麼多年的人，居然真的成了她的男朋友。

晚上回到寢室後，許隨洗了澡出來坐在桌前，點亮手機螢幕看了時間一眼，視線頓了一下，在日記本上寫道——

第一天。

二〇一一年六月二十八日。

寫完以後，許隨手撐著腦袋漫無邊際地發呆，周京澤到現在也沒傳訊息給她，一種奇怪彆扭的自尊心在作祟，於是她也沒有主動傳訊息給他。

胡茜西坐在床鋪上塗她的指甲油，忽地，她丟給許隨好幾個長條的彩虹糖，笑嘻嘻地說：「上次妳給我吃的好好吃呀，我就買了一箱！」

「酸酸甜甜的，我也喜歡。」許隨笑著接話。

許隨拆開包裝紙，邊咬彩虹糖，邊繼續發呆，胡茜西則去上了個廁所，回來時，大小姐拍了拍她的肩膀，眼睛裡流露出讚許的意味：「哇哦，隨隨，妳真了不起！」

「啊？」許隨眼含疑惑。

「妳看動態就知道了，我也是剛知道的。」胡茜西對她擠眉弄眼。

許隨拿起旁邊的手機，點開個人頁面，萬年不發動態的周京澤竟然發了一則，沒有配任何文字，只有一張照片。

下午她送給周京澤的冰糖燉雪梨，此刻正在他宿舍的桌子上，淡黃色的桌子，陽光斜斜地照在透明玻璃杯上，落下被切割成小塊的陰影，糖水還剩一半。

他竟然喝了。

底下一眾人湊熱鬧，盛南洲：『可以，這是變相官宣嗎？周爺，你夠騷。』

大劉：『什麼情況，我不就是喝多了嗎？一覺醒來，老周居然把許妹妹這顆小白菜拱了。』

胡茜西：『嘻嘻，我的好朋友成了我的小舅媽。』

許隨看得有點發怔，心裡後知後覺像裹了糖霜一樣，甜滋滋的，仍覺得難以置信。

「怎麼樣，小舅媽妳是不是要有什麼表示？」胡茜西打趣道。

胡茜西只是開了個玩笑，偏偏許隨還當真了，她語氣認真，皺了一下鼻子：「西西，確實要謝謝妳的鼓勵，不然我真的沒勇氣。」

「嘿嘿，我不管，妳是我們寢室第一個脫單的，隨寶，妳要請我們吃飯！」胡茜西趁機敲竹槓。

「當然好啊。」許隨笑道。

「誰要請吃飯，吃什麼飯？我可聽見了啊！」梁爽拿著飯盒去學生餐廳外帶了一份宵夜，在門外聽見吃的就風風火火闖了進來。

「當然是我們隨隨呀，她和妳男神在一起了。」胡茜西對她眨眨眼。

男神？周京澤嗎？梁爽嘴裡咬著的饅頭差點掉下來，忽然就不香了。那可是周京澤啊。

許隨見梁爽神色變了，以為她有點生氣，下意識地後退了一步，誰知梁爽還是撲了上來。

她舔了一下嘴唇：「我——周京澤宿舍裡還有沒有單身帥哥？」梁爽語氣認真。

胡茜西：「……」

許隨鬆了一口氣：「有的，他們班基本上全是男生。」

許隨請客的時間定在週末。寢室的女孩們一覺睡到十二點，而許隨已經去一趟圖書館回來了。

女孩們火速穿好衣服準備化妝，她們打算下午逛街，晚上再吃東西。女孩子們約會絕不會比男女約會打扮敷衍，她們三個女孩子精心打扮好，走出去吸引了一片目光。

下午在商場逛街簡直成了胡茜西的個人專場，大小姐墨鏡一戴，拎著鱷魚皮的包包，把大小專櫃買了個遍。

許隨和梁爽像兩個直男，找了把椅子坐下，有氣無力地說道：「西西，逛不動了，妳去吧，我們在這等妳。」

胡茜西恨鐵不成鋼地看了她們一眼，帶著亮粉、鑲著粉鑽的指甲指著她們：「妳說說妳們，戰鬥力這麼弱，以後還怎麼讓男人心甘情願地為妳們刷卡？」

說完以後，大小姐又轉頭進了香水店，她拿著試紙往鼻尖處搧了一下，是她喜歡的加州桂的味道。

「你好，我要這個。」胡茜西朝旁邊一個服務人員招手。

對方一身黑西裝，背脊挺直，一轉身，清雋蒼白的臉出現在眼前，他耳邊還戴著一個麥克風。胡茜西一下子就愣住了，是路聞白，他到底做了多少份兼職啊？

路聞白的嗓音清冽，語氣冷淡：「需要什麼？」

「啊，這個。」胡茜西指了指眼前的香水。

結果路聞白直接叫來了同事為她服務，胡茜西只好被友善的櫃姐帶去前臺刷卡結帳。結完帳後，胡茜西站在門口回頭望了路聞白一眼，即使他對她不理不睬，她還是想跟他說句話。

但自從上次路聞白潑過她冷水後，胡茜西就變得有些小心翼翼，她走上前去：「路聞白，我——」

「我會好好減肥」這後半句話胡茜西還沒來得及說，路聞白忽地打斷她，語氣冷冰冰地說：「跟、妳、很、熟、嗎？」

胡茜西愣在原地，路聞白漠然地從她身上收回視線，狹長的眼尾連那一點厭惡都掩不住。

晚上，一群人原本打算去吃粵菜，可路過一家大排檔，燒烤的香味順著排氣扇飄出來，幾個女孩就走不動路了。

紅色篷布內，她們幾個坐在淺藍色塑膠凳上，服務生很快上了菜單和餐具。梁爽拿著護貝過的菜單點菜，許隨則坐在一邊，用開水幫大家燙餐具。

「老闆，來一份雞翅，六份雞爪，六份雞胗，兩把雞肉串，一份燒茄子。」梁爽點完以後順手把菜單給了許隨。

許隨點了幾樣愛吃的東西後，剛想問胡茜西，一抬眼，發現她一臉失魂落魄，不知道在想什麼。許隨伸出手指在她面前晃了晃，嗓音溫柔：「西西，在想什麼？妳要不要點東西吃？」
胡茜西回神，臉上重新掛上笑容：「我沒什麼想吃的，來一打啤酒吧！」
許隨從來沒見過胡茜西喝酒，此刻眼神遲疑：「妳可以嗎？」
這句話提醒了胡茜西，她不知道想起了什麼，有點心虛：「可以！我千杯不醉。」
結果燒烤和酒上來後，胡茜西才喝了半罐，眼底就有了醉意，她托著腮笑嘻嘻地看著啤酒罐裡的酒：「我表演猴子撈月給妳們看吧。」
「……」
大小姐見沒人理她，猛地一拍桌子，口齒不清地說：「妳們……不信是吧！」
沒等她們回答，胡茜西腦袋一偏就要往啤酒罐上磕，一副實踐出真知的模樣。
「哎——哎——我們信，信！」許隨連忙拉住她，梁爽費了好大的力氣把胡茜西往回拉，三個女孩子鬧在一起，引得周圍的人紛紛側目。
三個青春活力的大學生坐在那裡，確實很惹人注目，胡茜西穿著黑色海軍風裙子，白色及膝襪，甜美又可愛，雖然此刻看起來有點瘋癲。
梁爽的打扮偏中性，也十分吸睛。至於許隨，雲朵白襯衫，下擺紮進藍色牛仔褲裡，齊肩髮，看起來清純又乖巧。
鄰桌的一群男生看起來也是大學生，其中一個男生時不時把視線投向許隨。
許隨正打算搶過胡茜西手裡的酒不讓她再喝時，忽地，有人敲了敲桌子，她抬眼一看，一個男生站在面前，聲音因為緊張而有些結巴：「能……加一下好友嗎？」

許隨搖了搖頭，輕聲說了句「抱歉」，對方一臉失望地走了。人走後，胡茜西坐在那裡歪頭看著許隨：「寶貝。」

「嗯？」

「妳現在可是有男朋友的人！拒絕人時把妳男人亮出來啊，」胡茜西說著說著拿出手機，對她眨了一下眼，「我打個電話給舅舅看看他什麼反應。」

「西西，妳別——」許隨伸手就要搶她的手機。

可胡茜西早已撥通了電話，還對她比了個「噓」：「舅舅。」

此時周京澤他們班剛在操場結束一輪體罰，正在休息，他的嗓音有點啞：『又闖禍了？』

「沒有，是隨隨，我跟你說哦，剛有個男生要加她的好友，長得不比你差哦，你再不過來，你老婆就要——」

「被搶走」三個字還沒說出來，聽筒那邊傳來一陣嘈雜聲，以及許隨很細的聲音：「西西，妳別說了。」

周京澤聽到挑了挑眉：『妳讓她聽電話。』

「喂。」電話那邊傳來一道軟糯的聲音。

『在外面吃飯？』周京澤問。

「嗯，下午在跟室友逛街。」許隨主動彙報自己的行程，聽到電話那頭傳來方陣鏗鏘有力的跑步喊口號的聲音。

『吃了什麼？』

「燒烤。」許隨回答。

『晚點過去接妳們。』周京澤起身，走向操場上的方陣。

周京澤全程對許隨被別的男生要好友的事隻字未提，也不關心，許隨掛完電話後有一瞬間的失落。

「怎麼樣？我舅舅吃醋沒，他是不是要過來揍那男的？」胡茜西湊過來，語氣激動。

「哪那麼幼稚？」許隨唇角彎出一個笑來掩蓋自己的失落，轉移話題，「妳喝酒了，他說等等過來逮妳。」

胡茜西不以為意地撇嘴，趁她們不注意，把剩下的半罐啤酒喝完了。梁爽去搶她的酒，胡茜西抱著酒死死不放，梁爽彈了一下她的腦袋，笑道：「大小姐，妳今天怎麼這麼反常，失戀了啊？」

本是一句玩笑話，胡茜西突然「哇」地哭出來，眼淚跟金豆一樣吧嗒吧嗒地往下掉。許隨嚇得趕緊找紙巾給她，問道：「怎麼了，怎麼了？」

胡茜西一邊擦淚一邊斷斷續續地說：「隨隨，我好羨慕妳啊，守得雲開見月明。」

「可我也守了很久。」許隨在心底默默地說道。

沒有人知道她暗戀了周京澤多久。

胡茜西哭得淚眼矇矓，哭到一半還打了個嗝：「我……我是不是很胖啊？」

「不會啊，胖個屁，誰說的？我揍他！」梁爽氣憤不已。

許隨伸手幫她擦淚，語氣真誠又溫柔：「西西，妳一點都不胖。」

胡茜西長了張漫畫臉，大眼睛，臉上有點嬰兒肥，身材勻稱，只不過不是偏瘦的類型，哪裡胖了？

聽見姐妹們這樣安慰，胡茜西哭得更上氣不接下氣了，眼眶發紅：「可是路聞白就是嫌我胖啊。喜歡一個不喜歡妳的人，真的……太辛苦了。」

胡茜西說完之後，大家都心疼她，許隨都不敢勸她別喝酒了，一直輕聲安慰她。梁爽則陪她借酒澆愁。胡茜西喝到後面，意識開始渙散。

許隨正擔心著，放在桌邊的手機螢幕亮起，顯示ZJZ來電，她點了接聽，聽筒那邊傳來周京澤微微喘氣帶笑的聲音：『教練搞體罰，一群人在固滾上吊了半個小時，現在結束了，妳們還在那？』

「對，」許隨轉頭看向胡茜西，「西西喝得很醉。」

『等著。』

掛了電話後，梁爽喝得有點微醺，她咬著舌頭說：「隨隨，妳男朋友等等是不是要過來？剛好我朋友在這附近，先走了，我怕親眼看見你們在一起太傷心！多看著點西西。」

「好。」許隨無奈地笑笑。

梁爽走後，許隨扶著東倒西歪的胡茜西等了大概有二十分鐘，她正低頭看著手機，一道筆挺的影子籠罩下來。

許隨一抬眼，發現周京澤嘴裡有一搭沒一搭地嚼著薄荷糖，似笑非笑地看著她，指了指地上以及桌子上倒著的啤酒罐：「妳們喝的？」

「我沒有，是西西和另一個室友喝的……」許隨在周京澤的注視下聲音漸弱，「當然，我也喝了一點點。」

站在一旁的盛南洲嘆了一口氣，許隨才發現他也來了。盛南洲眉頭緊蹙：「她身體不太好，不能喝這麼多酒。我先帶她回家一趟好了，剛好今天是週末。」

說完以後，盛南洲拿起胡茜西的包掛在自己的脖頸上，蹲下來，一把將胡茜西背起來，走出去攔車了。

許隨遲疑地看著他們遠去的背影，周京澤雙手插口袋，笑道：「沒事。」

許隨從他們身上收回視線，一轉身差點撞向周京澤的胸膛，周京澤抬手扶住她的手臂，睇眼掃視了一圈，懶洋洋地問：「在哪？」

「什麼？」許隨有點沒反應過來。

周京澤輕笑一聲，嗓音嘶啞：「不是有人要妳好友？」

原來他說的是這個，許隨急忙否認：「沒給。」

周京澤摸出一根菸，打火機發出「啪」的點火聲，他吸了一口菸，看著她：「下次再有人要，妳就把我的好友給他。」

「好。」許隨懷疑自己根本沒有控制好唇角上翹的弧度，心裡甜滋滋的，為他的在意而高興。

雖然這種感覺讓她感到有點不真實，像一腳踩在雲端。

盛南洲背著胡茜西打算走出去攔車，可喝醉的胡茜西一點也不老實，她趴在盛南洲背上，手臂胡亂飛舞，時不時打一掌在盛南洲的後腦勺上，還配了音：「渣男！大壞蛋！你很厲害嗎？放下你的身段。」

胡茜西這舉動惹得路人時不時飛來眼刀，就差沒將他當成拐賣少女的人販子了。盛南洲忍無可忍，騰出一隻手攥住她的手臂，語氣不太好：「閉嘴。」

背上的人安靜了一秒，盛南洲背著她往前走，正感嘆她變乖了，一滴滾燙的眼淚滴到他的脖頸上，男生猛然怔住，停下腳步。

胡茜西一邊哭一邊暴打他的背：「嗚嗚嗚，路聞白，你很了不起嗎？在夢裡還要凶我。」

盛南洲背著她站在原地，一言不發任胡茜西發洩，路燈將他的影子拉長，落寞且沉默。

胡茜西發洩完後，又揮動著自己的手臂想要脫襪子，說道：「好熱。」

盛南洲背著她，把人放到長椅上，半蹲下來幫她脫襪子，語氣並不溫柔：「抬腳。」

胡茜西順從地抬腳，盛南洲把她穿著的白色及膝襪脫了下來，也不嫌棄地直接塞到了口袋裡。

他正半蹲著，胡茜西忽然俯下身，兩人鼻尖相對，黑色的大眼睛映著他的身影：「帥哥，我發現你長得蠻好看的哦。」

「您瞎了多久了？」盛南洲冷笑一聲。

盛南洲懶得跟醉鬼扯，重新背起她往前走，蟬鳴聲起，晚風拂過，身後傳來綿長均勻的呼吸聲，胡茜西好像睡著了。

路燈將兩人的影子拉長。

盛南洲開始自顧自地說話：「那個男的有什麼好？瘦不啦嘰的，皮膚白得像個變態吸血鬼。」

「他不行，你行啊？」胡茜西靠在他背上，發出一句很輕的夢囈。

盛南洲沉默了一陣，扯了扯唇角：「我也不行，我們西西公主值得最好的。」

他們走後，許隨拿起包去燒烤攤付錢，老闆娘笑咪咪地擺手：「剛才那個小帥哥已經付過啦。」

許隨回頭，周京澤手插著口袋來到她身邊，嘴裡還叼著一根菸，笑得懶散：「走了。」

「我們怎麼回去？」許隨問。

「都可以。」周京澤聲音含糊不清。

許隨看了時間一眼，決定道：「坐公車吧，還有最後一趟，走快一點應該來得及。」

說完，許隨就往前跑，倏忽，一道清洌、有磁性的嗓音喊住她：「許隨。」

許隨停下來回頭，周京澤慢悠悠地走到她眼前，俯下身，兩人鼻息相對，侵略的氣息頓時席捲全身，一雙漆黑的眼睛將她釘在原地，許隨繃緊了神經。

周京澤唇角帶著散漫的笑意，慢條斯理地開口：「妳男朋友想牽妳的手都不給個機會啊。」

第十二章　第一次戀愛

「說清楚點，什麼家屬？」
「報告教官！我女朋友！」

許隨有些不好意思地解釋道：「因為我是第一次談戀愛。」

所以她什麼也不懂。

小女生一本正經解釋的模樣還挺可愛，周京澤薄唇挑起一點弧度，走過去自然而然地牽起她的手，低沉的嗓音震在耳邊：「我的榮幸。」

走到公車站，最後一趟車走了，留下一地尾氣，最後周京澤攔了輛車。一路上，周京澤一直牽著她的手，坐在車內，他也沒有鬆開。

車窗半降，帶著濕氣的風吹過來，周京澤單手接了一通電話，他漫不經心地答著「嗯」、「差不多」之類的話，另一隻手仍沒有鬆開她的手，無意識地用拇指蹭了蹭她的手背，是不經意的親暱。

許隨緊張得手心出了一點汗，她想抽回手擦一擦汗，又怕這溫存會消失，於是坐在那，像一個乖巧的瓷娃娃，任他牽著。

學校前方在修路，計程車司機把他們放在前面就走了。距離學校還有一段路程，許隨和周京澤並肩走在馬路上。

馬路右側有小吃攤、水果攤，即使到了十點，依舊熱鬧非凡。斜前方有一個水果攤，車上堆了好幾籃鮮紅欲滴的草莓，顆顆碩大，旁邊的綠葉還沁著水珠。

水果攤旁邊的白燈泡照亮了一旁的紙牌：新鮮草莓，比初戀還甜，十五元一盒。

許隨路過多看了兩眼，有點想吃，但水果攤旁邊圍著的都是學校的小情侶，姿態甜膩地互餵草莓。還是算了，有點不好意思，她只是單純地想吃草莓。

恰好有車鳴笛，周京澤牽著她過了馬路，兩人一起走進學校門口，晚上十點，籃球場還有十幾個男生在打籃球。

「嘖，菸癮犯了，」周京澤停了下來，清了清嗓子，「我去門口買包菸，在這等我。」

「好。」許隨點點頭。

許隨等了十多分鐘，籃球場只留了一盞燈，偶爾有幾聲喝彩迴盪，遠遠地，她瞥見周京澤嘴裡叼根菸走過來，手裡不知道拎著什麼。

周京澤把一盒草莓遞給她，語氣閒閒：「順手買的，草莓洗過了。」

「哇，謝謝。」許隨一臉開心。

周京澤一路送許隨回女生宿舍，許隨拎著一袋草莓，邊吃邊和他聊天，發現這草莓意外的甜。快到宿舍門口時，她還在吃草莓，一低頭發現快見底了，都她一個人吃了。

許隨咬著草莓尖，有些不好意思地說：「你吃不吃？很甜。」

她敞開白色的塑膠袋示意他伸手拿。許隨手捏著草莓，小口地啃咬草莓尖，跟條金魚一樣，臉頰一鼓一鼓的，果肉被一截粉舌捲進唇齒中，紅色的汁水溢出嘴角，旁邊還沾著果肉。

周京澤沒有動，喉嚨一陣發癢，盯著她的目光變得幽深起來。許隨晃了晃塑膠袋，疑惑不解：「你不吃嗎？」

「吃。」

周京澤給出一個肯定的回答，同時上前一步，伸出手動作極其緩慢地擦過她的唇角，許隨整個人完全僵住，只感覺他粗糲的指腹撫過她的唇角，心底一陣顫慄，微睜大眼看著他，不敢動彈。

周京澤收回手，當著少女的面側頭舔了一下他的手指，喉結滾動，緩緩吞下，揚了揚眉，似乎還有些意猶未盡，露出痞壞的笑：「還挺甜。」

他整個人貼著許隨，熱氣拂耳，癢得不能再癢，許隨躲了一下，他怎麼能一本正經做出這麼色情的動作？

許隨感覺自己的臉燙到要爆炸了，最後她落荒而逃，連晚安都忘了和他說。

結果當晚許隨做夢就夢見了周京澤，醒來時一身汗，她忍不住捂臉，都怪周京澤。

期末考試很快結束，暑假來臨，許隨有意留在京北城這邊，打電話給媽媽試探性地說了一下她的想法——暑假想留在這邊，找個兼職鍛鍊一下。

結果遭到許母強烈反對，許母警惕地問：『一一，妳跟媽媽說實話，妳是缺錢了還是談戀愛了？』

許隨眼皮一跳，沒想到媽媽一猜就中了，她暑假想留在這邊，確實是因為周京澤，可她下意識地不想讓媽媽知道這件事。

她哽著脖子在電話這邊跟媽媽撒謊：「沒有，媽媽，我就是想鍛鍊自己。」

『那妳回來黎映，我在這邊幫妳找個醫院的實習工作。』許母最後說道。

許隨沒辦法，考試結束後只好拖著行李箱回家，然後在黎映鎮上的一家醫院實習，天天跟著主任早晚查房，以及幹一些雜活。

暑假兩人靠著手機聯絡，好不容易熬到開學返校，許隨滿懷期待想見周京澤一面，結果他好像很忙。

傳訊息給他，周京澤的回覆要多簡短有多簡短。

許隨有時候會盯著他的回覆看老半天，看到「嗯」、「吃了」之類的話，忍不住想，他們真的在談戀愛嗎？

開學到現在一個星期了，她還沒有見到周京澤。既然這樣的話，那她主動一點好了。

許隨坐在寢室裡，鼓起勇氣傳了訊息給他：『今天中午一起吃飯嗎？』

過了十分鐘，聊天畫面裡的ＺＪＺ回覆：『好，去妳學校？好久沒看見妳了。』

許隨看到這則回覆露出久違的笑，梨窩淺淺，在對話欄裡打下了一個「好」字。

中午十一點半，陽光燦爛，許隨站在榕樹下左等右等，都沒見到周京澤的人影。胡茜西剛好從外面回來，在學生餐廳前不遠處的樹下看見了許隨。

胡茜西拿著飯卡晃了晃，問道：「隨隨，不去吃飯嗎？」

許隨搖了搖頭：「在等他。」

這個「他」，胡茜西立刻就聽懂了是誰，反正除了周京澤也不會是別人。

她若有所思地點了點頭，隨後又疑惑不解地道：「我剛從他們學校回來，本來有事找盛南洲，結果他們教官忽然緊急集合，正讓他們體能訓練呢，這情況有點突然，要不然妳別等了？」

「哎——妳去哪——」胡茜西話都還沒說完，只見許隨從她面前一溜煙跑開了。

胡茜西看著許隨的背影感嘆了一句，嘖，愛情的滋味，到底是酸是甜啊，她也想嘗嘗。

她嘆完之後看向手裡的飯卡，忽然覺得飯不香了。

吃什麼吃，減肥吧。

許隨一路小跑到京航。去京航的次數多了，對他們的訓練操場也輕車熟路了，許隨來到操場門口，一眼望過去，果然有一批綠色的方陣在進行體能訓練。

許隨假裝是這個學校的普通學生，淡定地走進操場，在離他們不遠處的一塊草坪坐了下來，偷偷看著他們訓練。

為了增強飛行員身體素質，又因為飛行員在飛行安全中是至關重要的一環，所以教官突擊訓練是常有的事，其間還會沒收他們的手機。

這次訓練分為抗負荷訓練和核心力量，一群年輕的大學生此時正在飛行旋梯和活滾上進行測試前的訓練，教官手上拿著一個藍色資料夾，拎著脖子上的哨子吹了一下，哨聲悠揚。

「全體都有！飛行旋梯限時一分鐘內正反各十四圈為及格，二十圈為滿分。」教官咬著筆帽，目光掃視了一圈，看向一處，「你們能做到周京澤那樣就是A，他就是標準。」

眾人順著教官的目光看過去，包括許隨，秋風颯爽，周京澤穿著灰綠色短袖訓練服、短靴，手臂線條流暢，在眾人計時的聲音中，他抓住兩個橫槓在飛行旋梯上飛速旋轉，姿勢標準而完美。

「五十六，五十七，五十八……六十！」

「二十三個！大神，你還讓不讓我們活了？！」

「我服了，我上去肯定把昨天的飯都吐出來，都練多久了，我還是暈，想哭。」

「別說了，聽你描述我都聞到那味了。」

「……」

與此同時，教官在一旁掐下碼錶，一向嚴肅的語氣也不自覺地透出讚賞：「二十四個，你們少數了一個。」

周京澤最終測試的結果引來眾人哀號。周京澤跳下旋梯，轉了二十幾圈，依然面不改色，走到教官問道：「教官，等等核心訓練我先測試，行嗎？」

一般不是什麼大型嚴格訓練測試的話，飛院有個不成文的規定，測試合格的學生都可以先走。「啪」的一聲，教官闔上資料夾，饒有興趣地盯著他：「你小子，早退要幹嘛？」

周京澤雙手插口袋低頭勾了勾唇角，正準備說「找我老婆唄」，結果不經意地抬眼發現他心頭念著的人正在不遠處坐著，還拿書擋著臉，實際在偷偷摸摸地看他們。

「沒事了，隨便。」周京澤輕笑一聲。

沒過多久，核心訓練開始，教官好像故意吊著周京澤似的，特地把他排到後面考核。大少爺也不在乎，整個人倚在雙槓旁，懶洋洋地叼了根狗尾巴草，在和人談笑風生。

周京澤做伏地挺身時，引來眾人圍觀。周京澤的手撐著地，每往下撐一下，緊實的肌肉十分明顯，額頭的汗順著他冷硬的下頜滴落下來，荷爾蒙旺盛。

「三十四，三十五，三十六……」眾人在數著數，越喊越激動。

許隨悄悄走上前兩步，心血來潮拿著手機對著周京澤偷拍，對焦也調好了，結果「咔嚓」一聲，一道閃瞎眼的閃光燈對著教官掃射！

眾人：「……」

周京澤：「？」

教官：「……」

眾人看過去，其中有幾個男生之前在包廂裡見證過許隨告白，他們哦來哦去，音調此起彼伏，分明是在起鬨。

許隨站在那裡，圓潤白皙的耳朵紅了一大片，被他們鬧得十分窘迫。

教官語氣嚴肅，指著這一幫兔崽子，問道：「誰帶過來的，什麼情況？」

一片寂靜，一道懶散的聲音傳來，周京澤正做著伏地挺身，嗓音有點顫：「我，家屬。」

不知情的男生紛紛打量許隨，嘆道：「大神，看不出你有一個這麼乖的妹妹啊。」

「說清楚點，什麼家屬？」教官大聲呵斥道。

許隨垂下眼，她看起來不像周京澤女朋友嗎？本來見他一面都這麼難，如今聽到他同學的評價更失落。

倏忽，一道鏗鏘有力的聲音傳來，許隨心尖顫了顫，抬眼看過去，周京澤做著伏地挺身，當著眾人的面開口，他此刻的聲音洪亮無比且十分坦蕩——

「報告教官！我女朋友！」

周京澤說完後，全場開始起鬨，有的人也不計數了，哄笑聲連連，教官壓都壓不住，最後反而氣笑了，指著他說：「有女朋友很驕傲嗎，啊？」

氣氛熱烈，周京澤恰好做完最後一個伏地挺身，手肘撐地，偏偏不怕死地悶聲回答：「是。」

許隨站在一旁臉熱得不行，同時心又跳得很快，她不想承認的是，周京澤只要一句話甚至一個字都能讓她飄上雲端。

因為周京澤公開承認了他們的關係，至少讓她對這段關係有了真實感。

「哇哦！」

「嘁，怎麼沒有哪個女的來偷偷看我訓練呢？哥練了好幾個月的八塊腹肌竟毫無用武之地。」

「你就吹牛吧。」

教官這個萬年單身狗被他氣得吐血三升，不正經的語氣斂了點，咬緊後槽牙：「看大家被你鬧成什麼樣了，行，要走，先來五十個引體向上！」

周京澤挑了挑眉，似乎對這樣的懲罰一點也不叫屈，舌尖抵著下顎懶散一笑：「行，但得我女朋友幫我計數。」

底下又「哦」了起來，起鬨聲快要掀翻操場，甚至還有人喊「周老闆厲害」，教官對這群年輕有活力但易躁動的兔崽子忍無可忍，猛地一吹哨子，厲聲道：「再亂叫，全體罰跑二十圈！」

大家總算不再鬧騰，周京澤在單槓上做引體向上，而許隨在五六十人的注視下小聲地幫他計數。

「三十六，三十七，三十八，三十九……四十九，五十！」數完最後一個數後，許隨眼睛亮了起來。

周京澤跳下單槓，而許隨早已乖乖抱著他的外套等著了，他向教官報備了一聲，兩人並肩離去。

男生雙手插著口袋，比他身旁的女孩高了一大截，許隨從口袋裡摸出一包濕紙巾遞給他，周京澤表情懶洋洋的，脖頸低下，把臉伸了過來，意思是讓她幫忙擦。

小女生踮起腳尖，小心翼翼、認真地幫他擦汗，因為離得太近，白皙的耳朵染了一層紅暈。

一個看起來囂張放浪，一個乖巧安靜，卻出奇地和諧。

午後的陽光過於亮，穿過樹葉，落在兩人身上，在他們鍍上一層模糊的、柔和的金光。

這一幕落在大劉眼中，大劉一個一百八十幾的壯漢摟緊盛南洲的腰，躲在他懷裡大叫一聲：「我也想談戀愛。」

盛南洲毫不猶豫地給了他一腳：「滾。」

許隨中午和周京澤匆匆吃了頓飯，就趕去上下午的課了，等到了晚上才回到寢室。許隨見了周京澤一面，心就定了許多，兩個人都挺忙的，大二了，她作為一名醫學生，課程排得滿滿當當的。

她在洗手臺洗完從學校超市買來的葡萄，一出來就碰見呈「大」字形躺在床上的胡茜西，便問道：「西西，吃葡萄嗎？甜。」

胡茜西搖了搖頭，有氣無力地說：「不吃，葡萄卡路里那麼高，我要減肥。」

她一定一定要瘦成一道閃電，讓路聞白後悔！

「那妳想吃的時候再吃。」許隨咬著一顆葡萄，把盤子放到了桌子上。

她坐在椅子上，拿著手機看著兩人的聊天紀錄，唇角不由得微微上揚。倏忽，一道陰影落下來，胡茜西從背後偷襲她，一把攬住她的脖子：「好哇，有人歡喜有人愁。」

許隨立刻藏好手機，笑道：「我也愁，重點背不出來，頭都快禿了。」

「妳明明知道我說的不是這個！」胡茜西見許隨顧左右而言他的本事見長，立刻伸手去搔她癢。

兩個女孩頓時又鬧作一團，許隨癢得咯咯直笑，與胡茜西雙雙倒在床上。胡茜西躺在床上喘氣，想起什麼，猛地翻身：「寶貝，下個月盛南洲生日欸，妳要送什麼給他？」

「他生日嗎？我也不知道送什麼。」許隨回答。

胡茜西一雙大眼睛裡寫滿了苦惱：「哎，妳說我要送什麼啊，每年我的生日他都陪我過，我想要什麼他都會送給我，就差沒摘天上的月亮給我了。哎，妳說我要送什麼給我的好兄弟？」

許隨從床上起來，輕嘆了一口氣：「妳呀妳，妳好好想想他真正需要的是什麼。」

談起別人的感情頭頭是道，到了自己怎麼成傻大妞了？

晚上熄燈後，許隨躲在被窩裡偷偷和周京澤傳訊息，眼睛疼了也捨不得先說晚安。

許隨問道：『你知道盛南洲下個月生日嗎？』

ZJZ回覆：『知道。』

過了一下，他又傳了則訊息過來：『妳男朋友的生日都不打聽，別的男人生日倒是記得這麼清楚，嗯？』

許隨不由得笑出來，她幾乎可以想像周京澤傳這則訊息的表情，眉頭一攏，瞇著眼，表情不是很爽。

『哪有，是西西告訴我的。』許隨回道。

手機螢幕隔了一分鐘亮起，ZJZ回覆：『這丫頭可算記得一次他生日了。』

許隨想了想：『你說我要送什麼給盛南洲？』

過了一下，ZJZ傳了個問號過來：『？』

『妳送什麼送？我送就可以了，夫唱婦隨，懂嗎？』周老闆吊兒郎當地回覆。

許隨：『好。』又傳了個開心的表情。

國慶一過，天又開始變冷了。

盛南洲的生日在十一月初，這次生日會在銅雀山別墅舉辦，許隨知道後驚嘆了一聲：「他家……也這麼有錢嗎？」

胡茜西正貼著面膜，回答的聲音含糊不清：「妳不知道嗎？他家確實有錢，地皮多得數不勝數，但是他太小氣了，哪次出門不是我舅舅買單？」

「斤斤計較的，早晚禿頭。」胡茜西罵了一句。

正挨家挨戶幫盛母收租的盛南洲忽然打了個噴嚏，大少爺美滋滋的，還以為有誰想他了。

十一月，京北城比南方城市更早入冬，天氣一冷，許隨就知道自己的苦日子來了，天生手腳冰涼的她立刻穿起了厚衣服，每天晚上堅持泡腳。

盛南洲的生日會在週六下午五點，恰好許隨有個實驗作業沒做完，就跟周京澤說讓他先去，自己可能會晚一點到。

而胡茜西，突然請了一週的假，一直不在學校，許隨有些擔心，便傳訊息給她，沒多久就收到大小姐元氣滿滿的回覆：『別擔心啦，家裡有點事，我會很快回來的，愛妳喲，親親。』

許隨在實驗室觀察記錄忙得昏天黑地，出來時天都黑了。許隨抬手看了一下手錶，遲到了一個多小時，她跑出學校匆匆攔了輛計程車。

坐上計程車，湧進來一股刺骨的冷風，許隨被凍得一哆嗦，立刻關緊了車窗。車子平穩地向前開，許隨坐在車內，從口袋裡摸出手機看訊息。兩人的聊天紀錄停留在五個小時前，這期間周京澤一則訊息也沒傳過來。

許隨垂下眼，關上了手機螢幕，偏頭看著車窗外的風景發呆。

司機人好，見天色已晚，一路把許隨送到了銅雀山別墅前，許隨推開車門跟司機道了謝。

許隨站在空地上瞇眼看過去，眼前的別墅靠山臨海，占地面積大，燈火通明，時不時有歡笑聲溢出來。

她站在那裡正猶豫著要不要傳訊息給周京澤說她到了時，站在門口的奎大人一眼就發現了她，一個箭步衝過來，還使勁搖著尾巴，拽著她的褲管往別墅裡面拉。

許隨蹲下來摸了摸牠的腿，跟著牠走了進去。她的臉上帶著隱隱的笑意，心底期待見到周京澤。

一推門進去，白綠的氫氣球浮在天花板上，大廳裡熱鬧非凡。

周京澤懶散地靠在沙發上，微弓著腰，手肘撐在大腿上，談笑風生中透著一股浪蕩的痞勁。他誰也沒看，在場的幾個女生卻幾次往他身上瞟。

他拿著香菸的手端著酒杯正要喝，劉絲錦坐在他旁邊，忽然指著他說：「呀，你脖子上有一塊紅印，是不是被蚊子咬的？」

「什麼蚊子印，不會是你女朋友——」有人放聲調侃。

周京澤直接踹了身邊的人一腳，笑罵道：「去你的。」

他將酒杯放下，還真的覺得脖子有點癢，問劉絲錦：「哪裡？」

劉絲錦立刻殷勤地湊上前要指給他看，周京澤下意識地眉頭一皺，抬手擋住她的手臂，結果一抬眼就看見了在門口的許隨。

「不合適。」周京澤懶洋洋地說道，他把菸一磕，站起身走向許隨。

許隨見周京澤一步步地走來，下意識地後退一步，周京澤見她臉色有些蒼白，正要開口說話時，頭頂上方傳來一道熟悉的聲音，盛言加趴在二樓欄杆上，頂著一頭小捲毛興奮地喊道：「小許老師，玩不玩樂高？」

「好。」

許隨如獲大赦，逃一般從周京澤身旁經過，扶著樓梯扶手急匆匆上了樓。周京澤盯著她的背影，咬一下後槽牙。他還沒怎麼樣呢，小女生躲得比誰都快。

許隨和盛言加躲在房間裡玩樂高，一樓熱鬧得不行，時不時有玩笑和拼酒的聲音傳來。許隨一直不在狀態，腦子裡老是想到剛才那一幕。

劉絲錦坐在周京澤旁邊，指了指他脖子上的紅印，兩個人的關係一定要這麼說不清、道不明嗎？她一整天都在忙實驗，滴水未進，周京澤連一句「到了嗎」都沒有問她，談個戀愛也是一副漫不經心的狀態，想想眼睛就發澀。

「哇，小許老師，這是我第一次成功欸！好爽！」盛言加偏過頭來說。

許隨淡淡一笑：「休息一下，喝點飲料吧。」

「好哦。」

許隨和盛言加倚在欄杆上聊天，不知道是不是跟他哥學的，大冷天喝起了冰可樂。許隨倚在欄杆邊，看著熱鬧的一樓，一點也不想下去，即使她現在饑腸轆轆。

「小許老師，妳看底下那個長捲髮的女的，她是我見過我哥身邊那麼多女的裡面，最討厭的一個。」盛言加翻了個白眼。

許隨順著盛言加的視線看過去，原來他說的是劉絲錦。劉絲錦到現在一直坐在周京澤旁邊，而當事人的臉色隱隱透著不爽，一副生人勿近的模樣。

她咬著牛奶吸管問：「為什麼？」

「因為她纏我哥纏得很緊，哼。」盛言加語氣不滿。

許隨抬手揉了揉他的頭，笑道：「你這是吃醋了吧。」

「才沒有！」盛言加立刻否認。

許隨一直在樓上待著和盛言加一起玩樂高，緊繃的神經才放鬆了點。等到盛南洲切蛋糕時，她才硬著頭皮下去。胡茜西推著一個三層高的蛋糕出現，燈光暗下來，一群人圍著壽星鼓掌歡呼，齊唱生日歌，十分熱鬧。

許隨站在旁邊跟著小聲地鼓掌祝福，周京澤站在她旁邊，咬著一根菸，他的外套偶爾擦過她的手臂，產生輕微的摩擦感，但兩人全程無任何眼神交流。

有人走了過來，周京澤偏頭講話，把菸拿了下來，虎口的黑痣若隱若現地晃在她眼前。

許隨把視線收回，向前走了兩步，背對著周京澤，這樣就看不到他了。

晚上八點十分，有人拿東西時不經意撞了她一下，許隨由於慣性往後退，撞上一個溫熱的胸膛，身後傳來淡淡的菸味。

周京澤和人說著話，抬手扶了她一把，虎口卡在她白嫩的後頸上，若有若無地蹭了一下。

許隨決定離這個流氓遠一點。

周圍的人紛紛送上禮物，輪到許隨時，她只覺得現在的情形有些尷尬，當初聽他的，說禮物一起送，可現在呢？兩個人正在鬧彆扭。

在眾人的注視下，許隨有些無所適從，她雙手插著衣服口袋正準備說「生日快樂，下次補上」時，忽然在口袋裡摸到了一枚戒指。

許隨忽然想起來這是上個星期和室友出去逛集市掃到的地攤小玩意，一枚樣式還挺別致的古董戒指，她摸出來放在手心，正要遞出去：「那個——」

忽然，一道冷冽低沉的聲音震在耳邊：「我們的。」

與此同時，一隻寬大的手掌伸了過來，掌心相貼，帶著滾燙的溫度，許隨下意識地偏頭看過去，周京澤嘴裡叼著根菸，側臉淩厲，嘴角弧度上揚，一隻手遞出一個盒子，另一隻手牢牢地牽著她的手。

許隨下意識地想掙脫，卻掙脫不了，周京澤還極為輕佻地用拇指按了按她白嫩的虎口。

而正對面的劉絲錦笑不出來了，分明看見了兩人親暱的小互動，表情相當難看。

切完蛋糕鬧完之後，又到了玩遊戲的環節。許隨和周京澤坐在沙發上，後者始終扣著她的手，許隨連喝水都成了問題。

「你先放開我好不好？」許隨語氣商量。

周京澤低沉的聲音震在耳邊：「還在生氣？」

不知道為什麼，許隨心底奇怪的自尊心作祟，她不想讓自己顯得很在乎，於是矢口否認：「沒有，我想喝水。」

周京澤這才鬆開她的手，許隨終於得到自由。盛南洲朝他的朋友們吹了個口哨，問道：「哎，去不去偏廳玩撞球？」

「可以啊。」大劉打了個響指。

一旁的劉絲錦撩了撩頭髮：「哎，我也想玩這個，可是我不會，京澤，你能不能教教我？」

「巧了，」周京澤懶散地勾了勾唇角，起身牽著許隨的手往偏廳走，撂下四個字，「我也不會。」

一行人來到偏廳，周京澤拎起一支球桿，側著身子，整個人俯在綠色的桌面上，桿在虎口前後摩挲了一下。

「嘭」的一聲，一桿進袋。

盛南洲帶頭鼓掌叫好，隨即又說：「和你玩沒意思，我們只有被碾壓的份。」

「那怎麼玩？」周京澤挑了挑眉，整個人懶散地靠在桌子邊。

大劉建議道：「當然是師父帶自己的人出來ＰＫ了，怎麼樣？」

周京澤輕笑出聲，偏頭徵詢許隨的意見：「玩不玩？」

許隨略微思索了一下，點頭：「好。」

誰知劉絲錦跟她較上了勁似的，立刻出聲道：「我也玩。」

許隨什麼也沒說，垂下眼拿起一旁的球桿趴在桌面上反覆練習，盛南洲眼底閃過詫異：「喲，許隨，有模有樣的啊。」

周京澤親手糾正了一下她的動作，教了幾個要領，劉絲錦則由另一個男生教著。最後兩人上場，許隨的技法可以說吊打劉絲錦。

大劉豎起大拇指：「學霸就是厲害，學什麼都快，這麼一看，你們真配。」

「我就是記錄頻道看多了。」許隨臉頰浮現兩個梨窩。

「這就謙虛了啊。」

盛南洲生日宴會結束後，人群散去，許隨和周京澤打算一起回學校，兩人並肩走在石子路上。

周京澤一隻手插著口袋，另一隻手攬著她的肩膀，嗓音漫不經心，帶著笑意：「妳比她厲害很多啊。」

聽到這個「她」字，許隨驀地停住腳步，頭往下低，從周京澤的臂彎裡逃開，一雙眼珠在黑夜裡濕漉漉的，嗓音發顫：「專一對你來說很難嗎？」

周京澤一愣，隨即明白許隨說的是什麼，他側著身子，指給她看，冷白的脖頸上有一塊紅印：「我脖子是真的被蟲子咬了，當時立刻把她推開了。」

他臉上帶著散漫的笑意，聲音卻冷了一個度：「還有，我什麼樣，妳不是一直很清楚嗎？」

許隨一時語塞，當下愣了，氣得發抖：「你——」

但後半句沒說出來，許隨感覺自己兩眼一黑，昏了過去，整個人失去了意識。

許隨醒來時，發現自己躺在醫院的病床上，目光所及處是一片雪白的牆壁。許隨掙扎著要起身，梁爽急忙出聲制止：「哎，別亂動，等等針管移位該出血了。」

說完，梁爽走過來扶她起床，往她腰後塞了一個枕頭。許隨在看清是室友時，眼底的失落一閃而過，眼睫抬起：「爽爽，怎麼是妳？」

「哎，」梁爽拖了把椅子過來，故意賣了個關子，「大神打電話叫我過來的。」

「嗯？」

「妳知不知道妳一天沒吃東西低血糖暈倒啦！大神把妳送到醫院後一直守著妳，後來他家好像有急事，沒辦法，就先走啦。」梁爽語氣激動，「然後他就打電話叫我過來了，還拜託我一定要照顧好妳。」

許隨漆黑的睫毛顫了顫，沒有說話。

「好啦，打完點滴，妳把周京澤買的魚翅粥、紅棗南瓜湯喝了，還有甜點，」梁爽坐在那裡指了指桌面上的東西，「他讓我監督妳，看著妳吃完。」

許隨看著桌面上周京澤買的一大堆東西，抿了抿嘴唇沒有說話。幸好點滴很快就打完了，許隨苦著一張臉在梁爽的死亡凝視下吃了一份又一份東西，最後撐得說不出一句話，梁爽才勉強放過她。

收拾東西時，許隨下意識地摸了摸她的口袋，發現那枚本該送給盛南洲的古董銀戒不見了。

「爽爽，妳在這裡有看見一枚戒指嗎？就我們之前買的。」

「沒有欸，我沒看見，可能是妳丟哪了吧。」梁爽接話道。

許隨皺了皺鼻子，語氣夾雜著可惜：「可能吧。」

晚上回到寢室後，許隨洗漱完，打開關機已久的手機，這段時間，ZJZ傳來兩則訊息——

『好點沒有？』

『我女朋友不回我訊息。』

許隨睫毛動了動，沒再提那件事，在對話欄打字回覆：『好多了。』

她明明沒再提那件事，兩分鐘後，周京澤卻知道她在想什麼一樣，主動說起這件事：『我把她刪了。』

『我和她什麼也沒有。』

『我看不上她。』

『一一，我錯了。』

周京澤一下子服軟，讓許隨措手不及，但是這些話讓她心裡的安全感增強了，過了很久，許隨回了個「嗯」。

等這件事算差不多翻篇時，胡茜西大小姐終於回學校了。不知道為什麼，許隨總感覺胡茜西瘦了一圈，臉色蒼白，瘦得嬰兒肥退去了一點，顯得眼睛越發大了。

「西西，我怎麼感覺妳瘦了？」許隨問道。

說起這個，大小姐一臉愁苦，撥著亮晶晶的指甲說道：「是我家有個廚師請假啦，新來的阿姨煮的菜很鹹，搞得我都沒辦法下筷子。」

「瘦了嗎？」胡茜西摸摸自己的臉，美滋滋道：「那我可太開心啦。」

胡茜西和許隨聊了幾句之後，話鋒一轉：「隨寶，我聽說妳和我舅舅吵架啦。」

許隨猶豫了一下，點頭：「是。」

「事情的原委我聽盛南洲說了個大概，劉絲錦真的是京北城數一數二的白蓮花本蓮，茶裡茶氣的。」胡茜西做了碎鑽美甲，她每在空中比劃一次都像亮了一次武器，「要是我在那，一定把她撕爛，聽得老娘拳頭都硬了。」

「沒事，」許隨想起那天的場景，語氣頓了一下，「我就是覺得我太患得患失了。」

僅僅是一個女生坐在他旁邊，稍微有點親暱的舉動，她就受不了了。

胡茜西搖搖頭：「妳沒錯！我跟妳說，隨隨，妳以後不要主動，就是心裡在意但不能表現出來，裝腔作勢知道吧？隨隨，反正我是站在妳這邊的，我舅舅他就是被寵壞了，那臭脾氣，妳得治治他。」

許隨似懂非懂地點了點頭。

週三晚上，盛南洲在群組裡傳了一張照片，是去年他們在比賽中贏得的北山滑雪場兩天一夜遊的票面，又傳了一句：『各位想起什麼沒有？』

周京澤：『？』

大劉：『我靠，我記得我們贏了後因為考試接踵而來就沒去。』

盛南洲：『沒錯，還有一個半月就過期了，去嗎去嗎？』

大小姐立刻挑眉：『舉手！我最想去了。』

周京澤：『……妳身體可以嗎？』

胡茜西：『有什麼不可以！不是還有你們嗎？』

大劉：『報個名，人多熱鬧。』

許隨退出群組聊天畫面，正打算問周京澤去不去，她想起胡茜西教她的，女孩子不能太主動，於是她也沒問周京澤，在群組裡說：『我去。』

間隔不到一分鐘，一直沒回訊息的周京澤忽然在群組冒出來：『我也去。』

他們幾個人把去滑雪場的時間定在週末。十一月下旬，又是一場強降溫，早上起來，路邊的常青樹被厚厚的冰晶壓得搖搖欲墜，一陣凜冽的寒風吹來，灑下一地透明的水晶，地面上濕漉漉的。

許隨和胡茜西手挽著手出現在約定地點時，她才發現這次去滑雪的多了好幾個人，其中一個，她依稀有點印象，叫秦景，就是那天為了要她號碼裝學長的人。

大家嫌天冷，陸續上了車。許隨排在後面，一個高大的人影閃了過來，把許隨嚇了一跳。秦景熱情地打招呼：「許妹妹，好久不見。」

許隨驚魂未定地點了點頭，正要開口時，一道懶洋洋的聲音插了進來，漆黑的眼睛壓著點戾氣：「見什麼見？」

許隨扭頭看過去，發現周京澤姍姍來遲，出現在他們身後。他穿著一件黑色的衝鋒衣、一雙短靴，頭頸筆直又顯俐落帥氣，他將拉鍊拉到最上面，將將遮住冷硬的下頷，露出一雙漆黑幽深的眼睛。

此時他正有一搭沒一搭地嚼著口香糖，斜睨著秦景。

「不是，周爺，我——」秦景解釋。

周京澤笑了笑，拍了拍秦景的後背，猝不及防地往他脖子處扔了一把雪進去，雪迅速貼著他的後頸皮一路涼到尾椎骨。

秦景正笑著，跟川劇變臉似的，發出一聲驚天慘叫，緊接著上躥下跳，開啟了老年跳舞模式。

周京澤一開始在憋笑，但到後面忍不住，笑得胸腔發顫，肩膀都在劇烈地抖動。秦景一看，始作俑者竟然還在放肆嘲笑他。

秦景作勢要追殺他，周京澤笑著趁機躲開，在經過許隨時，他的衣袖擦了一下許隨的手背。

很輕地帶過，許隨聞到了他身上的羅勒味。

人基本上到齊，許隨最後一個上車，瞥見周京澤坐在最後一排，剛想抬腳走到他身邊，坐在走道旁邊的胡茜西卻把她按在了靠窗的一個位子上，還對她眨了眨眼。

許隨只好坐下，之後拿出耳機聽歌，靠在車窗上看著外面發呆。她和周京澤早就和好了，不知道為什麼，兩人之間還是有一點彆扭的氣氛。

許隨旁邊有個空位，盛南洲正在點人，大巴士裡面吵吵嚷嚷，她一首歌都沒聽清就被人扯下了耳機。

秦景一屁股坐在她旁邊，一臉熱情，朝她晃了晃耳機：「好歌一起分享唄。」

許隨漆黑的眼珠動了動，然後把另一隻白色耳機也摘下來遞給秦景，語氣顯示著她一貫的好脾氣：「那你聽。」

秦景：「……」

他怎麼撩了一個直女？

秦景只好費力找話題，一下說她這樣的女孩子肯吃苦學醫真厲害，一下又在那開始吹牛他在學校幹的一些好玩的事。許隨比較有禮貌，對方說話時她會耐心聽著，長睫毛抬起，眼睛看著對方，偶爾還回應一兩句。

遠遠看去，兩人聊天的氣氛還挺融洽。

秦景坐在許隨旁邊，拍了拍大腿：「妹妹，我跟妳說啊——」

話沒說完，有人拍了拍秦景的肩膀，還沒等他說出一句屁話，周京澤仗著比秦景高出一截，直接拎起秦景的後衣領，把人拎走了，弄得秦景直咳嗽：「我自己能走……」

秦景被趕走之後，身旁的坐墊輕輕塌陷，周京澤一屁股坐了下來，頭靠在椅背上，閉眼休息。

他倒舒服了，也不知道是有意還是無意，周京澤的大腿壓著許隨一截裙擺，衣料摩挲間，大腿還時不時地碰到她，溫度滾燙，搞得她動彈不得。

許隨試圖把自己的裙子拽出來，結果紋絲不動。

無奈之下，許隨只好輕輕扯了扯他的袖子，周京澤睜眼看她，小女生語氣有點埋怨：「你壓到我裙子了。」

「是嗎？」周京澤挑眉看了一眼，抬了一下腿，許隨立刻把自己的裙子解救出來，低頭整理著。

周京澤忽然俯身過來，呼出的熱氣拂耳，癢得許隨側身躲了一下，一道含笑的嗓音貼在耳邊：「還以為妳要一直不理我。」

許隨耳朵又開始泛紅，周京澤見好就收，坐直了身子，重新懶洋洋地閉上雙眼。巴士緩緩向前行駛，車窗有一道小縫沒有關緊，蕭蕭冷風灌進來，許隨打了一個噴嚏。

周京澤睜開眼，深邃的眼睛看著她，帶了點審視的意味。許隨今天穿得很薄，白色牛角扣羊羔外套，黑白格子短裙，腿上就穿了雙白色打底褲襪，現在臉色有點發白，眼尾和鼻尖都被凍得紅紅的。

「冷不冷？」周京澤問她。

「有點。」許隨應道。

其實冷死了好嗎！許隨本來就是怕冷體質，其實上半身還好，就是腿有點冷。許隨被周京澤看得有點不好意思，早知道她今天就不穿這身出門了。

周京澤把視線從她身上收回，倏地起身，走到巴士前面，一隻手臂撐著橫槓，低頭跟司機說話。

沒過多久，周京澤折回坐在許隨旁邊，他不知道從哪弄來一條毛毯，傾身將許隨的腿蓋得嚴嚴實實的，還從口袋裡拿出兩個暖暖包。

周京澤咬著包裝袋，撕開包裝，把暖暖包放進一個小扭蛋裡，伸手遞過去：「握著。」

許隨微微睜大眼，問道：「你哪來的？」

「妳趕上了，好像是前兩天盛姨塞進我外套裡的。」周京澤扯了扯嘴角，語氣漫不經心。

其實許隨會穿這身，是因為早上胡茜西一直嘮叨，她還說：「隨隨寶貝，雖然我教過妳，在感情裡，女生要裝不在意，但妳要把自己打扮得漂漂亮亮的，讓他的視線離不開妳。」

「我跟妳講，男人都是視覺動物，還穿什麼保暖褲，穿裙子！不要浪費了妳這長腿。」

許隨後來也不知道怎麼就聽了胡茜西的建議，稀里糊塗換了這套衣服出門，她現在有點後悔了，周京澤不僅沒有因此誇她漂亮而多看她一眼，自己還在他面前出了個糗。

周京澤傾身過來，跟老父親似的，把許隨上半身敞開的外套一個接一個扣上釦子，兩人鼻息相對，他漫不經心地抬起眼，像是一眼看穿她的心事，開口：「不用穿成這樣，我認定的女人，怎麼樣都好看。」

上午他們坐了兩個小時的巴士，什麼時候到的許隨都不知道，因為她中途睡著了，醒來發現自己靠在周京澤肩頭。

周京澤什麼也沒說，一路牽著她下車，許隨偷偷看了他們緊扣著的手一眼，唇角微微上揚。

盛南洲和胡茜西就是兩個活寶，一路嬉笑打鬧。許隨一看見盛南洲就想起她丟掉的那枚戒指。

許隨的小拇指撓了撓周京澤寬大的掌心，很輕的一下，周京澤喉嚨癢了一下，反按住她的小拇指，嗓音有點啞：「怎麼？」

「哎，你有沒有看見我的古董小戒指？就是打算送給盛南洲的那枚。」

周京澤瞇了瞇眼，接話：「沒有。」

「哦。」

不知道為什麼，許隨覺得他神色有點冷。

一行人浩浩蕩蕩地下車，一路都是歡聲笑語。他們在北山滑雪場附近的民宿訂了兩間房用來休息和放東西，晚上他們打算在山頂搭帳篷。

民宿坐落在雪山腳下，有點日系的風格，黃色的房子、暗紅的屋頂，落地窗、榻榻米、米色的傢俱，門口的招財貓搖頭晃腦的，十分可愛。

中午一群人待在民宿休息，盛南洲在房間裡收拾東西，翻個底朝天也沒在衣服裡找到一個暖暖包，他哆嗦著向周京澤討要，周京澤抬起眼皮看著他沒有說話。

「哥們，早上坐車我都聽到了，原來我媽這麼疼你，分我一個暖暖包唄，反正你不怕冷。」盛南洲縮了縮脖子。

反正他周爺冬天永遠只穿兩件衣服，還喝冰水，從來沒見過他喊冷。

「沒。」周京澤撂下一個字。

「不是吧，你早上不是說——」

「衣服在那，隨便穿，」周京澤指了指床上的衣服，語氣不耐煩，「別逼我揍你。」

盛南洲才不怕周京澤威脅的話，撲上去一把抱住他，說道：「我媽不是給你了嗎？就分我——」

「你媽沒給我。」周京澤忍無可忍給了他一掌，轉身就走了。

盛南洲站在原地一臉疑惑，那他早上跟許隨說衣服裡剛好有？所以他知道許隨一到冬天就手腳冰冷，特地買的，一直帶在身上？

服了，怎麼有這麼騷的人？

第十三章 ZJZ&XS

「你什麼時候回去掛的？」

「在幫大家找車的時候。」

「鑰匙我扔了，這樣就解不開了。」

一群人收拾好東西，跑到餐廳吃了一頓熱氣騰騰的火鍋，茶餘飯飽時，一群人玩起了零零七的遊戲。

許隨有點沒懂：「什麼？」

胡茜西倏然起身，拿筷子敲了敲酒杯：「嘿嘿，讓我這個桌遊女王為你們介紹遊戲規則，其實很簡單啦，就是A指向B說零，B指向C說零，C可以指任何一個人為七，並做出用槍打對方的手勢，重點來了，被指中的人左右兩邊的人必須做出投降的姿勢，否則就算輸，輸的人要接受懲罰。」

「聽起來好簡單，甚至還有點弱智的樣子，來吧，本人可是桌遊小王子。」盛南洲大言不慚地說道。

胡茜西：「呵。」

筷子敲了酒杯三下，遊戲正式開始。胡茜西拿著一根筷子在眾人眼前晃了一下，還振振有詞：「急急如律令，」說著立刻把手指向大劉，喊道，「零！」

大劉眼睛東瞟西瞟，胡亂指了一個人，大著舌頭喊道：「零！」

周京澤反應極快，甚至還騰出時間和秦景對視了一眼，許隨一看周京澤的眼神就知道他憋著一股壞勁。

果然下一秒，他語速很快，對著秦景做了個開槍的手勢，露出一個痞笑：「七。」

秦景立刻應聲倒地，一旁的盛南洲還在那哼哼唧唧地啃著魷魚乾，沒反應過來，等他想做投降姿勢時——

「晚了。」周京澤慢悠悠地宣布他的死刑。

胡茜西看著盛南洲嘴角沾著的魷魚絲，勾唇冷笑：「還桌遊小王子，我看你是桌遊哈士奇。」

盛南洲被罰繞著民宿跑三圈並學狗叫，一群人笑得前俯後仰，盛南洲凍得一身哆嗦回來，指著笑得最放肆的周京澤放狠話：「君子報仇，十年不晚！你給我等著。」

周京澤語氣吊兒郎當的，憋著笑：「別讓我等太久。」

風水輪流轉，沒想到還真讓盛南洲找到了機會，輪到周京澤時，他恰好在回訊息，只是慢了一秒，就被逮著了。

許隨坐在旁邊有些擔心，不知道周京澤即將受到什麼懲罰，她剛才明明扯了他袖子提醒了呀。

「什麼懲罰？」周京澤把手機正面朝上放在桌子上，語氣坦然。

「讓我想想啊，」胡茜西的眼睛在兩人之間轉來轉去，靈機一動，「哎，就罰你和隨隨隔著紙巾接吻，不過分吧？」

「接吻接吻！」

「好刺激！」

「隔著紙巾接吻，那不是濕吻？」

一群人「哦哦哦哦」地尖叫起來，許隨眼皮一跳，在一陣起鬨聲中，白皙的臉頰像水滴在暈染紙上一樣，仿若桃花，紅得不行。

許隨下意識地看向周京澤，一顆心快要跳出喉嚨口，喉嚨渴得不行。周京澤背靠沙發，長腿懶散地踩在茶几橫桿上，一隻手始終有一下沒一下地玩著許隨的頭髮，另一隻手撿了個空飲料瓶砸向起鬨的男生，笑得吊兒郎當的：「濕什麼，換一個。」

周老闆發話了，他還是這群人平時的衣食父母，他們不得不從，一群人只好聚在一起商量換個點子整周京澤。

周京澤長腿一收，弓著背，指關節捏了捏許隨細嫩白軟的指腹，動作親暱，許隨抬頭，笑了一下，又輕輕垂下眼睫，眼底的失落一晃而過。

明明慶幸躲過了他們的捉弄，可是不知道為什麼心裡湧起一股失落。

他們真的在一起了嗎？在一起有幾個月了，兩人之間也只限於牽手，偶爾有他攬著她肩膀這樣的動作，再無任何親密。

一群人休息好後，收拾東西出發去雪場，其中最興奮的當屬胡茜西，她穿著紅色的斗篷，走路蹦蹦跳跳，甚至還哼起了歌。

盛南洲始終不緊不慢地跟在她身後，目光是無人察覺的淡淡溫柔，問道：「大小姐，就這麼高興嗎？」

「當然啦。」胡茜西應道。

其實許隨心底也隱隱有些興奮，但她性格慢熱，不太會表現出來。她從小就在南方長大，哪見過什麼雪啊？

特別是黎映，從來不下雪，唯一一次是二〇〇八年，南方氣溫出現最低值，第二天上學時，他們發現學校欄杆上結了冰，大家都激動得要死，甚至還有人舔起了冰塊。

周京澤察覺了許隨的情緒變化，揚了揚眉：「這麼開心啊？」

「嗯！」

周京澤垂眼看她，白皙的臉上鼻尖凍得紅紅的，一雙琉璃似的黑眼珠仍透著光。他有意逗她，抬手掐了一把她水靈的臉，挑眉問道：「妳會滑雪嗎？」

「不會。」許隨的臉被掐得有一點疼，她伸手去掰周京澤的手，笑的時候梨窩浮現，「這不是有你嗎？」

興許是開心過頭了，許隨說完之後才發現自己說話的聲音不自覺拖長，帶著點奶音，像在撒嬌。

許隨愣怔地抬眼，對上周京澤漆黑深邃的眼睛，心口一跳，拍開他的手，急忙逃開了，低聲喊道：「西西，等我一下。」

周京澤雙手插口袋，望著前方許隨落荒而逃的身影，眼梢溢出懶散，發出一聲輕笑。

北山滑雪場，京北城最大的自由滑雪場，一走進去，視野變廣，四處是連綿起伏的山川，場地寬闊，一望無際的大雪地旁是兩片針葉林。

他們在工作人員的帶領下，領裝備換衣服，周京澤對滑雪這項運動熟得不能再熟，因為每年寒假他都會去挪威玩跳臺和單板滑雪，但他對這種越野滑雪感覺一般，主要是不刺激，冒險性也一般。

周京澤很快換好衣服，然後去監督許隨換衣服，語氣透著不容商量：「打底保暖要做好。」

「好。」這次許隨也不敢在他面前穿得那麼薄了。

換好衣服後，教練領著眾人去滑雪場，胡茜西和許隨都有人帶著，其他人則由教練教。

胡茜西在東邊，拄著滑雪杖，整個人僵硬得像隻大難臨頭的青蛙：「我跟你說，我的命非常非常值錢，馬上就要交到你手上了，你一定要保護好我。」

盛南洲翻了個白眼，大少爺脾氣上來了：「妳到底滑不滑？在這說了十五分鐘了。」

相比這對冤家的敵對狀態，在另一邊的周京澤和許隨則顯得和諧許多。一開始，周京澤扶著許隨的手臂在緩坡上緩緩移動。

他教許隨幾個要領，帶了她幾圈，小女生學東西很快，沒多久許隨就能自己自由滑雪了。可是許隨一向膽小，這種刺激性的冒險運動她基本沒做過，學會了也還是死死地抓著周京澤的手臂。

周京澤語氣無奈，發出輕微的哂笑聲：「我在這呢。」

「妳往前滑，別怕，我在身後看著妳。」

有了周京澤給的這顆定心丸，許隨定下心，越滑越穩，她拄著滑雪杖，俯下身，一路緩速下行，冷風呼呼地吹來，她不自覺揚起嘴角，感覺連空氣都是雪的味道。

周京澤見她滑得輕鬆自如，便悄悄鬆了手。

許隨感覺從來沒有如此放鬆過，一顆心快要跳出來，明明喉嚨已經被風灌得有些不舒服，可她還是興奮得不行，身上渴望冒險的因子，在這一刻終於衝破束縛。

她不自覺地加快速度，一路俯衝，誰知不遠處的山坡下迎來一個轉彎，許隨一路沒控制速度，力道一偏，整個人不受控制地急速下降。

「周京澤，我……我我我——」許隨理智回籠，嚇得聲音都啞了。

周京澤正在對面滑雪，聽見聲響，連手邊的滑雪杖都扔了，直接抄了最近但陡峭的小道，快速向許隨的方向滑去。周京澤滑得很快，不管不顧地一路橫向猛衝，最終衝到她前面，伸手去接人。

「啊啊啊，你……你走開！」

危險在前，許隨哪顧得上矜持，一路尖叫，聲音劃過天空。「砰」的一聲，許隨與周京澤迎面相撞，風雪呼號中，她隱約聽到一聲悶哼，兩人齊齊倒地，安全帽皆被甩飛在一旁。

許隨感覺自己的腦袋撞了周京澤的胸膛一下，一陣一陣地疼。除此之外，想像中的疼痛並沒有傳來。相反，臉頰貼著柔軟的軀體，熱烘烘的溫度提醒著她——

周京澤替她擋住了這一跤。

許隨急忙睜開眼，推了推周京澤的肩膀，問道：「你沒事吧？」

無人回應。

許隨搖了他三次，聲音一次比一次焦急，而周京澤始終緊閉雙眼，眼睫沾了一點雪粒子，唇色殷紅，透著一股邪性，像一尊英俊的雕像躺在雪地上，一動不動。

許隨掙扎著從周京澤身上起來，吸了吸鼻子：「我去叫其他人過來。」

她正打算轉頭離去，倏忽，一隻骨骼分明的手貼過來攥住她的手腕，十分冰涼，猛地將許隨往下拽，她發出一聲不小的驚呼，再一次摔倒，唇瓣磕在他堅硬的鎖骨上。

與此同時，溫熱的呼吸噴在脖頸，一道嘶啞似乎帶著難耐的聲音響起：「不忍了。」

周京澤捧著她的腦袋往下壓，接了一個冰冷的吻，嘴唇相貼的那一刻，風雪寂靜，偶爾有雪壓斷松枝發出吧嗒的聲音，有什麼在融化。

許隨不由得睜大眼，聽見了自己急速的心跳聲。

有風呼嘯而過，周京澤用拇指摩挲著她的下巴，動作很輕，他似乎很享受這個吻，他們在大雪裡接了一個柔軟的、又冰又甜的吻。

周京澤低笑一聲，乾脆騰出一隻手墊著後腦勺，不輕不重地舔了一下她的嘴唇，他嚥了一下，喉結緩緩滾動，似在用氣音說話，笑道——

「寶寶，妳閉那麼緊，我怎麼伸舌頭？」

周京澤對別人怎麼樣許隨不知道，但他對許隨一直都挺溫柔，規規矩矩的，可是……她沒想到，周京澤竟有這樣的一面，霸道又強勢，像一股凶猛的火，舌尖在裡面攪來攪去，許隨四肢百骸都是麻的，氣都喘不過來。

他們在冰天雪地裡接了一個長達三分鐘的吻。

後來，周京澤鬆開她時，許隨整個人都有些軟。

滑雪正式結束，為了看第二天的日出，一行人回去拿東西，打算去北山燒烤加露營一夜。

許隨在回去的路上，心跳一直未平復下來，腦子裡時不時出現剛才的畫面，周京澤壓著她的後腦勺，親得她快要缺氧，唇齒被一點點撬開，凜冽的薄荷味灌進嘴裡，鋪天蓋地都是他的氣息。

許隨整個人完全被掌控，她被親得迷迷糊糊的，感官卻無限放大，許隨感覺他修長的手指往前移，拇指帶著一種粗糲感，輕輕地摩挲著她耳後的那塊軟肉，引起心底的一陣顫慄。

原來……和喜歡的人接吻是這樣的感覺。

一行人坐纜車登上山頂，大家分工合作，開始了愉快的燒烤。因為天氣實在太冷，炭一燒起來，一夥人就迅速搬好小板凳，圍住了燒烤架，以便取暖。

胡大小姐坐在那裡一邊烤火一邊嫌棄炭的煙味，盛南洲倏地起身，擰起眉頭，指了指自己的位子：「我跟妳換，這裡背風。」

「好呀，」胡茜西起身，拍拍他的肩膀，一臉欣慰，「果然是京北城第一大孝子。」

盛南洲：「……」

許隨來得比較晚，胡茜西一眼就看到了她的隨寶貝，對她招手：「隨隨，這裡還有一個位子。」

一陣寒風吹來，許隨拉緊了身上的拉鍊，自覺地加快步伐。胡茜西側身讓了一個位置讓許隨坐下，許隨的外套拉鍊拉到最上面，只露出一雙漆黑的圓眼睛。

她雙手插在口袋裡，身側一道高瘦挺拔的影子移過來，在許隨旁邊坐下。她沒有抬頭就已經猜到了是周京澤，因為聞到了他身上熟悉的氣味。

許隨刻意沒去看他，因為一想到他們剛才偷偷做的事，她就會臉紅。她伸出手來烤火，一隻骨骼分明的寬大手掌覆在她手背上，眾目睽睽下，兩人的手交握，溫暖的溫度一點點傳來。

她迅速悄悄看了周京澤一眼，他單手握著她，有一搭沒一搭地嚼著口香糖，扯著唇角偏過臉在聽別人吹牛。

許隨手腳一向容易冰涼，她怕涼到他，偷偷掙脫了一下，沒掙脫成功，反而輕而易舉地被周京澤鉗住指關節，動彈不了。

胡茜西注意到兩人的小動作，眉飛色舞地「哦喲」起來。

「西西。」許隨下意識地拖長聲音喊她。

胡茜西看到姐妹眼裡的求饒，自然不再打趣。炭火烘得身上的溫度一點點升高，許隨有些喘不過氣，便將遮住下頜的拉鍊拉下來，吸了一口新鮮空氣。

「隨隨，妳嘴唇怎麼啦？怎麼有一道傷口？」胡茜西像發現新大陸般，驚訝地叫起來。

胡茜西這一叫，引來許多人側目，許隨的耳朵開始變紅，也不知道怎麼解釋，就連周京澤也聞聲側過頭來，像是完全不記得自己怎麼幹的禽獸事，還好整以暇地看著她。

「磕……磕的。」許隨神色不太自然地說。

周京澤聽後挑了挑眉，抬手扳過許隨的腦袋，拇指狀似關心地撫摩她嘴唇上的傷口，眼底戲謔明顯：「是嗎？正巧就磕嘴唇了。」

「妳跟我過來，我包裡有唇膏，幫妳塗塗。」胡茜西起身去拿東西。

「好。」許隨拍了拍周京澤的手，聲音拖長，「都怪你。」

等許隨塗完唇膏回來後，就聞到了烤肉的香氣。熟的、生的食材，只要交給大劉，什麼都不在話下。

大劉左手抓著一把羊肉串，右手拿著香料瓶，黃色的火焰躥上來，一把孜然和芝麻撒下去，炭烤的肉串發出吱吱聲，香氣四溢。

「你一票我一票，烤羊肉串小劉明天就出道。」盛南洲豎起大拇指誇道。

大劉聽後罵道：「滾，等等吃竹籤吧你。」

自己在外面燒烤就是比較慢，許隨見他們在分洗好的雪蓮果，剛好有點餓，伸手拿了一個，就被周京澤奪走了。

許隨眼睜睜地看著周京澤把她的雪蓮果給了盛南洲，看著他：「你剛才不是想吃？」

「嘿嘿，還是我哥疼我。」盛南洲立刻接過來，啃了一口。

盛南洲啃雪蓮果的聲音過於清脆，許隨饞得不行，加上又餓腸轆轆，其實心裡有點氣。

眼看面前的籃子裡還剩最後一個雪蓮果。她剛要伸手去拿，結果有隻手更快，周京澤拿起最後一個雪蓮果，慢條斯理地啃了起來。

許隨此刻有點生氣了，周京澤把她想吃的東西給了別人，現在女朋友餓了他也看不到，越想越委屈，眼睛一酸，又怕掉眼淚太丟臉，於是乾脆把臉埋在膝蓋上不肯看他，心裡嘀咕著，超級無敵大壞蛋。

餘光瞥見周京澤已經吃完了一個雪蓮果，現在正用水將手沖乾淨，他抽了一張紙巾起身，同時一截菸灰落在泥土上，火光熄滅。

許隨抱著膝蓋餓得眼睛有點紅，她吸了吸鼻子，結果沒過多久，一盤烤饅頭片出現在眼前，兩面金黃，上面還裹了一層透明的蜂蜜，奶香味十足。

「你烤的？」許隨吸了吸鼻子。

「嗯，」周京澤對她抬了抬下巴，笑道：「給我寶寶的賠禮。」

看在吃的分上，許隨勉強原諒了周京澤，她坐在小板凳上，認真地吃起了饅頭片，周京澤什麼也不做，看她鼓著臉吃飯就覺得有意思。

像養了條小金魚。

見她嘴角上有蜂蜜，周京澤抬手捏住她的下巴，拇指輕輕將她嘴角的東西擦掉，盛南洲見許隨膝蓋上的小盤子裝著一堆饅頭片，正想伸手去拿。

周京澤後腦勺就跟長了眼睛似的，騰出一隻手給了盛南洲一掌，緩緩說道：「自己烤，怎麼還跟小朋友搶食？」

盛南洲無語，挨了一掌不說，怎麼吃了一嘴狗糧？他看著認真吃饅頭片的許隨，越看越恍然大悟。

可以，雪蓮果吃了肚子會涼就讓他吃，呵，這兄弟做得可以。

夕陽緩緩下沉，呈火紅一扇朝他們撲來，周邊是雪山，一群人圍在一起燒烤，打牌聊天，歡笑聲時不時傳來，倒也不覺得冷了。

中途，周京澤接了一通電話，臉上的表情不太好看，眼梢溢著冷意，機械性地扯了扯嘴角：「您都自己決定了，還來問我幹什麼？」

說完他就把電話掛了，許隨坐在周京澤旁邊，她的手正好放在他外衣口袋裡取暖，輕輕扣住他的手，聲音溫軟：「怎麼啦？」

周京澤心底正煩躁得不行，忽地對上一雙乾淨沉靜的眸子，他剛在口袋裡摸到菸盒的手不自覺地鬆開，笑了笑：「沒事。」

晚上，取暖的火堆早早燒起來了，大家正在分工合作搭帳篷，胡茜西和許隨一起睡，盛南洲和周京澤則負責幫她們搭帳篷。

胡大小姐指揮起兩位大少爺十分得心應手：「哎，舅舅，你一定要搭好了，要是半夜睡覺的時候忽然崩塌了一角怎麼辦？」

「砸到我沒關係，你捨得砸到隨隨嗎？」

周京澤嘴裡叼著一根菸，略微俯身將地上的帳桿撿起，輕車熟路地沿著明黃色篷布的對角線穿過去，眉頭一攏：「捨不得。」

「那就好。」胡茜西眼珠一轉，看向盛南洲，眉頭下意識地皺起，「盛同學，看來你手藝活不怎麼樣嘛，將來出了社會，沒有一技之長，你靠什麼啊？」

「靠收租。」盛南洲接話。

胡茜西無語。

行吧，當她沒說。

許隨正在整理東西，一回頭看見暗藍的天空中飄著十幾盞孔明燈，非常漂亮，她驚喜地叫出聲：「西西，妳看。」

「哇，好漂亮，我要拍下來傳給路聞白，這麼漂亮的風景我得分享給他。」胡茜西拿出手機自顧自地說道。

這道不大不小的聲音恰好落在盛南洲耳朵裡，他拿著帳桿差點戳到自己的手，語氣似在開玩笑：「妳還惦記著那小子啊？」

「對呀，不到黃河心不死。」胡茜西笑咪咪地說道。

許隨搖搖頭，說了句：「她最近還在減肥，為了路聞白。」

盛南洲皺了皺眉頭，欲言又止，最後他只是說：「妳要注意身體。」

胡茜西一怔，旋即露出燦爛的笑容，掩蓋了眼底的情緒：「當然啦，我又不傻。」

一群人玩到十一點，最後大夥因為一天的體力透支打著哈欠各自回了自己的帳篷睡覺。許隨鋪好東西後躺進睡袋裡，沒過多久眼皮就撐不住，迷迷糊糊地闔眼睡著了。

可終究睡得不太安穩，許隨睡眠一向淺，再加上有些認床，她睡了三個小時就醒了，旁邊傳來胡茜西均勻綿長的呼吸聲。

許隨習慣性地伸手去拿枕邊的手機，按亮螢幕，看見周京澤半個小時前傳來訊息。

ZJZ：『一一，睡了沒？』

許隨翻了一個身，手指在螢幕上打字：『睡著了，又醒了，有點認床。』

ZJZ：『那出來看星星。』

『好。』

許隨回完訊息後，躡手躡腳地起床，套了件外套就跑出了帳篷，她抬頭一看，頭頂的天空一片暗藍，雲層較厚，一顆星星也沒有。

周京澤分明是騙她出來。

許隨一路朝周京澤睡的藍色帳篷跑去，遠遠地看過去，他穿著一件黑色的羽絨外套，坐在帳篷旁邊，一條腿閒散地踩在岩石塊上，嘴裡叼著一根菸，低頭伸手攏著火，火苗猩紅。

許隨心血來潮想要嚇他，結果一個踉蹌整個人向前摔去，周京澤眼疾手快地單手扶住她，另一隻手悄無聲息地把菸熄滅。

她的下巴剛好磕在他大腿上，整個人以一種詭異的姿勢趴在男人身上，周京澤垂眼看她，眼梢溢出散漫的笑意：「見到男朋友倒也不必這麼主動。」

許隨掙扎著從他身上起來，小聲嘟囔道：「才沒有。」

凌晨兩點，兩人並肩靠在一起，一陣冷風撲來，許隨立刻躲進周京澤懷裡，臉頰貼在他寬闊溫熱的胸膛上，強有力的心跳聲落在耳邊。

周京澤擁著她，骨節清晰的手穿過她的頭髮，眼睛看著遠處，一直沒有說話。

許隨察覺到他心情不好，總想做點什麼轉移他的注意力。她忽然撤離了懷抱，說道：「我們來玩遊戲吧，贏家可以問輸家一個問題，不想回答的話就彈額頭。」

「行啊。」

周京澤起身去帳篷裡，出來的時候手肘下夾著一張小的折疊桌，手裡還拿著一盒東西，笑道：「剛好盛南洲塞我包裡了。」

這是一座積木神廟，高塔危樓，兩人輪流抽積木，如果積木的框架還是穩的話為贏，掉出一塊，或者倒塌的話，則為輸。

一開局，許隨小心翼翼地抽出廟正中央的一塊積木，抽出來之後沒有倒，她呼了一口氣。相比許隨的慎重，周京澤則顯得隨意多了，他抽了一塊，也沒有倒。

兩人繼續玩，玩到後面，周京澤抽了一塊積木，吧嗒，另一塊積木掉了出來。許隨眼睛一亮：「你輸了！」

「妳問。」周京澤手捏著積木，語氣坦然。

許隨想了一圈，問了一個她好奇了很久的問題：「你高中為什麼放棄學音樂，而去當飛行員啊？」怕被他看出心思，許隨又補充了一句，「我看大家一直很好奇。」

周京澤神色一怔，沒想到她會問這個問題，笑道：「可能要讓妳失望了，當初選擇飛行技術，只是因為腦袋長了反骨。」

他瞇了瞇眼，回憶道：「高中那時具體發生了什麼，我不太記得了，反正那陣子和我爸鬧得很僵，他天生暈機，無論談什麼生意都坐高鐵或者開車去，還見不得任何與飛機有關的東西，我為了和他反著來，就改了志願。那時周圍人都很反對，他們覺得我拿前途在賭，活得太肆意妄為了，除了我外公，畢竟他一生熱愛飛機。」

原來是這樣，兩人繼續玩遊戲，這一次，吧嗒一聲，木塊落地，是許隨輸了，她神色有些懊惱：「我輸了。」

「妳最不喜歡別人對妳做什麼？」周京澤問道。

許隨想了一下：「我不喜歡別人騙我。」

周京澤愣怔了一下，指尖的菸灰落下一截，灼痛手指，不知道為什麼，他心裡有一絲慌亂。

又一輪遊戲，周京澤輸了。

「換我了。」許隨伸出五指在他眼前晃了晃，試圖讓周京澤回神，「你覺得比較可惜的一件事是什麼？」

「把手背上的刺青洗掉了。」周京澤語氣漫不經心。

許隨想起高中的周京澤，每次拉大提琴或者在籃球場打球時，都會露出手背的刺青，一串英文繞著一個大寫的字母Z，總是那麼惹人注目，囂張又張揚。

她默默把周京澤這句話記了下來。兩人繼續玩遊戲，許隨一輪就讓周京澤彈她額頭，他輸了則是被問問題。

許隨緊張地嚥了一下口水，猶豫半天還是鼓起勇氣問了出來：「為什麼你換了一個又一個女朋友？」

問完之後她迅速低下頭，手指無意識地揪著衣服的一角，等著他回答。山風在這一刻靜止，對面的山尖是白色的，四周處於一種萬籟俱靜中。

周京澤在一片寂靜中開口，語氣懶散，似笑非笑地看著她：「玩半天，妳這是算計我啊，妹妹。」

「既然……那就算了」，許隨剛想開口，周京澤的嗓音帶了點嘶啞：「沒什麼太大的理由，我媽發現我爸出軌的事後，就燒炭自殺了。一開始是跟我爸作對，後來覺得有人陪挺不錯。」

所以他愛熱鬧，永遠遊戲於喧囂與聲色犬馬的場所中。

許隨無意間觸碰到了周京澤的傷心事，正思考著該說什麼時，不經意地抬頭，神色驚喜：「快看，有星星！」

他和許隨隔著一張小桌子面對面地坐著，周京澤聞言轉頭去看天空，原本黯淡漆黑的天空中出現了一顆很小但很閃的星星，緊接著，一顆、兩顆、三顆……七八顆，越來越多星星出現，瞬間把天空點亮。

「我媽說——」

周京澤想起在夢裡，他媽媽一如既往地優雅、漂亮，最後她走的時候聲音溫柔：「天上出現星星的時候，就是媽媽來看你了。」

許隨常常覺得周京澤身上有很多面，輕狂、聰明、驕傲，又比同齡人多了一份穩重，可會發現這只是冰山一角，那一角之下的他，尖銳、張揚，有時又很孤獨。

不知道為什麼，許隨慶幸有了今晚，她和周京澤在一起這件事，有了真實感。他不是高高在上、對什麼都不在乎、以笑示人、永遠吊兒郎當的周京澤，他也有孤獨的一面。

許隨聽到這句話眼睛下意識地發酸，她不擅長安慰人，結結巴巴地說了句：「我……會一直陪著你的。」

山風再一次颳來，風聲很大，周京澤背對著她，許隨以為他沒有聽到，正想找個話題翻篇。

周京澤忽然回頭，整個人俯身過來，許隨懵懂地抬眼，撞上一雙漆黑深邃的眼睛，他不給女孩反應的機會，傾身吻了過來。

這一刻，立在桌子上的神廟轟然倒塌。

不知道是不是他剛才吃了薄荷糖的原因，糖粒從他舌尖勻了過來，許隨下意識地舔了一下，涼涼的，帶著甜味。剩下的一點又被他勾了回去，喉結緩緩下嚥，分不清是誰的味道。

許隨被親得呼吸不暢，周京澤眼睛溢出難耐的紅。周京澤睜開眼睛，看著許隨，問：「寶寶，抱一下可以嗎？」

在夜空的襯托下，他的眼睛深邃如墨，彷彿一個漩渦，深深地吸引著許隨。

許隨整個人靠在他肩膀上，輕輕地點了點頭，隨後緊緊地抱住了周京澤。他身上獨有的薄荷氣味隨之瀰漫開來，既熟悉又陌生。

許隨呼吸粗重，感覺有一個堅硬的，類似於銀製的東西蹭著她的皮膚，有一下沒一下的，引起一陣顫慄。

等到看清，許隨難以置信地睜大眼，嗓音斷斷續續地說：「這……這不是……我打算送給盛南洲的戒指嗎？」

怎麼戴在他手上了？那天她問周京澤有沒有見過她的戒指，他還耍賴說沒有。

有山風吹過，周京澤整個人貼過來，舔了一下她的耳朵，熱氣噴灑，他的嗓音霸道：「現在是我的了。」

天快亮時，周京澤才肯放她走，許隨一路小跑回帳篷，小心翼翼地脫外套，還在睡夢中的胡茜西忽然在空中揮舞拳頭，惡狠狠地說道：「你去哪了？」

「我剛剛——」

許隨話還沒說完，胡茜西的聲音倏地打斷她：「路聞白，不要以為你躲著我，我就追不上你。」

原來不是對她說的，許隨鬆一口氣，把胡茜西裸露在外面的手臂重新放回睡袋中，幫對方蓋好被子才去睡覺。

清晨，大部分人沒起床，看日出以失敗告終，一行人只好收拾東西，把帳篷拆了歸還給風景區，打算回民宿休息再商量後續的行程。

他們休息了一陣後，精力充足的胡茜西拉著許隨去逛周圍的景點，碳酸小分隊只好跟上，後面還跟了秦景和一對情侶。

他們四處逛著，胡茜西看見前方掛著一個木牌，上面寫著「吊橋」兩個字，眼前一亮。

盛南洲看了一眼掉頭就走，胡茜西眼疾手快地拖著他往前走，前者抓著欄杆不肯再挪動一步，從牙縫裡蹦出一句話：「妳整我是嗎？小爺我有密集恐懼症。」

腳下吊橋上的圖案像深海裡的生物，密集且顏色對比強烈。

「那更加要克服了。」胡茜西說道。

盛南洲：「……」

吊橋懸在山谷中間，底下又深不見底，走上去還有小幅度的晃動，許隨有點害怕，幸好周京澤穩穩當當地牽著她。

秦景走在他們前面，看見橋正中間掛了一大串花花綠綠的鎖，忽然停下來不走了。

「我靠，情人鎖，沒想到在這裡也看到了。」秦景「哇」了一聲。

大劉走過去，看了上面的鎖一眼，問道：「怎麼，情場浪子秦公子有何見解？」

「去你的，想當年我還是很單純的好不好！」秦景踹了大劉一腳，摸了摸自己的腦門，語氣還有點不好意思，「想當年，我和我初戀偷偷跑去約會，順便說一句，我初戀長得可像許妹妹了，長相清純又乖巧，那雙眼睛喲——」

周京澤站在一邊，指了指深不見底的峽谷：「想找抽就直說，我成全你。」

秦景立刻後退兩步，重新陷入記憶：「我記得和她去一個寺廟吧，那附近也有掛情人鎖的地方，那裡的人說來到這種地方，只要兩人誠心誠意地一起掛鎖上去，就能長長久久。有個老傢伙說得頭頭是道，把我和我初戀都說到心動了，結果那個傢伙一開口就說一把鎖兩百五十塊，我掉頭就走了。」

「後來呢？」許隨不由得問道。

「後來就沒長久唄，怪那老頭說的話那麼玄，哎，所以啊，遇到情人鎖還是掛吧——忽然有點想我初戀了，她那麼好。」秦景看著不遠處感慨道。

周京澤班上唯一一對情侶，聽後立刻去掛了，大劉一個單身狗對此則不發表任何見解。秦景忽然跟發現新大陸般，說道：「周爺，你也去掛一個唄，神會保佑你們長久在一起的。」

許隨看向掛在橋邊的鎖，上面的飄帶迎風飄揚，眼神動搖，她剛想開口說「要不我們也掛一個」，周京澤撣了撣手裡的菸灰，昂著頭懶洋洋地嗤笑一聲：「我是無神論者。」

許隨話到嘴邊只好嚥了下去。

一行人一路小打小鬧走到橋尾，正前方剛好有驛站，一群人坐在石墩上休息。周京澤和許隨到前方的自動販賣機幫大家買飲料。

周京澤站在機器前挑飲料，許隨想著秦景剛才的話，不由得拿出手機，在搜尋欄裡打字：

在情人橋上掛鎖，兩人真的能長久嗎？

手機螢幕上彈出一連串的答案，許隨認真地看著，答案不一，有人說：『當然是真的啦，五年了，我還和他在一起。』

亦有人回答：『不信，就是一個神話故事，風景區騙錢的啦。』

也有中肯的答案：『信則有，不信則無。』

許隨不停地往下滑著螢幕，完全沉浸在情人鎖的故事裡。周京澤在自動販賣機前的螢幕上選飲料，半晌偏頭問道：「一一，妳喝什麼？」

無人應答，周京澤後退兩步，抬手捏了一下她的臉，瞇眼不滿地喊了句：「許隨。」

「啊，我看看。」許隨回神，拿著手機走到螢幕前添加她想喝的飲料，周京澤站在她身後，瞥了她的手機一眼，黑眼睫顫動了一下。

周京澤提著一袋飲料返回驛站時，大劉雙手抱拳：「多虧了許妹妹，我竟然能活到周爺跑腿為我買水的一天。」

「剛好差一瓶，」周京澤睨了飲料一眼，語氣又欠又慢，「你別喝了，等你活到九十九歲，爺再買給你。」

「又耍我。」大劉踮起腳尖勒住周京澤的脖子，兩人鬧作一團。

他們喝足水休息好，正準備出發，盛南洲看了地圖一眼說：「最後一站，天空之城，幸運的話，能看見雪之女。」

一群人蠢蠢欲動，只有胡茜西站在原地沒有動彈，失神地盯著手機。盛南洲走到她面前，伸出五指在她眼前晃了晃，笑著問道：「怎麼還發呆了，下一站妳不是期待了很久嗎？還有妳最喜歡的彩虹。」

盛南洲的聲音將大小姐的思緒拉回，胡茜西猛然抬頭，一臉的失魂落魄：「我剛接到醫院電話，說路聞白在路邊暈倒，被人送進醫院了。」

「我是他的最近聯絡人，我要去醫院看他。」

「最後一站了，妳不是最想去那嗎？現在山下也沒車，看完我們陪妳去。」盛南洲攔住她。

胡茜西皺著眉，語氣還有點衝：「現在是看風景的時候嗎？他暈倒了，我得去看他。你想去你就去啊！」

「我想去什麼！是因為妳想去！」盛南洲吼了出來。

「是因為妳之前說太想滑雪和散心了，我才籌組大家成立樂隊的，就是為了大家能一起來這！是因為妳！」盛南洲「啪」的一聲把地圖扔到地上，眼眶不知道是因為氣憤還是因為什麼，感覺有點乾。

盛南洲憋著一口氣全說出來，神色譏諷：「妳要去就去，別又哭著回來找我。」

盛南洲撂下這一些話後，撇下一群人，頭也不回地走掉了。

胡茜西整個人都被罵呆了，從小到大，盛南洲一直對她很好，幾乎沒有吼過她，這是第一次。晶瑩的眼淚掛在眼睫上，她一副快要哭出來的模樣，許隨見狀立刻找紙巾遞給她。

周京澤抽出胡茜西的手機，拇指在通話紀錄裡翻找，低下脖頸，另一隻手從褲子口袋裡摸出自己的手機走到不遠處低聲打電話。

兩分鐘後，周京澤把手機還給胡茜西，開口：「已經打電話叫人去醫院了，走吧。」

周京澤一通電話就把事情處理得妥妥當當，經他們這麼一鬧，大家也沒有逛下去的心思，北山比較偏僻，只有固定幾趟巴士，時間沒到，也不能發車。

周京澤不知道從哪叫來一輛車，把人都送回去了。

回去的路上，因為胡茜西心情不太好，許隨只好坐在後排陪胡茜西聊天，聊了沒多久，大小姐就倒在她肩頭睡著了。

刺骨的寒風從窗戶灌進來，胡茜西下意識地瑟縮了一下，許隨按下車窗按鈕，窗戶徐徐升起，她又出聲請司機把溫度調高點。

長手長腳的周京澤窩在副駕駛座上，手肘撐在車窗邊，司機剛想動手，他傾身把溫度調高了一點，司機笑了一下：「謝謝啊。」

「小事。」

許隨坐在後排看著副駕駛座上的周京澤，他重新坐正了身子，頭髮好像長了點，短而硬的黑髮有點戳脖頸，指關節撐著額頭，漫不經心地刷著手機，走馬觀花地滑著訊息。

忽地，許隨的手機發出「叮咚」一聲，她登進通訊軟體一看，自己被拉進一個群組，名字叫「北山滑雪小分隊」，這名字……看起來像是大劉取的。

果然，下一秒，大劉呼喚全體成員：『帥哥美女們，把這次旅途的美照分享出來啊。』

群組訊息立刻以「99＋」的量級出現，周京澤一個簡短的「沒」字出現在群組裡顯得十分欠打。

許隨手指按著螢幕，隨意地看著他們分享的照片，忽地，點開一張照片手指按住不動了，眼底情緒怔然。

是有人順手拍了一張吊橋的照片，橋中央掛著無數把情人鎖。

有點可惜，要是能和他一起掛就好了。

正想著，螢幕通知欄顯示ＺＪＺ傳了一則訊息給她，許隨點開手機。

ＺＪＺ：『不開心？』

許隨下意識地看向前面的周京澤，可是他低著頭，背像一把弓，抵在靠背上。難道他剛才透過後視鏡看見了她的表情？

雖然不知道兩人明明共處同個空間，為什麼周京澤還要傳訊息給她，但許隨還是調整了臉上的表情，垂下眼睫回覆道：『沒有。』

傳過去後，那邊再無回覆。五分鐘後，通訊軟體發出新訊息提醒的聲音，ＺＪＺ傳了一張圖片。

她登進通訊軟體，點開圖片，接著微睜大眼，有些難以置信。各式各樣的情人鎖中，有一把紅色的古銅鎖，牢牢地鎖在那裡，上面還刻著字，兩人的名字並排在一起——

ＺＪＺ＆ＸＳ。

一顆心撲通撲通地跳個不停，許隨感覺脖子有些熱，回道：『你什麼時候回去掛的？』

ＺＪＺ回：『在幫大家找車的時候。』

「叮咚」，他又回了一則訊息，許隨點開一看，ZJZ道：『鑰匙我扔了，這樣就解不開了。』

這樣就解不開了，他在哄她，許隨盯著這行字不由得彎起唇角。

很開心，開心到連空氣都是甜的。

——《告白》未完待續——

高寶書版集團
gobooks.com.tw

YH 181
告白（上）

作　　者　應　橙
封面繪圖　阿殁Amo
封面設計　也津設計
責任編輯　楊宜臻
內頁排版　賴姵均
企　　劃　何嘉雯

發 行 人　朱凱蕾
出　　版　英屬維京群島商高寶國際有限公司台灣分公司
　　　　　Global Group Holdings, Ltd.
地　　址　台北市內湖區洲子街88號3樓
網　　址　gobooks.com.tw
電　　話　(02) 27992788
電　　郵　readers@gobooks.com.tw（讀者服務部）
傳　　真　出版部(02) 27990909　行銷部 (02) 27993088
郵政劃撥　19394552
戶　　名　英屬維京群島商高寶國際有限公司台灣分公司
發　　行　英屬維京群島商高寶國際有限公司台灣分公司
法律顧問　永然聯合法律事務所
初版日期　2025年02月

原著書名：《告白》由北京晉江原創網絡科技有限公司授權出版。

國家圖書館出版品預行編目(CIP)資料

告白/應橙著. -- 初版. -- 臺北市：英屬維京群島商高寶國際有限公司臺灣分公司, 2025.02
　冊；　公分. --

ISBN 978-626-402-172-2(上冊：平裝). --
ISBN 978-626-402-173-9(中冊：平裝). --
ISBN 978-626-402-174-6(下冊：平裝). --
ISBN 978-626-402-175-3(全套：平裝)

857.7　　113020660

GOBOOKS & SITAK GROUP©